役員報酬・指名戦略

［改訂第２版］

―報酬制度―ＥＳＧ評価―スキル・マトリックス―ＣＥＯサクセッションプラン―指名・報酬委員会の設計―

デロイト トーマツ コンサルティング

村中 靖　Muranaka Yasushi
＋
淺井 優　Asai Yu

日本経済新聞出版

改訂第2版の発刊にあたって

早いもので2019年9月の初版発行から約2年が経過した。初版『役員報酬・指名戦略』は、役員指名・報酬ガバナンスに関わる、多くの役員・人事総務・法務部門の方々、また各プロフェッショナルの皆様にお読みいただくことができた。本書がこの分野を代表する書籍として高い評価を得ていることは筆者らの望外の喜びである。

一方で、初版刊行後も我が国におけるコーポレート・ガバナンスをめぐる議論は、さらなる活況を呈している。2021年の会社法改正やコーポレートガバナンス・コードの改訂、さらには2022年4月の東証の市場区分の再編等、ガバナンスの進展は今後も続いていく見通しだ。本書では、経営・社会環境の変化をふまえ、古くなったデータを全面的に刷新した上で、ESG、マルス・クローバック、スキル・マトリックス、ダイバーシティや会社法改正をふまえた役員報酬開示のトレンド等、最新のトピックスについても、新たに盛り込んだ。改訂第2版が、皆様にとってさらに有意義な書籍となることを願っている。また改訂第2版の発行にご尽力いただき、貴重な助言をくださった日経BP日本経済新聞出版本部の平井修一氏に心よりの感謝を申し上げたい。

村中靖　淺井優

はじめに

本書の特徴

いま日本のみならず、世界中でコーポレート・ガバナンスに関するさまざまな議論が活発に行われている。日本では、2012年末の安倍政権発足後、「アベノミクス」における成長戦略の根幹として、コーポレート・ガバナンス改革が掲げられた。その後、有識者らによるさまざまな議論を経て策定されたコーポレートガバナンス・コード（2015年）や同コードの改訂（2018年および2021年）により、日本におけるガバナンス改革の流れは、さらに勢いを増しているといえよう。

グローバル化・デジタル革命による破壊的なイノベーションの進展による競争力の低下や、我が国における少子高齢化・成熟社会の到来、およびこれによる潜在成長率の低下等も相まって、世界における日本企業のプレゼンスは、従前と比べると低迷傾向にあることは否定できない。加えて、新型コロナウイルスによる感染症の拡大や気候変動問題等、これまで直面したことのない、新たな課題も次々に生じている。

現代のように、先の見えない非連続な事業環境においては、経営トップの大胆な意思決定や、経営陣（役員）によるリスクテイクを伴った事業遂行や、中長期的な企業価値向上がより強く求められており、それを支えるための指名・報酬の仕組みづくりが急務となっている。

本書は、このような社会的要請の中で、我が国においてはこれまであまり語られることのなかった役員の指名・報酬に関する体系化された知見を提供することを目的として、執筆された（詳細は次ページの「本書の提供する価値とは?」を参照）。役員報酬制度に関連するマルス・クローバック制度の策定やESG評価、役員指名に関連するCEOを含むサクセッションプランの見直しや選解任基準、スキル・マトリックスの策定、経営人材の育成や指名・報酬委員会の設計・支援等を通じて筆者らが蓄えた知見を、本書にふんだんに盛り込んでいる。

さらには、本書の大きな特徴として、日本・海外の各種事例や、日系企業の参加社数規模としては、日本最大を誇る「役員報酬サーベイ（2020年度版：954社）」および「役員報酬サーベイ（2017年度版：514

社)」(いずれもデロイト トーマツ グループ(以下、適宜DTグループと略)と三井住友信託銀行が共同実施)等の定量データをもとにした知見も合わせて提供していることが挙げられる。

本書が想定する読者

本書が想定する読者は、主として、日本の上場企業におけるコーポレート・ガバナンスに悩みを抱える方々であり、具体的には以下のような方々を想定している。

企業経営陣および その関連者	役員・監査役・社外取締役、実務を理解されたい経営者
企業内専門職	人事部門・総務部門・秘書部門・経営企画部門・法務部門
プロフェッショナル	各コンサルティングファームにおける専門家、弁護士、会計士、税理士、社会保険労務士・中小企業診断士、コーポレート・ガバナンスに関する研究者等

本書の提供する価値とは?

本書の読者の多くは、各企業で重責を担う多忙なビジネスパーソンであり、役員の指名・報酬に関する問題について、頭を悩ませている方々であると想定する。また同業のコンサルティングファームや士業を含め、我が国のコーポレート・ガバナンス改革の進展をともに支えると同時に、切磋琢磨する各プロフェッショナルの皆様にとっても有益な情報を提供したいと考える。そこで本書を執筆するにあたり、読者の皆様に、以下の五つの価値を提供できるよう執筆方針を整理した。

① 最新の法規制・ガイドライン等への対応

2021年6月に改訂されたコーポレートガバナンス・コードへの対応や、各種法規制等、2021年8月末時点の動向を盛り込むことで、読者にとって必要な**最新のトレンドや規制事項を理解いただける**よう、意識している。

② 専門知識の理解・拡充

役員の指名・報酬に関する戦略的な視点をふまえつつ、デロイトのネットワークが有する**体系的な知識・知見を提供することで、本領域に関**

するバックグラウンドのない方であっても、全体感をとらえて把握できることを目指した。そのため、専門性の高い内容であっても、できるだけ平易に、かつ整理した形で表記することを意識した。また実務上想定される疑問に対する解や、考える上でのヒントを記載することで、本書で学んだ内容を、すぐに実務で使えるようにすることも意識して記述した。

③　要点の整理

役員報酬に関する本を中心に類書は多数あるが、それらは特定の領域（株式報酬等）や、法務・税務・会計等に焦点を絞ったものである。また指名領域（サクセッションプラン・選解任基準）に関する類書は、本書執筆時点では、我が国ではほとんど見当たらない。

私たちが前提とするのは、読者の持つリソース（時間やお金）は有限であるという点である。したがって、読者が必要な知識やデータソースを入手するために、何冊もの本を購入したり、Webサイトを長時間検索したりしなくて済むよう、役員の指名・報酬に関するトピックスを、**できる限り体系的・網羅的に整理することで、要点を簡潔に理解できることを意識した**。また脚注や巻末には参考文献も多数挙げており、読者がより幅広く深い知識を習得していただける一助としている。

④　リスクの低減

役員の指名・報酬に関連する領域は、経営トップおよび経営幹部に直結する事項であり、非常に慎重を要するものであることは言をまたない。したがって、その**重要性ゆえに失敗が許されない**ものであり、本領域を担う実務担当者・役員等も、十分な手続きを踏んだ上で、検討を進める必要がある。筆者らは本書を通じて、どのような点が検討のポイントになるのか、また実務を進める上でどのような落とし穴があるのか等を明示する。最終的には弁護士・税理士・会計士等の専門家のアドバイスもふまえ、各企業で意思決定を行うことは前提となるものの、**業務を進める上でのリスクを可能な限り低減できるよう意識した**。

⑤　企業の持続的成長・社会的責任への貢献

本書に記載した事項は、一面においては、実務対応に関する技術的な話が中心となっている。しかし、**本書を通じて最も成し遂げたいことは、役員の指名・報酬制度の改革を通じた各企業のコーポレート・ガバナンスの改革および持続的な成長であり、それらを通じた社員・取引先や株主をはじめとするさまざまなステークホルダー全体の繁栄**である。同時に、日本政府が掲げる成長戦略を支えるコーポレート・ガバナンス改革がさらに進展することで、個社単位の発展のみならず、我が国の経済発展に微力ながら貢献したいと考えている。

また指名・報酬に関する透明性や公平性が高まることの副次的な効果として、各社の社員・役員の皆様の中には、より高い報酬を目指して、日々の業務に打ち込む方も出てこられるであろう。あるいは、役員のスキル・マトリックスや選解任要件が整備・開示されていくことで、さらなるスキルアップを目指す方々も出てくるであろうし、不正も減少することになるだろう。このような社員のモチベーション向上やダウンサイドリスクの低減を通じて、我が国企業の中長期的な競争力向上にもつながっていくことを、やや迂遠ではあるが期待している。

本書の構成

第1章では、日本における役員の指名・報酬制度を取り巻く環境について整理を行い、コーポレート・ガバナンス改革の全体像を解説する。日本のコーポレート・ガバナンスをめぐる約20年の動き・諸制度の変遷をふまえた上で、現在注目を集めている役員の指名・報酬に関連するトピックスを概観していく。

この章では、「なぜ」経営陣の指名・報酬がここまで注目されているのか、そして、「なぜ」これらに取り組む必要があるのかを、読者に理解していただくことに重きを置いている。指名および報酬に関する項目は、株主・投資家、あるいは経営陣・社外取締役等のメンバーを中心として、多様なステークホルダーからの理解・納得を得ていくことが不可欠である。そのためには、コーポレート・ガバナンス改革が求める背景やその前提をきちんと理解することが必須である、と筆者らは考えて、一定の紙面を割くこととした。

第2章では、役員報酬制度の現状と課題をふまえ、それぞれの企業にとって、あるべき役員報酬制度を実際に設計する際の考え方やそのポイントについて説明する。前述した「役員報酬サーベイ」のデータも一部紹介・活用しながら、具体的な設計に至るまでの検討の留意点を、設計者の立場から解説していく。

コーポレートガバナンス・コードの目的および、株主・投資家から期待されていることは、企業価値の持続的な向上である。本章では、これらに資する経営陣へのインセンティブ設計、つまり「経営陣が経営計画を達成したい」と思える報酬制度であると同時に、マルス・クローバック制度など過度なリスクテイクを抑制するための仕組みとの両立をどのように実現するか、さまざまな観点から体系的な説明を行う。

また、コラム「改正会社法の影響は？」では、2019年の改正内閣府令、2021年の改正会社法を受けた役員報酬開示の実情を調査した。日本を代表する企業であるTOPIX100構成銘柄であっても法令に対応できておらず、低い開示レベルであることを明らかにした。さらにはコラム「役員報酬水準の決定要因」について、デロイト トーマツ コンサルティングを含むデロイト トーマツ グループが蓄積している実際の役員報酬に関する定量データを用いた、統計的考察も加えた。学術的側面からも、役員報酬に関する研究はまだ緒に就いたばかりであり、今後有識者との研究を共同で進めていくことで、我が国における本分野での研究の進展にも寄与できるものと期待している。

第3章では、役員の指名制度、とりわけCEOを中心としたサクセッションプラン・選解任基準に関して、設計の考え方やそのポイントを説明する。サクセッションプランや選解任基準は、各社の考え方が表れやすい一方で、開示情報が非常に限定的である。また、CEOのサクセッションプランや選解任基準は、株主・投資家の要請に直接的に応えるだけでなく、企業内部の人材育成やキャリアパスの整備を通じて企業価値の持続的向上に効果を発揮すると筆者らは考えている。

第4章では、2018年、2021年のコーポレートガバナンス・コード改訂版において、特に注目されている任意の諮問委員会（指名・報酬委員会）やスキル・マトリックスに関する説明を行っている。任意を含む指名・報酬委員会は2021年8月の時点では、東証一部上場企業においてさえ、まだ6割程度しか設置されておらず、その運営についても模索中というのが実態である。このような中で、指名・報酬委員会の運営面も含めた検討のポイントについて説明している。

第5章では、近年株主・投資家に代わって取締役会の監督役割を期待されている社外取締役に関して説明する。従来、社外取締役は企業内のメンバーにとっては「お飾り」的な存在として認識されていたが、直近数年で社外取締役に期待される役割は大きく変化している。社外取締役に関しては、女性・外国籍人材といった多様性や、経営経験が求められる上に、社外取締役のなり手不足という状況がある。また現状の経営陣が社外取締役を選任・再任する、という現行の選任方法には、ガバナンス上の課題も多い。ボードサクセッションの観点からも指名委員がさらに関与を深めるべきである。これらの諸問題と解決方法について理解を深められるようなナレッジを提供し、ガバナンスのさらなる進化に寄与したいと考えている。

本書が多くの皆様のお役に立つことにより、日本企業のコーポレート・ガバナンスの進化・企業価値の向上を通じた、我が国の発展の一助となれば、これ以上のことはない。末筆ながら、本書の刊行にあたって、日経BP日本経済新聞出版本部の平井修一様のご尽力に心から感謝の意を申し上げたい。本書の税務レビューを担当いただいたデロイト トーマツ税理士法人の税理士高橋朋子氏、デロイト トーマツ コーポレートソリューションの高橋祐太氏、田中義人氏、簗山芽衣氏には多大なご協力を頂いたことに感謝申し上げたい。またデロイト トーマツ コンサルティングの今野靖秀氏、前田欣治先生、小松洋氏、佐藤しおり氏、伊藤敦史氏、大熊朋子氏、辻一真氏、内田智子氏、林もと香氏、および役員指名・報酬チームメンバーのサポートなくしては、本書の完成は実現し得なかった。この場をお借りして、改めて心からの感謝の意を表する。

村中靖・淺井優

目次

第3章　役員指名

第4章　任意の諮問委員会

第５章　社外取締役の選任と処遇

凡　例

本書では、法令、政省令の引用について以下の略語を適宜使用する。

略語	名称
会社	会社法
会規	会社法施行規則
金商法	金融商品取引法
法法	法人税法
法令	法人税法施行令
法基通	法人税基本通達
所法	所得税法
所令	所得税法施行令
措法	租税特別措置法
措令	租税特別措置法施行令
措規	租税特別措置法施行規則
CGコード	コーポレートガバナンス・コード

第1章

役員の指名・報酬制度を取り巻く環境

第1節　本章の意義

本章では、過去20年における日本のコーポレート・ガバナンスの変遷をふまえ、いまなぜ、経営陣の指名・報酬が注目されているのかについて解説する。役員の指名・報酬に関する事項は、これまで企業の経営トップ（社長・CEO）を含む経営陣が、専権的に取り扱う問題として日本においては認識されてきた。しかしながら、コーポレート・ガバナンスの進展に伴って、役員の指名・報酬制度を取り巻く環境は大きく変化している。一方、企業の経営トップ（社長・CEO）、あるいは実務を担う人事・総務担当役員・部長等の層においても、この変化を十分に認識していないケースも多く、上場企業であっても、そのとらえ方のレベルはさまざまである（各企業・経営トップの意識によってまったく異なっており、温度差が非常に大きい）。

このためよく聞くのは、経営トップや役員からは、「なぜ指名・報酬制度改革をやらないといけないのか。重要性はわかるのだが、当社の企業規模から考えても、いま一つ腹落ちしていない」、あるいは実務を担う方々からは、「経営トップから、『指名・報酬制度の見直し』を指示されたが、肝心の自分自身がよく理解できていない。このため、何となく取り組みを進めている」という正直な声である。

後に紹介するように、役員の指名・報酬制度の見直しは、日本固有のコーポレート・ガバナンスシステムおよび労働慣行、会社法をはじめとする法制度や政府方針とも密接に関係している上、多様なステークホルダーの理解・納得を得ながら進めていく必要がある。各関係者が、見直しの背景・趣旨を十分に理解しておかなければ、本質的な議論に至らず、表層的・形式的な見直しに留まってしまう。したがって、本章では、コーポレート・ガバナンス改革が求める背景やその前提について、実務担当者の視点も交えつつ、丁寧に紐解いていくことで、第２章以降の指名・報酬制度改革の検討につなげていきたい。十分に理解をされている諸氏であれば、割愛いただいて構わないが、思考の整理のために、ぜひ通読いただければ幸いである。

第２節　日本における
コーポレート・ガバナンス改革の流れ

第１項　コーポレート・ガバナンスとは何か

(1) コーポレート・ガバナンスの定義

近年、これまでにない規模・スピードでコーポレート・ガバナンスが重要視されるようになっている。会計・品質に関する不正や不祥事の隠ぺい、法令順守違反やお家騒動等、さまざまな事柄をきっかけとして数多くの企業がガバナンス体制の見直しを迫られている。ここでは、まずコーポレート・ガバナンスとは何かを整理していきたい。

コーポレート・ガバナンスとは何か

「コーポレート・ガバナンス」とは、いったい何を意味するのだろうか。後に説明する「コーポレートガバナンス・コード」においては、コーポレート・ガバナンスとは「会社が、株主をはじめ顧客・従業員・地域社会等の立場をふまえた上で、透明・公正かつ迅速・果断な意思決定を行うための仕組み」として定義している。ガバナンスという言葉は、一般に「ガバナンスを効かせる／効いていない」「ガバナンスが不十分」という表現で用いられる。

『広辞苑』によれば、コーポレート・ガバナンス（Corporate governance）とは「企業統治。株主・消費者・社外取締役などが企業の経営にかかわって、チェック機能を果たすこと」とされている。また『大辞泉』では、「企業ぐるみの違法行為を監視したり、少数に権限が集中する弊害をなくしたりして、企業を健全に運営すること。またその仕組み。企業統治」とされており、比較的ダウンサイドのリスクに対する言及がなされている。また『現代用語の基礎知識2018』では「企業統治のこと。（中略）社内で醸成されてきた価値観や企業風土を社外の目でチェックし、組織の健全性と緊張性を高め、トップマネジメント機能を発揮し業績の向上と不正防止を図ることが期待されている」とされ、ダウンサイドリスクの防止だけでなく、アップサイドについてもコーポレート・ガバナンスの効用として言及している。

これらをふまえると、コーポレート・ガバナンスとは「企業経営の規律付けを促す仕組み」を意味するものであり、企業経営者の独断や利己的な暴走等、株主や投資家にとって重要となる企業価値の向上に背く行動を抑えるためのものといえよう。と同時に、より優秀な経営者が選ばれ、そうでない経営者は退場するといったように、企業業績を向上させるための健全なチェック機能であることが理解できるだろう。

つまり、コーポレート・ガバナンスの改革は、ダウンサイドリスクの低減とアップサイドへの貢献という大きく二つの側面があるといえる。

なぜ、コーポレート・ガバナンスが必要なのか？

では、次に「なぜ、コーポレート・ガバナンスが必要」なのだろうか。この背景には、大きく分けて、法律学における「会社の所有者は株主である」という考え方と、経済学における「エージェンシー問題」が存在する。やや堅めの内容となるが、重要なポイントであるのでぜひ目を通していただきたい。

まず法律学の世界では、一般的に「株式会社の所有者は株主である」という考え方に立って議論が展開される。例えば、我が国の会社法第295条第1項では「株主総会は、この法律に規定する事項及び株式会社の組織、運営、管理その他株式会社に関する一切の事項について決議をすることができる」と規定されている。この条文をもとにすれば、株主総会において株主は原則として会社のあらゆる事項を決議することができる、と解釈できる。すなわち「会社は株主のもの」ととらえられ、この考え方を前提とした場合、経営者は株主にとって利益のある行動を取らなければならない。

一方で、経済学の観点ではどうだろうか。そもそも、株式会社というものは、17世紀初頭の東インド会社が原形となっている。当時は船舶による交易が盛んな時代であった。それまでの貿易会社は、大半が「当

【図表 1-1】株式会社の特徴

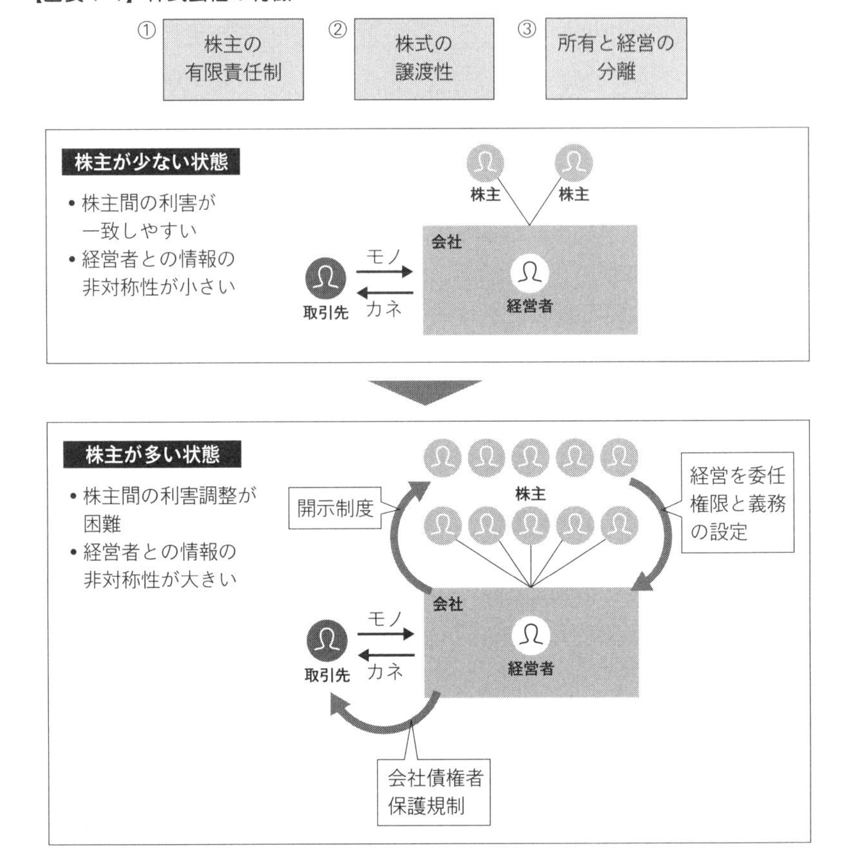

座企業」と呼ばれるものであった。すなわち当該航海の開始時に出資を募り、その航海が終了した段階で清算・解散する、いわば今日の「プロジェクト」的な位置づけであった。しかし、継続的な植民地支配を目的の一つとしていた東インド会社は、それまでの当座企業とは異なり「事業の継続」を前提とする組織、すなわち「継続企業」である株式会社[1]

1　ただし、当時は株式会社であったとしても、必ずしも現代のような民主的なコーポレート・ガバナンス体制が確立しているわけではなかった。例えば 1602 年に設立されたオランダ東インド会社には、株主総会は存在しておらず、取締役会が決定権を握っていたという。株主はあくまでも利益の分配を受けることができる持ち分を保有するという存在に過ぎず、会社の所有者とは異なる立場であった。

として、成立した点に特徴がある。加えて、「多額の資金を投資家から集め、その資金により事業を行う」という株式会社の性質上、できるだけ多くの人が出資しやすくするため、「株主の有限責任制」や「株式の譲渡性」という工夫がなされることとなった**【図表 1–1】**。

その結果、一つの会社を運営する場合に、株主一人ひとりの権限や責任が小さくなる一方、株主が多数存在することにより、株主間の意見調整が困難となる。このため、会社の運営そのものを所有者である株主ではなく、経営者に委任する必要が生じることとなった。これを「所有と経営の分離」と呼び、現在でいう、コーポレート・ガバナンスが必要となる根本の理由となっている。

多数の株主が存在する企業においては、株主は直接経営を行わないことを前提としている。もちろん、スタートアップ企業や、いわゆるオーナー系企業のように、大株主かつ経営者ということも、現実には多く存在している。とはいえ「株主が経営者にその経営を委任する」という関係性は、どのような企業であったとしても一義的には同様であろう。このような場合、企業の経営を任された経営者（＝代理人／エージェント）と株主（＝依頼人／プリンシパル）の利害関係が必ずしも一致するとは限らない。また、経営者は、自身が企業を経営することで、事業環境や資金の動き・経営状況を詳細に把握することができる一方、株主は開示制度等を通じて、経営者から情報を受け取る形となり、経営者と株主の持つ情報が同じでない状態となる（これを情報の非対称性と呼ぶ)。この結果、代理人（エージェント）である経営者は、依頼人である株主の利益を無視するという、エージェンシー問題が発生することがしばしば報告されている。今日的な事例でいえば、自己の経営者報酬の拡大、贅沢なオフィス、不必要なファーストクラス・社有車の利用、住宅の無償供与、会社経費による家族への支出等の、いわゆるモラル・ハザードがわかりやすいだろう。

以上のことから、「依頼人である株主の利益が守られるよう、経営者の監督や規律付けを行う必要がある」、というのがコーポレート・ガバナンスの背景にある根本的な考え方となる。もちろん、これらのエージェンシー問題は、株主と経営者の関係だけに起こるものではなく、それ以外のステークホルダー（利害関係者)、すなわち顧客や従業員、債権者、行政や地域社会等にも関連する事項となるが、それでもなお、現在、私たちが行っているさまざまな対応の根幹にあるものは、株主と経営者の関係における法学的な観点（＝会社は株主のものである）や、経済学的観点（エージェンシー問題）に端を発している点をまず理解する必要がある[2]。

身近にあるエージェンシー問題

現代における身近なエージェンシー問題として、タクシー運転手（＝代理人）と乗客（＝依頼人）がよく挙げられる。タクシーを利用して移動する場合、乗客が「依頼人」、タクシー運転手が「代理人」という関係が成立する**【図表 1-2】**。読者の中には、タクシーを利用する際に「運転手がわざと遠回りをして、高い料金を支払うことになるのではないか」という疑問や不安を感じたことはないだろうか。このような不安を感じるのは、「依頼人」と「代理人」の利害が必ずしも一致しないためである。

すなわち、乗客は「できるだけ早く・安価で目的地に到達したいと考える」一方で、代理人は「できるだけ売上をあげるために、少しでも高い運賃が得られる方法・ルートを考える」ことが想定し得る。ではなぜこういった問題が発生するのだろうか。その原因として、一般に依頼人と代理人との間に必ず存在する、①情報格差と②信頼性という二つの問題が挙げられる。

具体的に見てみよう。まず依頼人と代理人との間には、必ず一定の情報格差が発生する。先ほどのタクシー運転手のケースでいえば、乗客は必ずしも行先までの道について正確な知識を持ち合わせておらず、その

2　「会社は株主のものである」という考え方は米国的な主張であり、必ずしも世界での主流の考え方ではないとみる考え方もある。現に欧州、特に英国では、より根源的・中長期的な経済価値や、環境・人権等を含む、より持続的な社会の構築に向けた動きを重視する考え方が浸透している。また国連の責任投資原則（PRI）等に見られるように、ESG（環境・社会・ガバナンス）を重視することでより広範なステークホルダーを含めた経済的価値の向上を目指す動きが現在の主流となりつつあり、必ずしも株主主権の株式会社のあり方がすべてではない点には留意が必要となる。また日本においても、原丈人氏が「公益資本主義」の概念を提唱するなど、「会社は株主のもの」といった株主資本主義の考え方に異を唱える声は年々高まってきている。
なお、米主要企業の経営者団体であるビジネス・ラウンドテーブルは、2019 年 8 月 19 日に声明を発表し、「株主第一主義」を見直し、従業員や地域社会などの利益を尊重した事業運営に取り組むことを宣言。これまでの米国型資本主義から大きく転換をすることとなった。

【図表 1-2】エージェンシー問題（タクシー運転手と乗客の例）

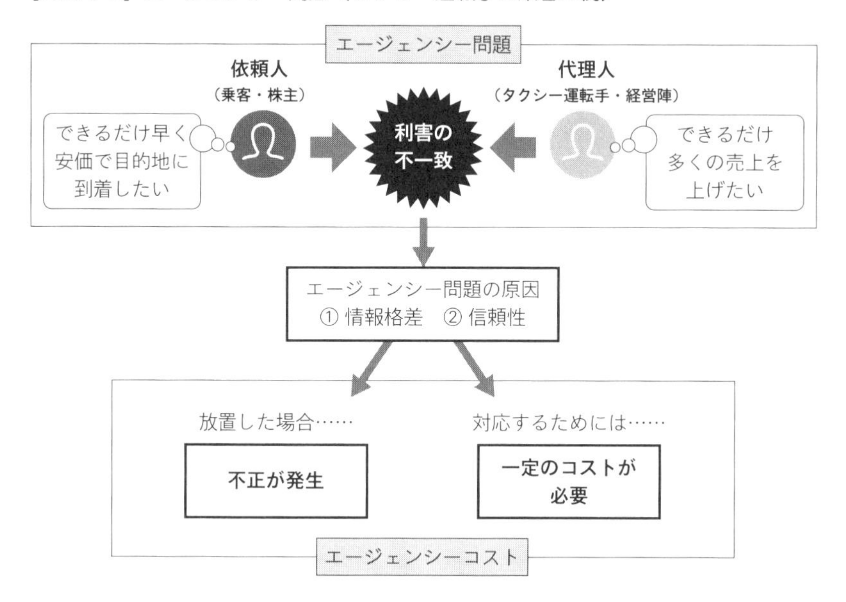

点、運転手の方が詳しいことも多い。したがって、タクシー運転手は、依頼人である乗客に対して、「ご指定のルートはございますか?」と、どのような方針・考え方に基づいて、運行を行うかを依頼人である乗客に確認する、もしくは乗客に対して「XXのルートを通って目的地を目指します」という運行ルートの説明を行うことで、その情報格差を埋めることが必要となる。また例えば、高速道路を使うのか、あるいは一般道を使うのか。一般道を使う場合、どの主要道を通って、目的地に到達するのかを説明し、乗客の納得を得ながら運転を行う。あるいはカーナビを用いることで、運転手は、適正なルートを利用している旨を乗客に説明する必要があるのだ。

こうした努力により、運転手（代理人）は、依頼人との間にある情報格差を埋めたり、依頼人である乗客の信頼を得たりすることが求められる。

一方、依頼人である乗客はどうすべきなのだろうか。例えば、運行ルートをタクシー運転手に細かく指示する。もしくは代理人であるタクシー運転手が、どういうルートで移動する方針なのか、その考え方を確認・理解することで、タクシー運転手との間で本質的に生じる利害関係

【図表 1-3】企業におけるエージェンシーコストの例

モニタリングコスト （株主⇒経営陣の監督）	ボンディングコスト （経営陣⇒株主等への説明）
株主総会・取締役会の開催	有価証券報告書やコーポレート・ガバナンス報告書等による各種情報開示
独立社外取締役・監査役等の選任	中期経営計画の公表・株主説明会等の開催
指名・報酬委員会の設置	監査法人等による監査の実施

を調整することが求められる。こうしたことを実施して納得しない限り、依頼人である乗客は、安心してタクシーに乗車することはできないだろう。

一般企業においては、経営陣がここでいうタクシー運転手（＝代理人）に該当すると考えるとよい。

自社のCEO・経営陣に関するサクセッションプランや、経営陣の報酬に関して、なぜここまでの説明が求められるのか。**【図表 1-2】**に示したように、その根底にあるものは、依頼人（＝株主）と代理人（＝経営陣）との間で、本質的な「①情報格差」が存在するからである。また利害の不一致により、代理人は必ず、依頼人の望むとおりに行動するとは限らない、という「②信頼関係」の問題があるからである。

このため、これらの問題を放置する場合でも対応する場合でも、その両方において「エージェンシーコスト」が発生する。エージェンシーコストとは、依頼人と代理人の利害が一致しない場合において、その双方が一定のコストを支払うことにより、互いの情報格差や信頼性を確保するための取り組みであり、モニタリングコストとボンディングコストの二つが代表的なものである**【図表 1-3】**。具体的には、取締役会の開催や、独立社外取締役の選任といった、企業を監視・監督するための一定の枠組みとそのための費用をモニタリングコストと呼ぶ。例えば、監査役会設置会社や、監査等委員会設置会社、指名委員会等設置会社といった機関設計は、こういったモニタリングをどのような形で行うかを具体的な仕組みで示したものである。

一方で、ボンディングコストとは、経営陣が自分たち自身の潔白や、業務執行に関する適切性を証明するために要するコストを指す。具体的には、有価証券報告書やコーポレート・ガバナンス報告書などによる情報開示や、中期経営計画の公表や株主説明会の実施等、経営陣から、株主等に対する説明のためにかかる費用となる。

このように見ていくと、企業が行っている情報開示や社外取締役の選任、指名・報酬委員会の設置等のさまざまな取り組みは、実はエージェンシー問題に端を発した背景から行われていることを理解いただけるのではないだろうか。

(2) コーポレート・ガバナンスの対象

なぜコーポレート・ガバナンスに取り組む必要があるのか、その背景を簡単に説明した。狭義のコーポレート・ガバナンスとは、「株主と経営者間の問題」であるが、もう少し広義の意味でとらえれば、「企業とステークホルダー全体の問題」ともいうことができる。このため、コーポレート・ガバナンスにも複数のとらえ方が存在する、ということをまず認識する必要がある。ここでは、まずコーポレート・ガバナンスのあり方を大きく２種類（外部によるガバナンス・内部によるガバナンス）に大別した上で、どのような観点から考えていくべきかを整理する**【図表1-4】**。

① 外部ガバナンス

まず、株主を中心としたステークホルダーによるガバナンスが、外部ガバナンスである。ここでは、議論をシンプルにするために、「経営と所有が分離された」企業、わかりやすくいえば、オーナー企業ではない企業（＝ここでは、いわゆるサラリーマン経営者により、経営される非オーナー企業）を前提とする。この場合、企業の所有者である株主（広義には、資本を提供する主体としての機関投資家・銀行・個人等を含む）と、企業の経営を依頼された経営者（取締役や経営陣としての社長・会長等の最高経営責任者・業務執行を担う役員等も含む）との間には、先に説明したエージェンシー問題が存在する。

経営者は、日々の業務遂行や組織におけるビジネス上の意思決定を通じて、現在の事業環境や社内環境を詳細に把握することができる。一方で、株主の観点からすると、経営の状況を（外形的に）つぶさに理解することはできない。また株主は資金の提供者ではあるが、利益の確保や

【図表1-4】コーポレート・ガバナンスのあり方（外部・内部）

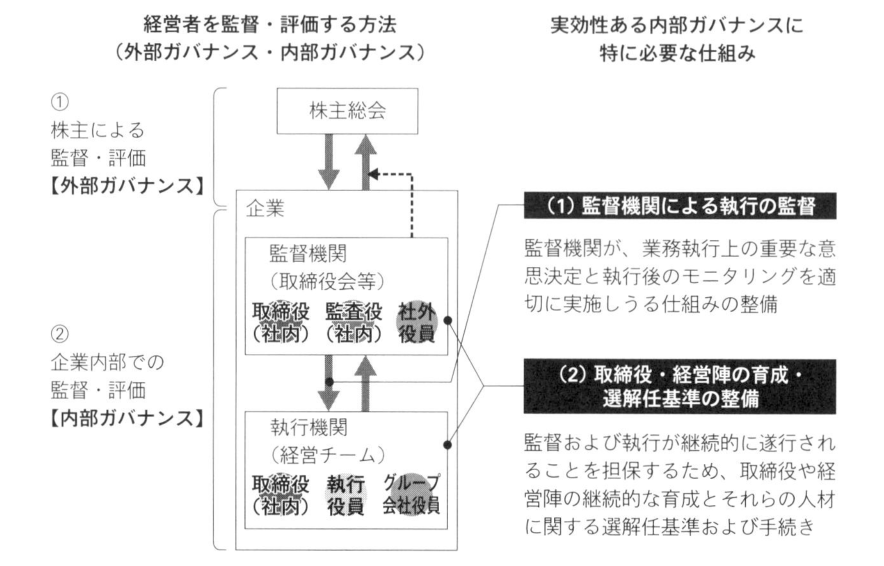

配当の決定等に関して必ず影響を及ぼせるという保証も存在しない。このような環境においては、経営者と株主の間に一定の情報の非対称性が存在しており、株主は、自分自身が提供した資金が確実にリターンを生むか、あるいは確実に資金が手元に戻ってくるのかについて、常に不安を抱える状態となる。

したがって、株主には経営者への監督や情報開示の請求を通じて、企業経営を監督していくインセンティブが生じる形となる。一方の経営者は、株主のこういった事情・要請をふまえ、さまざまな情報開示を行う仕組みや制度を整備することが求められるようになった（典型的には、有価証券報告書の開示等が、投資家への情報開示に関する仕組み・制度である）。

また同時に、企業は、株主だけで存在できるものではない。企業の運営には、従業員をはじめとして、顧客や取引先、銀行や地域社会、行政・NGOなど、多様なステークホルダーが重要な役割を果たしている。企業は利益を上げさえすればよいというわけではなく、「企業市民」という言葉に代表されるように、企業そのものが社会的な存在として認識されている（例えば、化学メーカーは、利益を上げるために地元の地域住民への公害を発生させることは認められない。またブラック企業に象徴されるような、従業員に対する配慮がない企業は、行政や社会からの糾弾を受けることとなる)。

したがって、企業は、関連するステークホルダーと折り合いをつけながら、事業展開を行う必要があり、またさまざまな情報公開を行うことが求められるのである。

② 内部ガバナンス

次に、内部によるガバナンスであるが、特に重要なのが「監督機関による執行機関の監督」である。日本においては後述するように、監督機関である取締役会と執行機関の未分化が特徴となっており、この点に大きな課題が挙げられていた。また「次世代の執行機関の担い手である経営トップや取締役・役員の育成」も十分に行われてこなかった。加えて、それらの人材をどのように選抜し、選任するか、あるいは再任・解任のルールである選解任基準やその実施プロセスについても未整備であったといえよう。

日本企業の取締役会の特徴

ここで、日本企業の内部ガバナンスをより具体的に理解するために、日本企業の取締役会の特徴を、規模・構成・監督と執行という観点から俯瞰する。

① 取締役会の規模

かつての日本企業の取締役会の規模は、欧米諸国と比較して大きかった。宮島英昭編著(2017)『企業統治と成長戦略』東洋経済新報社(21頁)によれば、1990年の時価総額上位500社の取締役平均人数は23.1人であった。半面、社外役員の平均人数は3.5人にとどまり、しかも、そのほとんどが銀行・親会社出身だったという。現在の日本の取締役会の平均人数は10.9人[3]であり、執行役員制度の導入が進んだこともあって、その規模感は欧米並みに近づいてきている。

3　Spencer Stuart Japan Board Index2020

【図表 1-5】上場会社における執行役員と取締役の兼務状況（2021 年）

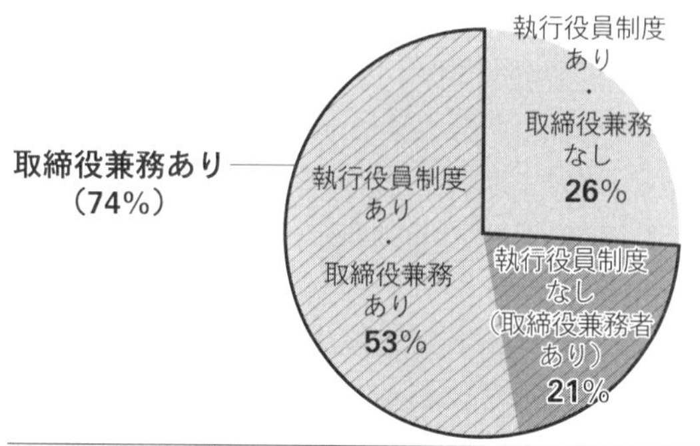

取締役兼務あり		取締役兼務なし	回答社数
執行役員制度あり	執行役員制度なし		
752（53%）	378（26%）	304（21%）	1,464（100%）

出所：公益社団法人日本監査役協会『役員等の構成の変化などに関する第21回インターネット・アンケート集計結果監査役（会）設置会社版』（2021年5月17日）

② 取締役会の構成

日本の株式会社における取締役は、多くの場合、従業員からの内部昇格者によって占められている。キャリアパスの延長線上に取締役があり、基本的に従業員身分から昇格するというものである。このため、取締役会に占める社外取締役の割合が低い点に特徴がある（詳細は第 5 章参照）。

他方、英米等の海外においては、取締役の地位は原則として、社外取締役を中心とする構成となっている。

③ 監督と執行の未分化

従来の日本においては、銀行によるメインバンクシステムを通じたガバナンス（銀行からの経営者の交代要請・役員派遣等[4]）が中心であった

4　メインバンクは企業の決済口座の動きや役員派遣等を通じて、企業に資金を提供している非メインバンクやその他の投資家に代わって企業経営のモニタリングを行う。このガバナンスを効果的なものとするためには、銀行はその企業にとって、最大の資金提供者であり、かつ債権と株式の両方で大口の保有者となっていることが必要な要件とされた（小佐野広・堀敬一（2011）「『メイン寄せ』による規律付けと実証分析」より一部抜粋）

ため、株主に対する意識が非常に薄い点も特徴的であったといえよう。この結果、従業員の立場から取締役の地位に就いた者が、「取締役とは、株主からの委託を受けた存在であり、取締役会が経営者の監督を行うべき立場である」ということを十分に認識していないという指摘がなされていた。

実際、現在においても、日本の上場企業（監査役会設置会社）1,464社のうち、74%において執行役員と取締役との兼務者が存在している。取締役の業務に加えて担当する事業の執行責任を負っている役員が非常に多いことが見て取れる**【図表1-5】**。このグラフが示唆しているのは、取締役会において監督と執行の境目が必ずしも明確でない形で議論が行われている可能性であり、いまなおマネジメント型の取締役会が多いことがうかがえる。

マネジメント型か、モニタリング型か

コーポレート・ガバナンス改革において、内部ガバナンスを検討する際の主要なポイントは、取締役会をマネジメント型とするべきか、それともモニタリング型とするべきかであった。

ここで、マネジメント型とモニタリング型の違いを簡単に整理する**【図表1-6】**。

① マネジメント型

マネジメント型とは、監査役会設置会社に代表されるように、取締役会が、「個別」の業務執行に関する意思決定を実施するというもので、日本企業において伝統的に採用されてきた形式である。要は、取締役として経営陣の監督を行いながら、一方で自分自身が個々の業務執行の意思決定も担う、というものである。会社法362条においても「取締役会は重要な業務執行の決定を行う」とされており、監査役会設置会社における取締役会は、経営陣による業務執行全体をマネジメントする場である、ととらえられてきた。

マネジメント型の問題は、取締役自身が業務執行を担うことにより、監督と執行の立場が曖昧となる点にある。例えば、ある企業の取締役会において、取締役Aが管掌する事業が不調であったとする。このような場合、本来他の取締役は、その事業の好不調を見極め、事業の撤退や

【図表 1-6】取締役会のあり方に関する比較

項目	マネジメント型	モニタリング型
典型的な機関設計	監査役会設置会社	指名委員会等設置会社
日本企業の状況	伝統的に日本企業が採用	先進企業が採用
取締役会の構成	内部者が中心	独立社外取締役が過半数
取締役会の役割	個別の業務執行に対する事前の意思決定	業務執行全体に対する事後的な監督
ガバナンスのあり方	後継者や経営者の報酬は経営者が自己決定するケースが多い	取締役会、社外取締役、指名・報酬委員会による監督

見直しを検討する必要があるだろう。しかし、他の取締役Bが担っている事業も、決して好調とはいえない場合、取締役Aの事業に口をはさんだ結果、取締役B自身が管掌する事業へも、物言いがつく可能性がある。このため取締役会では、特段何もいわず、監督機能がしっかりと機能しない、といったことが起こり得る。

もちろん監査役会設置会社においては、監査役が業務執行の適法性の監査を実施するという意味での監督機能の一部を担っているともいえる。しかし、ガバナンスの観点からは、これは守りのガバナンスとして、ダウンサイドリスク（業績が下方低下するリスク）にしか対処ができておらず、積極的なリスクテイクを進めていく「攻めのガバナンス」を実施する環境にあるとはいえない。

このように、取締役相互が遠慮し合うような状況では、そもそも、安倍政権およびそれ以降の政権が掲げる成長戦略の実現に向けた「企業経営者の積極果断な意思決定」や「イノベーションの促進」が生まれる可能性は乏しいといえるだろう。

② モニタリング型

他方、モニタリング型はどうだろうか。これは指名委員会等設置会社に代表されるように、独立社外取締役が中心となって取締役会を運営し、社長（CEO）以下、経営陣の監督を担う形である。その代わりとして、業務執行に関する大幅な権限を社長（CEO）以下のマネジメントチームに移譲する。社長は、業務執行をどのように行うかに関する具体的な指揮命令をする権限を持つ。ただし、その職務の執行状況については、定期的に取締役会に対して報告・説明する責任を負う[5]、というものである。これにより、独立社外取締役を中心とする取締役会（監督）と、経営陣（執行）との間に健全な緊張感が生まれる。

またマネジメント型の取締役会においては、経営陣の選解任や報酬のあり方は、専権的に経営者が実施することが暗黙の了解となっていた。このため、株主の立場からしても適切な監督が行き届いていない状況にあった。一方、モニタリング型においては、経営陣の指名・報酬においては、指名委員会、報酬委員会等を活用する形で、その選抜や報酬決定のプロセスに対して、客観性・透明性を担保する仕組みとなっている。

日本企業では、マネジメント型を採用している企業が多い。

このため、本来、企業経営者に求められる中長期的かつ持続的な企業価値の向上という目的に対しては、マネジメント型の取締役会では対応が難しく、社外取締役による監督を通じたモニタリング型の取締役会や指名・報酬の手続きの整備が求められることとなるのである。

第２項　なぜいま日本でコーポレート・ガバナンス改革が求められるのか

日本政府の問題意識

ここまで、コーポレート・ガバナンスが必要となるそもそもの背景および日本企業のガバナンスについて述べてきた。それでは、なぜこれらがいま注目を浴び、重要視されているのか。本項では、日本政府がコーポレート・ガバナンス改革に取り組むようになった理由を、大きく三つの観点から説明する。

まず１点目は、日本全体としての「稼ぐ力」が諸外国と比較して、過去20年間で非常に低迷しているという点。２点目は、2012年12月から2020年9月まで続いた第二次安倍政権において、企業業績の抜本的な改善に向けて、コーポレート・ガバナンス改革が「成長戦略の一丁目一番地」に据えられており、政府としてこれらを強力に推進している点。３点目は、コーポレート・ガバナンス改革において、中長期的な企業価値向上のために、中心的な役割を果たすべき経営トップの選解任および後

5　会社法上、執行役は、取締役会の決議によって選任され（会社402条２項）、３カ月に１回以上、自己の職務の執行の状況を取締役会に報告しなければならない（会社417条４項）。

継者計画の策定や、報酬に関する適切な監督・モニタリング機能が発揮されていないのではないか、という点である。

(1) 日本企業の「稼ぐ力」の低迷

まず1点目の日本企業の「稼ぐ力」の低下は、さまざまな指標から顕著に見て取れる。世界の企業の総収益ランキング上位を示す「フォーチュン・グローバル500」の国別構成では、1995年当時148社の日本企業が含まれていたのに対し、25年後の2020年には53社と3分の1近くにまで減少している【図表1-7】。この間の株価や時価総額の伸び率も、他国と比較して大きく見劣りする状況にあり、「経営とは、結果がすべてである」という考え方から、上場企業を中心とする日本企業の経営トップを担う人材の能力に疑問を呈する指摘が挙がっていたのである【図表1-8】。

【図表1-7】フォーチュン・グローバル500社の国別構成

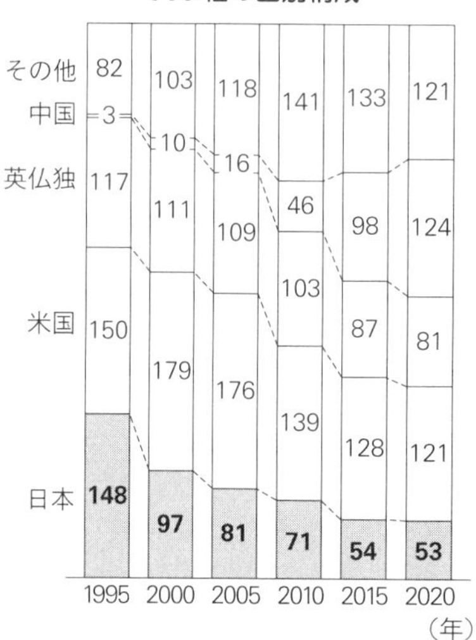

出所：Fortune「Fortune Global 500」

【図表1-8】株式指数・時価総額の長期的動向

国名（株価指数）	倍率（倍）	
	株価指数（2020年の値/1995年の値）	時価総額（2018-20年の値/1995年の値）
日本（TOPIX）	1.1	1.9
アメリカ（S&P500）	6.1	4.4
イギリス（FTSE100）	1.8	—
ドイツ（DAX30）	6.1	3.6
フランス（CAC40）	3.0	4.7
中国（上海総合）	6.3	16.6
香港（ハンセン）	2.7	16.1

- 株価指数については各年の年末終値を使用
- 時価総額は、それぞれの国における上場企業の時価総額の合計
  - ▲1995年の値：中国については、2003年の値を代用
  - ▲2018-2020年の値：アメリカ・フランスは2018年、イギリス・ドイツ・中国・香港は2019年、日本は2020年の値を使用

出所：以下のデータをデロイトトーマツコンサルティングにて加工
- 日本：指数・時価総額ともに日本取引所グループ統計（https://www.jpx.co.jp/）
- 海外（時価総額）：世銀統計（https://databank.worldbank.org/home.aspx）
- 海外（指数）：Bloomberg

【図表 1-9】日本企業の株式所有構造の推移

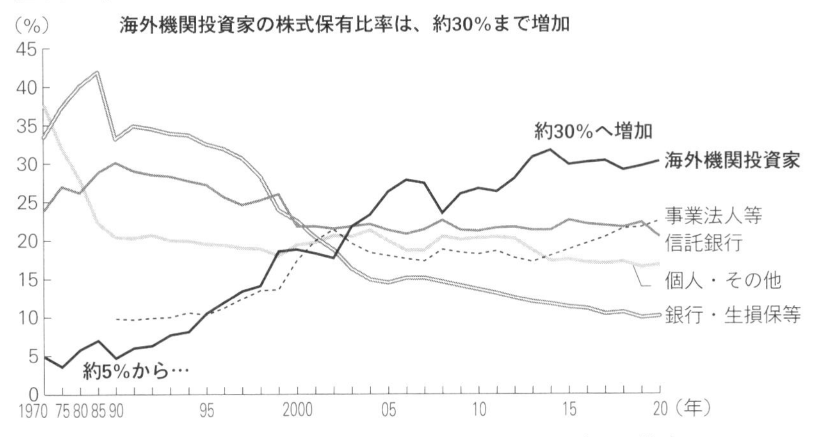

出所：全国証券取引所「株式分布状況調査」よりデロイト トーマツ グループ作成
脚注：1. 1985年度以前の信託銀行は、都銀。地銀等に含まれる。
2. 2004年度から2009年度まではJASDAQ証券取引上場会社分を含み、2010年度以降は大阪証券取引所または東京証券取引所におけるJASDAQ市場分として含む。

インサイダー所有からアウトサイダー所有へ

日本企業の「稼ぐ力」の低迷と同じ時期、日本企業の株式所有構造にも大きな変化があったことを理解しておく必要がある。1990 年代までは、事業法人や銀行・生保といった金融機関が企業の株式の大部分を保有しており、インサイダー中心（金融機関や事業法人の相互持ち合い）の株式所有構造となっていた。それまでは、金融機関や事業法人が株式を相互に持ち合うことで、お互いの取引関係の強化を図ると同時に、海外の機関投資家といった市場からのプレッシャーから相互に守り合う形で、持ちつ持たれつの関係が長らく続いてきた**【図表 1-9】**。

この間、日本企業のコーポレート・ガバナンスという観点では、銀行がその中心的な役割を担ってきたといえるだろう。銀行が各企業の決済口座の動きや、各企業への役員派遣等を通じて、企業経営のモニタリングを行う、いわゆる「メインバンクシステム」という仕組みが確立されていた。万一、企業が財務危機に陥れば、メインバンクは、当該企業の経営者の解任・交代を含めて企業経営に積極的に介入することで、ガバナンスを行っていたのである。それゆえに、経営者に対する銀行の影響力は非常に大きなものがあった。

株式所有構造の変化がもたらしたもの

ところが、バブル崩壊後の1997年の銀行危機[6]をきっかけとして、銀行は、保有する企業の株式の売却を加速していくようになった。不良債権処理の問題等に対応するため、銀行として資金を確保することが必要となったためである。こうして、銀行と企業による株式の相互持ち合いは、急速に解消されていくこととなった。このような環境下で、急速に日本企業の株式保有を増加させていったのが、海外の機関投資家や、信託銀行（投資信託・年金信託）である。先ほどの**【図表1-9】**にあるとおり、1990年頃までは、海外機関投資家の日本株保有割合は約5%であったが、2020年には約30%となっている。また同時に投資信託や年金運用の担い手である、信託銀行の保有割合も1995年の約10%から2020年には22%超の水準となっている。これらアウトサイダー（海外機関投資家や信託銀行、個人等）と呼ばれる投資家は、近年では合計で約70%近い水準の企業株式を保有している。

そもそもインサイダーとアウトサイダーでは、株式を保有するインセンティブがまったく異なる。インサイダーにとっては、銀行と企業の間での資金の貸し付けや、企業間取引の維持・拡大といった、企業間関係の維持が目的であった。一方、アウトサイダーである海外機関投資家や年金運用の担い手である信託銀行等は、投資収益（リターン）の最大化を目的として企業の株式を保有している。

このような株式所有構造の変化が日本企業にもたらしたものは、何だったのだろうか。それは、機関投資家たちが、その保有目的にしたがって、企業に対して「持続的な企業価値の向上」および「株主への利益還元」を要求するようになったことである。2000年代の中頃までには、「物言う株主」として当時注目を集めた村上ファンド等に代表される機関投資家やファンドが、企業経営者に対してさまざまな要求を突きつけ

6　バブル崩壊の影響を受け、1997年に三洋証券、北海道拓殖銀行、山一證券が相次いで経営破綻した。その後1998年に、政府は金融システムの安定化のために、大手銀行21行に対して1.8兆円の公的資金が投入された。それでもなお、日本長期信用銀行、日本債券信用銀行が次々と経営破綻し、日本全体に金融不安が高まった。1999年、政府は大手銀行15行に対してさらに7.5兆円という莫大な金額の公的資金を投入し、政府主導で金融機関の救済を進めたが、この間銀行は保有する株式等の資産を換金し不良債権処理等に充てる等したため、銀行による企業の株式保有割合は継続的に減少することとなり、コーポレート・ガバナンスの担い手が替わるきっかけとなった。

【図表 1-10】第二次安倍政権の基本政策

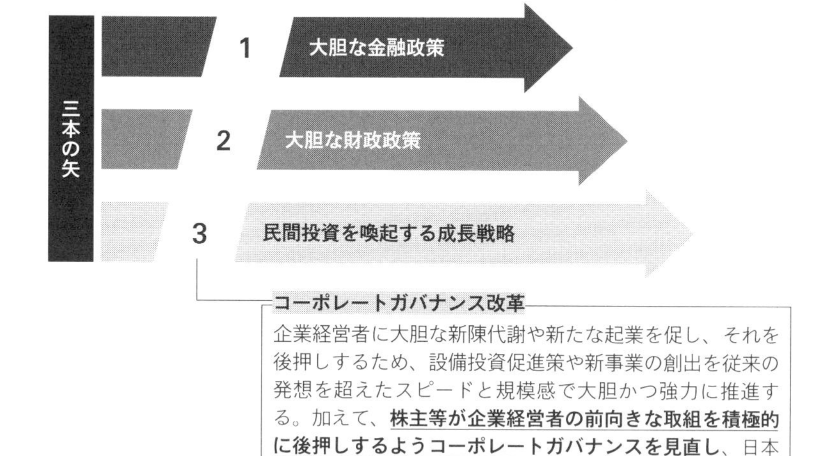

るようになってきた。また2010年代初頭までには、日本国内の市場環境が厳しくなる中で、業界再編を狙った企業の統合・合併や、海外企業の買収（クロスボーダーM&A）が増加していった。

このように、事業の多角化やグローバル化の進展、株式所有構造が変化していく中で、日本企業は、徐々に海外の機関投資家や年金基金等といったステークホルダーと真剣に向き合う必要が出てきたのである。

(2) コーポレート・ガバナンス改革＝成長戦略の最重要課題

次に、政府によってコーポレート・ガバナンスが強力に推進されてきた点についてみていこう。2012年12月に第二次安倍政権が発足する前まで、日本では20年近く、経済のデフレ化が続いていた。企業は設備投資や賃金を抑制する一方、消費者は、将来不安や所得の減少から、消費を減らしていたのは、つい最近の話である。「平成」の時代の代名詞として、59円のハンバーガーに始まり、ニトリ・ユニクロ・ZARAといった低価格志向店、100円ショップの台頭など、消費者のデフレマインドが続いていた。このような環境を変えるべく、安倍政権が行ったのは、三本の矢と呼ばれる大胆な改革である**【図表 1-10】**。

第一の矢「大胆な金融政策」では、日銀による異次元の金融緩和（いわゆる黒田バズーカ等）によりデフレマインドを払拭すると同時に、第二の矢「大胆な財政政策」（補正予算＋大規模な財政出動）を展開することで、積極的な需要喚起を行った。加えて、第三の矢として、「民間投資を喚起する成長戦略」の中に、民間の力を最大限に引き出すための方策として、コーポレート・ガバナンス（企業統治）改革が大きく取り上げられることとなった。企業経営者や国民一人ひとりが自信を回復し、成長分野へのヒト・モノ・カネの移動が加速することにより、企業収益の改善や給与アップならびに雇用の増大を通じて、経済の好循環が実現するという考え方である。

さらに2014年には、「稼ぐ力」を高めるために、コーポレート・ガバナンスの強化を通じた経営者マインドの変革が掲げられ、その具体的な成果指標（KPI）として、「グローバル水準のROEの達成」が盛り込まれた。これは、別に発表された経済産業省による「伊藤レポート（2014）」を意識したものであり、その中で触れられているROE 8%という、明確な目標水準を日本の上場企業は強く意識することとなった。

〈日本再興戦略：改訂2014 ―未来への挑戦―〉

- 日本企業の「稼ぐ力」、すなわち中長期的な収益性・生産性を高め、その果実を広く国民（家計）に均てんさせるには何が必要か。まずは、コーポレートガバナンスの強化により、経営者のマインドを変革し、グローバル水準のROEの達成等を一つの目安に、グローバル競争に打ち勝つ攻めの経営判断を後押しする仕組みを強化していくことが重要である。

投資家サイドによるコーポレート・ガバナンス改革への期待

コーポレート・ガバナンス改革の背景を理解する上では、投資家サイドの動きにも目を向けておくことが重要である。まず2014年には、130兆円もの巨額の公的年金を運用する年金積立金管理運用独立行政法人（GPIF）における運用方針の見直しが行われた。このGPIFによる基本ポートフォリオの変更は、コーポレート・ガバナンス改革に大きな影響を与えている。

その内容は、我が国の少子高齢化に伴う年金財政の悪化や今後の見通しをふまえ、国内債券中心であった資産構成（基本ポートフォリオ）を変え、株式（国内株式・海外株式）の組み入れ比率を高める、というものであった。これは、従来の安定性を重視した運用から株式による運用にシフトすることで、運用利回りを高めていくことを意味している。この結果、GPIF による巨額の投資マネーが、日本の資本市場に供給されることとなり、日本の上場企業株式が大量に購入されることとなった。同時に、その前提として投資先となる上場企業に対しては、コーポレート・ガバナンスの強化が必須とされるようになった。

また 2014 年 2 月に、日本版スチュワードシップ・コードと呼ばれる「『責任ある機関投資家』の諸原則」が策定・公表された点にも注目しておく必要がある。後段で説明するコーポレートガバナンス・コードが上場企業の行動規範を示すものであるものに対して、スチュワードシップ・コードは、いわば機関投資家の行動規範を示している。これは、顧客・受益者と投資先企業の双方を視野に入れ、「責任ある機関投資家」として、投資先企業やその事業環境等に関する深い理解に基づいた建設的な「目的を持った対話」を投資家に促すものである。投資家は投資先企業に対する中長期的な投資リターンの拡大を図る責任を果たすために有用となる諸原則をふまえて、企業と対話を行うことが求められることとなった。その後 2020 年 3 月には、サステナビリティへの考慮を盛り込んだ形で再度改訂されている。

金融庁によれば、このスチュワードシップ・コード受け入れを表明した機関投資家は、信託銀行や、生保・損保・投資顧問会社や企業年金を中心に、2021 年 4 月 30 日時点で、307[7] にも上る。

【図表 1-11】にあるとおり、最終的な受益者である、年金や退職金の受給者は、アセットオーナーである年金基金、運用機関である機関投資家等を通じて、その資金を企業に投資している。機関投資家は、企業に対して資金を投資し、そのリターンをもって受益者に利益を還元する。今後日本の年金受給者等が増加していく中においては、機関投資家と企業が積極的に対話を行うことで、企業のリターン向上を促すことが必要となっていくのである。

ちなみに企業側のリターンを向上させるための要素を、ファイナンス

7　金融庁「スチュワードシップ・コードの受入れを表明した機関投資家のリストの公表について（2021 年 4 月 30 日時点）」

【図表 1-11】スチュワードシップ・コードとコーポレートガバナンス・コードの関係

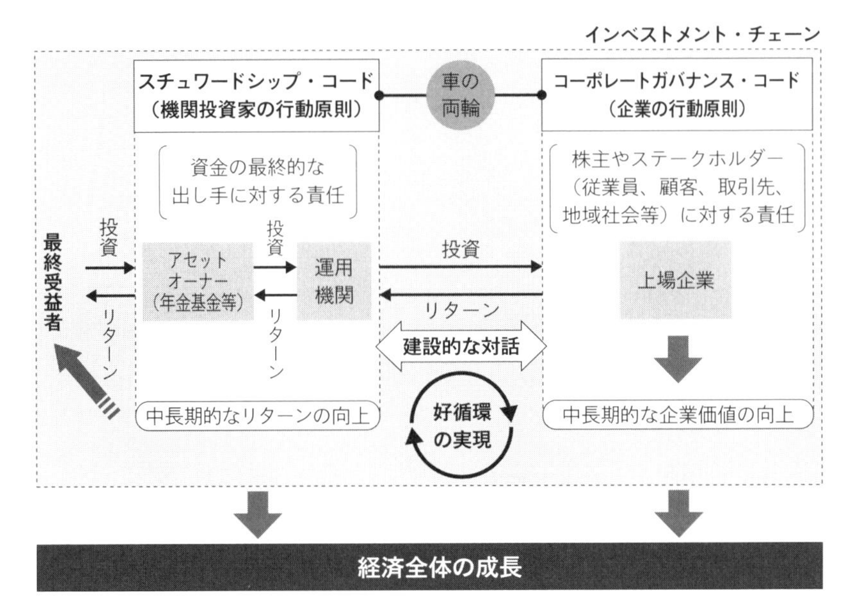

出所：厚生労働省・企業年金基金連合会資料より、デロイト トーマツ グループにて加工

【図表 1-12】コーポレート・ガバナンス改革の効用

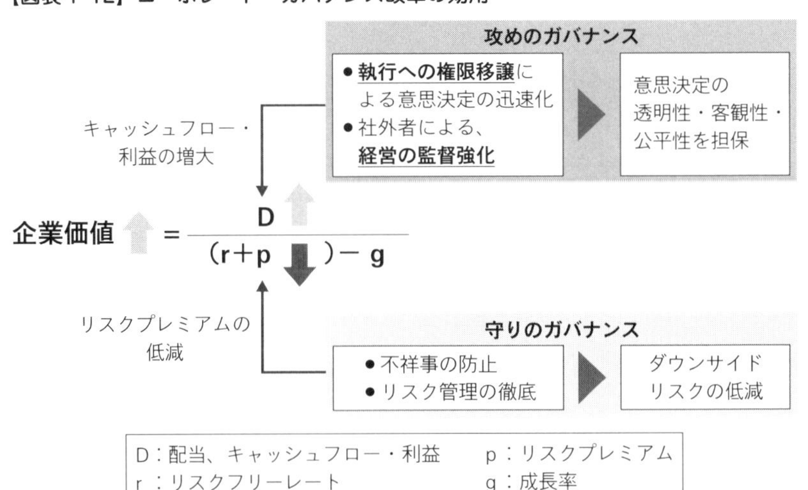

出所：デロイト トーマツ グループ

理論に基づいてシンプルな式に分解すると、【図1-12】となる。この算式は、一定の永続的な成長モデルを前提とし、企業価値を求める式[8]として見ていただきたい。分子には企業価値を高めるための前提となる配当もしくはキャッシュフローが入る。したがって分子が継続的に成長していくことが企業価値向上には最も重要である。一方、分母は企業が持つリスクを示している。分子、すなわち配当やキャッシュフローが大きくなれば、分母が一定でも企業価値は大きくなる。他方、分子が一定であっても、分母が小さくなれば企業価値は大きくなるというのがこの式の意味するところである。

では、この式とコーポレート・ガバナンス改革には、どのような意味合いがあるのだろうか。

機関投資家の立場からすると、企業価値を高めるためには、キャッシュフローや利益の最大化を求めるだけではなく、**分母側のリスクプレミアム（＝ここでは、企業運営上のリスク）の低減が重要な意味を持つ**。

つまり、機関投資家がコーポレート・ガバナンス改革を企業に求めることで、企業側は果断な意思決定や中長期的な経営へのインセンティブを高めることになり、結果として企業の利益を高めていくこと（すなわち分子である配当・キャッシュフロー（D）の増加）につながる。同時に、独立社外取締役や監査役が、企業経営者の暴走や不祥事、不採算部門の放置が発生しないよう監督することにより、リスクプレミアム（p）の低減につながる。リスクプレミアムが低減すれば、結果的に分母が小さくなり企業価値の総和は高まるといった具合である。

したがって、ファイナンス理論の観点からしても、コーポレート・ガバナンス改革を行うことは企業価値の向上に資するものであるととらえられるのである。

攻めのガバナンス、守りのガバナンスとは何か

ここで、コーポレート・ガバナンスにおいて重要なキーワードとなっている「攻めのガバナンス」「守りのガバナンス」についても、簡単に整理しておきたい。コーポレート・ガバナンスの議論を進める上でよく

8　厳密には、r（リスクフリーレート）およびp（リスクプレミアム）は、WACC（株主資本コスト）による形となるが、ここではロジックを単純化するために本計算式としている。

この言葉が出てくるが、一方で定義が曖昧なまま使用されているケースも多い。日本においては、大企業の不祥事が起こるたびにガバナンス強化が求められる。このため「ガバナンス」という言葉が持つ印象として「コンプライアンスの順守」や「内部統制」と同義であるかのような感覚を持つ人もいるのではないだろうか。この文脈でいうガバナンス強化とはどちらかといえば、企業経営者等の強引な意思決定や意図的な暴走に対して「ブレーキ」をかけるという意味合いが強かったと考えられる。しかし、攻めのガバナンスとは、そのようなマイナスのイメージではない。むしろ経営者の後押しをする「アクセル」の役割を果たすものととらえるべきである。

① 攻めのガバナンス

まず「攻めのガバナンス」とは、会社が意思決定の透明性・公平性を担保しつつ、会社の迅速・果断な意思決定を行っていくことを指す。もっとわかりやすくいえば、どの程度アップサイドを取りに行くか、という観点で、企業価値を高めるための行動・意思決定を志向していくものとして理解するとよいだろう。すなわち、「攻めのガバナンスを整備する」というのは、リスクを取った決断や、イノベーションに軸を置いたチャレンジ等を促進するための仕組みの整備を進めることを意味する。具体的には、経営者の選任・再任のプロセスを透明化したり、その報酬への適切なインセンティブを付与することにより、経営陣がチャレンジを行いやすくなる。また経営目標の達成に向けたモチベーションを高めることにより、中長期的な企業価値の向上につながるといった具合である。

② 守りのガバナンス

一方で、「守りのガバナンス」はどうだろうか。シンプルにいえば、不祥事を防ぐ体制をいかに整備するかであり、会社におけるリスク管理をしっかりと行うことにより、ダウンサイドリスクを低減することであると理解するとよい。従来の日本企業においては、監査役を中心とした業務執行の監査等が、その役割を担ってきた。監査制度の充実や、監査役の権限強化、内部統制制度の整備等が挙げられる。もちろん、コーポレート・ガバナンスにおいて、守りのガバナンスはないがしろにされてよいものではなく、企業価値を向上させる上では当然重要なものである。しかし、コーポレート・ガバナンスに取り組む究極の目的は、不祥事や経営者の暴走等を防ぐだけではなく、企業価値を中長期的かつ持続的に向上させていくということに他ならない。また監査役については、業務執行の適法性監査により、ダウンサイドリスクの低減が大きく期待されている。他方アップサイドとなる企業価値の向上については、その業務特性上、本来的に監査役に求められている役割とはやや異なる。だからこそ社外取締役を中心とした、取締役会による経営陣の監督を通じて、企業価値向上に資する仕組み（典型的には、指名・報酬制度）をより充実させる必要があるのである。

(3) 指名・報酬ガバナンスへの期待

最後の３点目は、中長期的な企業価値向上のために、中心的な役割を果たすべき経営トップの選解任および後継者計画の策定や、報酬に関する適切な監督・モニタリング機能が発揮されていないのではないか、という指摘である。

特に経営トップの指名や報酬に関する領域は、たとえ経営トップを監督する役割を担うはずの取締役であったとしても触れづらいものであった。例えば、日本企業の後継者決定は、あたかも経営トップの専権事項のように伝統的にとらえられていた。また役員報酬は、代表取締役である経営トップに一任されることが一般的であった。このため、役員報酬について取締役が口をはさむどころか、取締役自身の報酬がどのように決まるか自体も、理解されていなかった。しかし、それは評価基準もなく、経営トップである社長・CEOだけで決定されていたことが原因である。

経営トップが、自らの進退を自分自身で決定したり、自らの役員報酬を自己の判断で決定するという状況は、必ず自己保身につながることは明白である。このため、指名・報酬にかかる適切な監督・モニタリング機能を整備する必要がある、という指摘がなされていたのである。

第３項　コーポレートガバナンス・コードとは何か

(1) コーポレートガバナンス・コードの策定

すでに述べたとおり、日本企業の「稼ぐ力」を取り戻すために、さまざまな制度が整備されてきた。この中で、日本の上場企業に最もインパ

【図表 1-13】コーポレートガバナンス・コードの特徴

自律的な対応（ソフト・ロー）	•法的拘束力はない。東証が上場規則化し、プライム・スタンダード・グロースの各上場企業に適用（2022年4月より）
プリンシプルベース	•会社の置かれた状況に応じて各原則を適用。用語の定義がなく、趣旨をふまえて企業が考える（「コーポレート・ガバナンス」の定義のみ）
コンプライ・オア・エクスプレイン	•すべての原則を一律に実施しなければならないわけではない •原則を実施するか、実施しない場合には、その理由を説明するかのいずれかを選択

クトを与え、かつ本書のテーマである指名・報酬に関連するのがコーポレートガバナンス・コードである。コーポレートガバナンス・コードは、経営者が、株主からの企業経営の受託者としての説明責任を果たすために必要となる経営体制の仕組みを整えるためのものとして、2015年6月より適用が開始された。このコードは、経営体制における意思決定の透明性や公平性を高めることで、経営者が健全な企業家精神を発揮しつつ、果断な意思決定を行う後押しをすることを目的としている。積極的な意思決定を後押しするための「攻めのガバナンス」を実現し、中長期的な企業価値を高めていくことにつなげていくというものである。

コーポレートガバナンス・コードの特徴**【図表 1-13】**として、プリンシプルベース・アプローチ（原則主義）を取っている。つまり、法律（ハード・ロー）のような最低限の規律を定め、これにしたがうというルールベース・アプローチ（規則主義）ではなく、各社それぞれの考え方に基づき、コンプライ・オア・エクスプレインする（原則を実施するか、実施しない場合には、その理由を説明するか）というソフト・ローに基づく手法である。そのため、コーポレートガバナンス・コードでは、上場企業のガバナンスのあり方について、そのあるべき姿を示した上で、ベストプラクティスとして示しているに過ぎない。

日本のコーポレートガバナンス・コードが、米国のようなルールベース・アプローチ（規則主義）ではなく、欧州型のプリンシプルベース・アプローチに至ったのはなぜだろうか。それは、日本においては、業種や規模、事業の特性や機関設計のあり方などで、さまざまなガバナンスの形があり、法律等で一律に制限を設けることは難しいという判断があったからである。

このため各社は、自社の戦略と実現したいガバナンスの姿をふまえ、コーポレートガバナンス・コードの考え方と一致する場合には、「コンプライ」し、一致しない場合には、自社にとってはコーポレートガバナンス・コードに記載された内容よりもよいガバナンスであることを「エクスプレイン」する責任が生じる形となる。

(2) コーポレート・ガバナンス改革の目覚ましい進展

このコーポレートガバナンス・コードの適用に至る準備とその後の対応により、日本企業のガバナンス改革は着実に進展した。例えばコーポレートガバナンス・コード適用前では、2014年の伊藤レポートにより、ROE 8％という目標を具体的に企業が意識するようになった。また同年に、日本証券取引所と日本経済新聞社によって算出がスタートしたJPX400も、企業価値向上という観点では重要な役割を示している。JPX400では、ROEや営業利益といった利益を選定基準とした。これによりJPX400に採用されるために、あるいは採用後も継続してJPX400に選ばれ続けるために、日本企業が利益、とりわけROEを重視する経営に大きく舵を切った。

また2014年には、スチュワードシップ・コードが適用開始となり、機関投資家を中心とする投資家サイドが、各上場企業に対して、持続的な成長を実現するために、ガバナンス改革を迫ったことも大きなインパクトを与えている。2015年には、ISS（Institutional Shareholders Services）が、日本版の議決権行使ポリシーを改訂し、その中で経営者の選任基準にROEを導入した点も、日本企業がROEの改善に取り組むという意味で、強烈なインパクトがあったといえるだろう。

2015年の会社法改正による、社外取締役を選任しない場合における理由開示義務の導入や、同年のコーポレートガバナンス・コードの導入により、独立社外取締役の2名以上の選任が求められるようになったため、上場企業ではほぼ100％に近い企業がこの水準を達成している状態となった。

日本経済新聞社の調査では、日本企業のROEの平均値[9]は、2005～06

9　日本経済新聞「日本企業の稼ぐ力、世界水準に　ROE初の10％超え」（2018年3月13日付）

年度に9.5%まで上がったものの、リーマン・ショックで業績が悪化した2008年度に0.6%に下がり、その後も9%に届かない状態が続いていた。しかし、2017年には10.1%まで上昇し、その後2018年度も9.8%となっている。米国の主要企業は約14%、欧州は約10%という状況の中で、日本企業は再び「稼ぐ力」を取り戻しつつある状況となっている。

このように一連のコーポレート・ガバナンス改革が目覚ましい成果をあげる一方で、形式的なコンプライが多くなってきたことが指摘されてきた。

これを受け、金融庁および経済産業省を中心として、コーポレート・ガバナンスのさらなる深化に向けた具体的な検討が進められることとなった。2018年には、「投資家と企業の対話ガイドライン」の作成およびコーポレートガバナンス・コードの改訂が行われた。中でも、特に重要視されたのが、CEOの選解任および取締役の機能発揮等であるが、これらについては後述する。

2019年には「企業内容等の開示に関する内閣府令」の改正により、役員報酬等をはじめとする開示内容が大幅に拡充された。加えて経済産業省を中心に、「グループ・ガバナンス・システムに関する実務指針」(2019年)や「社外取締役の在り方に関する実務指針」(2020年)が整備された。上場子会社やM&Aに関する諸問題を含めグループ・ガバナンスに関する枠組みの整理や急増する社外取締役の監督の質を高めるためガイドラインが整備されてきたのである。2020年には一橋大学の伊藤邦雄教授を中心に「持続的な企業価値の向上と人的資本に関する研究会報告書(通称:人材版 伊藤レポート)」が発行された。企業価値を生み出す源泉が、有形資産から無形資産、とりわけ人的資本に移行してきている。イノベーションを生み出すためには、多様性のある組織・人材の確保が企業にとって、より重要となっていることを指摘した画期的なレポートであった。

2021年には、会社法の改正が行われた。この改正により、取締役の職務執行の適正化、取締役に対する報酬を付与する際に払い込みを要しないことに関する規程の整備(いわゆる無償発行)や開示内容の拡大、監査役会設置会社である上場企業において、1名以上の社外取締役の設置義務付けが規定された。全上場会社のうち、すでに99%以上の企業で社外取締役が設置されている。企業にとって実質的な変化はないものの、資本市場からの信頼性向上や、日本企業のガバナンス改革を更に強固に前進させる意思が示されたと言えよう。

さらには、2021年6月にコーポレートガバナンス・コードの改訂および企業と投資家のガイドラインが改訂された。詳細は後述するが、新型コロナウイルスによる感染症の拡大や気候変動問題に代表されるサステナビリティ課題といった新たな経営環境の変化をふまえ、①取締役会の機能発揮、②中核人材の多様性確保、③サステナビリティをめぐる諸課題への対応、④投資家との対話といった領域を中心に見直しが図られている。

これら一連のコーポレート・ガバナンス改革の流れを整理したのが**【図表1-14】**である。2014年以降、現在に至るまで矢継ぎ早にさまざまな改革が実施されてきたことがわかる。

(3) コーポレートガバナンス・コードの内容と指名・報酬

コーポレートガバナンス・コードは、大きく分けて五つの原則から成り立っている。このうち、本書のテーマとなっている、指名・報酬に関連する領域について、2015年のコーポレートガバナンス・コードおよび2018年の改訂箇所をふまえ、内容を概観してみよう**【図表1-15、16】**。

まず、原則3-1（情報開示の充実）においては、経営陣幹部および取締役に関する指名・報酬の方針と手続きおよび説明が求められている。

指名・報酬の方針とは、指名および報酬決定の際に基礎とすべき考え方である。またその手続きとして、取締役会および指名・報酬委員会等を活用した、透明性・公平性のある形での決定プロセスが必要となる。

次に、コーポレートガバナンス・コードの第4章、「取締役会等の責務」の中では指名と報酬に関してそれぞれ言及がなされている。指名に関しては、最高経営責任者（CEO）の後継者計画の策定（補充原則4-1③）や、資質を備えたCEOを十分な時間と資源をかけて選任することが求められている。またCEOを選任するだけではなく、解任についても2018年のコーポレートガバナンス・コードの改訂で求められることとなった（補充原則4-3③）。

報酬に関しては、会社の中長期的な業績等をふまえ、企業家精神を発揮するためのインセンティブ付け（原則4-2）を行うことを求めており、その具体的な内容として、客観性・透明性ある手続きにしたがった報酬

【図表 1-14】コーポレートガバナンス・コードと役員報酬制度等に関する新たなガイドライン・手引

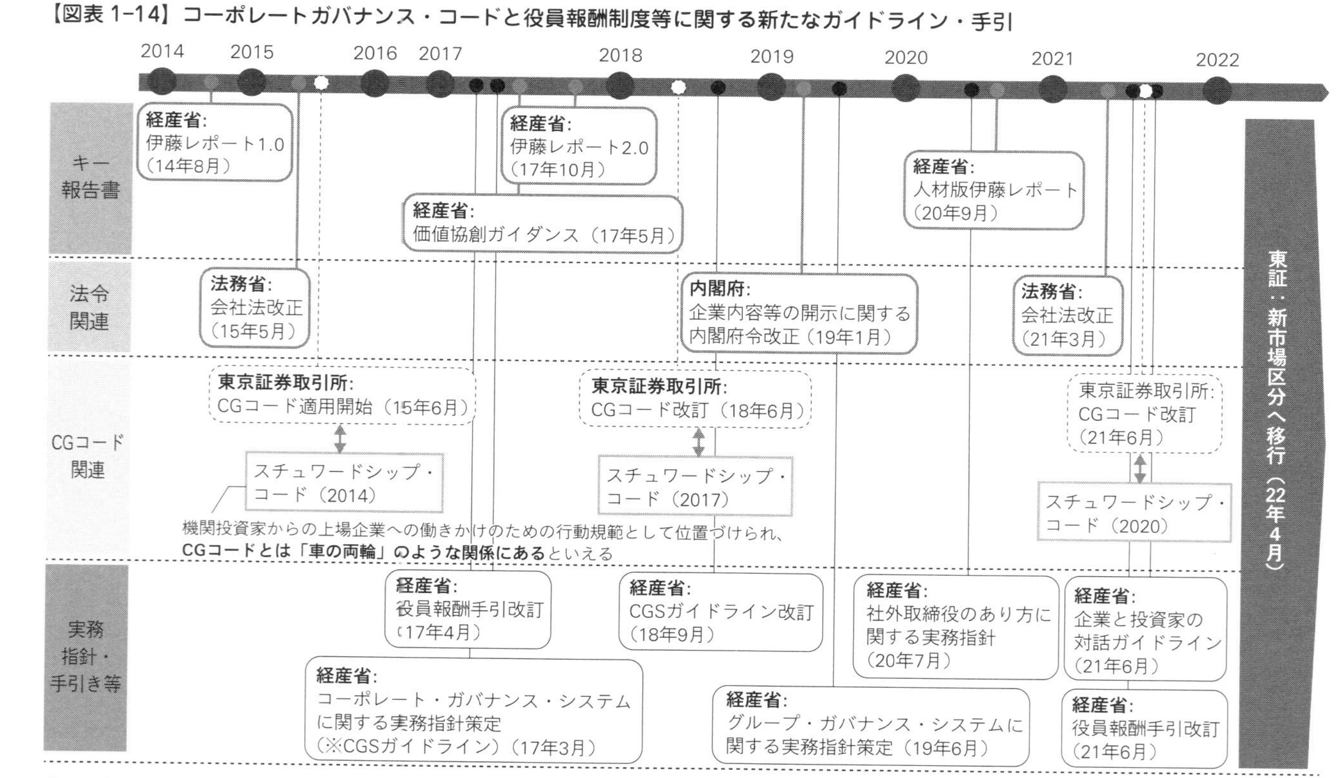

出所：各種資料よりデロイトトーマツグループにて作成

【図表1-15】2018年時点：役員報酬・指名に関連する項目の整理

網かけ：2018年CGコード改訂箇所
◎直接的に言及
○間接的に言及

コーポレートガバナンス・コードの項目		①	②	③
		役員報酬制度設計	役員指名制度設計（選解任基準・後継者計画）	指名・報酬に関する手続きの整備
原則3－1	経営陣幹部・取締役の**報酬の決定方針・手続き**	○		◎
	経営陣幹部の選**解**任と取締役・監査役候補の**指名方針・手続き**		○	◎
	経営陣幹部の選**解**任と取締役・監査役候補の**指名の際の、個々の選解任・指名についての説明**		○	◎
補充原則4－1③	**最高経営責任者（CEO）等の後継者計画の策定・運用への主体的な関与、後継者候補の育成に対する適切な監督**		◎	
原則4－2	**中長期的会社の業績や潜在的リスクを反映**させ、健全な企業家精神の発揮に資するインセンティブ付け	◎		
補充原則4－2①	**客観性・透明性ある手続きに従い、報酬制度を設計し、具体的な報酬額の決定**。また中長期的な業績と連動する**報酬の割合や、現金報酬と自社株報酬との割合**を適切に設定	◎		◎
補充原則4－3①	適切に**会社の業績等の評価を行い、その評価を経営陣幹部の人事に適切に反映**	○	○	
補充原則4－3②	**客観性・適時性・透明性ある手続き**に従い、**十分な時間と資源**をかけて、資質を備えた**CEOを選任**		◎	◎
補充原則4－3③	**会社の業績等の適切な評価をふまえ、CEOを解任するための客観性・適時性・透明性ある手続きを確立**		◎	◎
補充原則4－10①	**任意の**指名・報酬委員会等、独立した委員会**等を設置**することなどによる、指名・報酬などの検討に当たる適切な関与・助言			◎
原則4－11	取締役会の役割・責務を果たすための知識・経験・能力のバランス、**ジェンダー・国際性を含む**多様性及び規模の両立。**監査役選任要件**		○	○

制度の設計と具体的な報酬額の決定、中長期的な業績に連動する報酬の割合や、現金と自社株報酬の割合の設定についても検討を行うことを求めている（補充原則4-2①)。加えて、会社業績等の適切な評価の実施も求められている（補充原則4-3①)。

これらの指名・報酬といった重要な事項に関して、監査役会設置会社および監査等委員会設置会社において、取締役会の過半数を独立社外取締役が占めていない場合には、これらについて客観性・透明性・公平性を担保するために、任意の諮問委員会である指名委員会および報酬委員会を設置・活用することで、独立社外取締役による適切な関与・助言を得ることを求めている点（補充原則4-10①）も、2018年のコーポレートガバナンス・コード改訂で特に注目すべき点である。

第4項 2018年改訂版コーポレートガバナンス・コードで求められているもの

(1) 指名・報酬領域に関連する見直し箇所

2018年のコーポレートガバナンス・コード改訂において、本書のテーマである指名・報酬領域に関して、どのような変更が行われ、どのような対応が求められているかについて、大きく分けて三つの観点から確認する。

① 役員の指名：後継者計画、選解任基準の策定

1点目は指名領域である。特に、CEOの選任および解任の手続きを、明確化することが今回のコード改訂で強く求められている。中でも、解任のプロセスおよび手続きと資質を備えたCEOの後継者計画について特に重点が置かれている。

② 役員の報酬：報酬制度改革と客観性・透明性のさらなる向上

次に報酬領域である。コーポレートガバナンス・コードにおいて、経営者の報酬は「企業の持続的な成長に向けて、経営者をインセンティブ付けるための重要な手段」として位置づけられていた。2018年のコード改訂では、「取締役会は、（中略）客観性・透明性ある手続きに従って報酬制度を設計し、具体的な報酬額を決定すべきである」（補充原則4-2①）として明文化されることとなった。これにより、代表取締役に

【図表 1-16】2018 年時点：コーポレートガバナンス・コードの改訂箇所（抜粋）

網かけ：2018年CGコードの改訂箇所

<table>
<tr><th>項目</th><th>大項目</th><th>内容</th></tr>
<tr><td>原則
3－1</td><td>情報開示の
充実</td><td>• 上場会社は、法令に基づく開示を適切に行うことに加え、会社の意思決定の透明性・公正性を確保し（中略）、主体的な情報発信を行うべきである。
（ⅲ）取締役会が経営陣幹部・取締役の報酬を決定するに当たっての方針と手続
（ⅳ）取締役会が経営陣幹部の選解任と取締役・監査役候補の指名を行うに当たっての方針と手続
（ⅴ）取締役会が上記（ⅳ）を踏まえて経営陣幹部の選解任と取締役・監査役候補の指名を行う際の、個々の選解任・指名についての説明</td></tr>
<tr><td>補充原則
4－1③</td><td>取締役会の
役割・責務（1）</td><td>• 取締役会は、会社の目指すところ（経営理念等）や具体的な経営戦略を踏まえ、最高経営責任者（CEO）等の後継者の計画（プランニング）についての策定・運用に主体的に関与するとともに、後継者候補の育成が十分な時間と資源をかけて計画的に行われていくよう、適切に監督を行うべきである。</td></tr>
<tr><td>補充原則
4－3①</td><td rowspan="3">取締役会の
役割・責務（3）</td><td>• 取締役会は、経営陣幹部の選任や解任について、会社の業績等の評価を踏まえ、公正かつ透明性の高い手続に従い、適切に実行すべきである。</td></tr>
<tr><td>補充原則
4－3②</td><td>• 取締役会は、CEOの選解任は、会社における最も重要な戦略的意思決定であることを踏まえ、客観性・適時性・透明性ある手続に従い、十分な時間と資源をかけて、資質を備えたCEOを選任すべきである。</td></tr>
<tr><td>補充原則
4－3③</td><td>• 取締役会は、会社の業績等の適切な評価を踏まえ、CEOがその機能を十分発揮していないと認められる場合に、CEOを解任するための客観性・適時性・透明性ある手続を確立すべきである。</td></tr>
<tr><td>補充原則
4－10①</td><td>任意の仕組みの
活用</td><td>• 上場会社が監査役会設置会社または監査等委員会設置会社であって、独立社外取締役が取締役会の過半数に達していない場合には、経営陣幹部・取締役の指名・報酬などに係る取締役会の機能の独立性・客観性と説明責任を強化するため、取締役会の下に独立社外取締役を主要な構成員とする任意の指名委員会・報酬委員会など、独立した諮問委員会を設置することにより、指名・報酬などの特に重要な事項に関する検討に当たり独立社外取締役の適切な関与・助言を得るべきである。</td></tr>
</table>

出所：東京証券取引所「改訂版コーポレートガバナンス・コード」（2018年6月）

一任されるといった、曖昧模糊とした報酬決定の仕組みは基本的に許されず、明確な手続きのもと、「どのような考え方およびプロセスで報酬決定がなされるのか」、また「その具体的な報酬額がどのように根拠・考え方に基づいて算出されたのか」を企業側は具体的に説明することが求められるようになった。このような状況においては、特に報酬水準の決定における報酬ベンチマークの考え方が、今後特に重要となると想定される。同時に、報酬ベンチマークは他社との横並び思考を助長する可能性がある。企業ごとの独自性をどう担保するかも十分に検討する必要がある。

③ 指名・報酬委員会の活用

上記の指名・報酬領域に関して、取締役会の諮問委員会という位置づけのもと、独立社外取締役を主要な構成員とする指名委員会・報酬委員会などの独立した諮問委員会の設置が具体的に明文化されることとなった。従来、諮問委員会の設置は、経営陣幹部・取締役の指名・報酬などに係る取締役会の機能の独立性・客観性と説明責任を強化する手段の例示的な位置づけであった。しかし、これを監査役会設置会社および監査等委員会設置会社において、独立社外取締役が取締役会の過半数に達していない場合には、経営陣幹部・取締役の指名・報酬などに係る取締役会機能の独立性・客観性と説明責任を強化する、という目的のもと、独立した諮問委員会の設置が具体的な取り組みとして求められ（設置していない場合にはエクスプレインが必要になる）、独立社外取締役の適切な関与・助言を得ることが必要となっている。

第5項　2021年改訂版コーポレートガバナンス・コードで求められているもの

続いて先述のとおり、2021年6月にコーポレートガバナンス・コードが3年ぶりに改訂された。2020年10月より開始されたコーポレートガバナンス・コード改訂の議論においては、新型コロナウイルスの感染拡大や、気候変動に代表される持続的な社会のあり方が世界的な課題となっていることを受け、各企業がコロナ後の課題に対応し、変化を先取りすることが期待されている。また21年改訂版コーポレートガバナンス・コードでは、2022年4月に行われる東証再編後の新市場区分にも対応している。プライム市場を選択した企業に対しては、過半数の社外取締役を求める等、より厳しいガバナンス基準が適用される**【図表1-17、1-18】**。

2018年のコーポレートガバナンス・コード改訂では「CEOの後継者計画の策定」「役員報酬」「経営者の選解任」「指名・報酬委員会」といった経営陣の人事に関連する項目が中心であった。先に述べたように、中長期的な企業価値向上のために、経営者の適切なリスクテイクを促すための果断な意思決定を促すことが目的であったためである。

他方、2021年のコーポレートガバナンス・コード改訂では「経営者が果敢にテイクしたリスクを適切に取締役会が監督すること」に主眼が置かれている。すなわち、2018年コード改訂による経営陣のリスクテイクを引き続き促していくと同時に、2021年コード改訂では意思決定によって生じるリスク管理や新たな成長に向けた戦略・事業ポートフォリオの見直しによる経営資源の確保・再配分の実施、さらにはそれらを取締役会が適切に監督していくことができる取締役会メンバーの独立性および多様性の確保に力点が移っているといえよう。

具体的には、まず**新型コロナウイルスやサステナビリティに関する諸課題等への対応を考慮した経営戦略・事業ポートフォリオの方針の策定（補充原則5-2①）**や、**中長期的な価値向上をふまえたサステナビリティ方針の策定（補充原則4-2②）**が求められている。同時に**全社的なリスク管理体制の適切な構築と監督（補充原則4-3④）**を求めている。

次にこれらの議論を適切に監督するためには、取締役会の場において、より多様な目線から深く議論する必要がある。このため、**多様なメンバーで構成された取締役会（補充原則4-11）において、3分の1以上（プライム市場では過半数）の独立社外取締役が選任されることをコードでは求めている（補充原則4-8③）**。また取締役会メンバーは、取締役会での議論を深めるために、経営戦略に照らして備えるべきスキルを保有しているか、**スキル・マトリックスの策定・開示（補充原則4-11①）**を通じて継続的に検証していくことが求められる。さらには経営陣幹部・取締役の指名・報酬にあたっても**（プライム上場会社では）過半数を独立社外取締役とし、ジェンダー等の多様性やスキルを考慮した上で、適切な関与・助言を得るべきである（補充原則4-10①）**とされたのである。最後に、これらの内容について、**適切な開示と社外取締役・監査役等を含む株主等の投資家との建設的な対話（補充原則5-1①）**がよ

【図表 1-17】2021 年版コーポレートガバナンス・コード改訂項目の整理

コーポレートガバナンス・コードの項目		特徴			カテゴリ			
		新設項目	プライム市場適用	情報開示	① 取締役会の機能発揮	② 中核人材の多様性確保	③ サステナビリティ	④ 投資家との対話
補充原則1-2④	✓海外投資家向けの株主総会の環境づくり（議決権の電子行使や招集通知の英訳）		✓					○
原則2-3	✓社会・環境問題をはじめとするサステナビリティをめぐる課題への適切な対応の実施						○	
補充原則2-3①	✓サステナビリティをめぐるさまざまな課題への積極的・能動的な取り組みの実施						○	
補充原則2-4①	✓管理職や中核人材の多様性を確保し、その目標と状況の開示	✓		✓		○		
補充原則3-1②	✓海外投資家向けに英語による情報開示の実施		✓	✓				○
補充原則3-1③	✓サステナビリティの取り組み、人的資本や知的財産への投資の開示	✓	✓	✓			○	
補充原則4-2②	✓中長期的な価値向上をふまえた、サステナビリティの方針策定と監督	✓					○	
補充原則4-3④	✓内部統制や全社的リスク管理体制の適切な構築及び運用状況の監督							○
原則4-4	✓監査役及び監査役会による取締役、監査役・外部会計監査人の選解任等の判断				○			
原則4-8	✓独立社外取締役を全体の3分の1以上選任（**プライム以外の市場では2名**）		✓		○			
補充原則4-8③	✓支配株主を有する上場会社は、独立社外取締役を3分の1以上（**プライム市場では過半数**）選任、もしくは独立社外取締役を含む特別委員会の設置	✓	✓		○			
補充原則4-10①	✓独立した指名委員会・報酬委員会を設置し、指名・報酬への助言を得る **✓プライム市場上場会社は委員会の独立性に関する考え・権限・役割等の開示を実施**		✓	✓	○	○		
原則4-11	✓ジェンダー、国際性、職歴、年齢、能力の面で多様な取締役会の構成				○	○		
補充原則4-11①	✓経営戦略に照らして備えるべきスキル等を特定し、それに応じた各取締役の知識・経験・能力を一覧化したスキル・マトリックスの策定、開示を実施			✓	○	○		
補充原則4-13③	✓取締役会・監査役会の機能発揮に向け、内部監査部門と取締役・監査役の連携の確保				○			
補充原則5-1①	✓経営幹部・社外取締役を含む取締役・監査役による株主との面談の対応			✓				○
補充原則5-2①	✓事業ポートフォリオの方針や見直しの状況を分かりやすく示した経営戦略等の開示	✓						○

出所：東京証券取引所「コーポレートガバナンス・コード」（2021年6月）を基にデロイト トーマツ グループにて加工

【図表 1-18】東証新市場区分によるコーポレートガバナンス・コード適用範囲の変化

現市場（~2022/3）		新市場（2022/4~）
市場第一部 現コード：全適用	市場選択	**プライム** 改訂コード：全適用【プライム特有】
	市場選択	**スタンダード** 改訂コード：全適用
	新規上場と同様の審査	**グロース** 改訂コード：基本のみ
市場第二部 現コード：全適用 **JASDAQスタンダード** 現コード：基本のみ	新規上場と同様の審査	**プライム** 改訂コード：全適用【プライム特有】
	市場選択	**スタンダード** 改訂コード：全適用
	市場選択	**グロース** 改訂コード：基本のみ
マザーズ 現コード：基本のみ **JASDAQグロース** 現コード：基本のみ	新規上場と同様の審査	**プライム** 改訂コード：全適用【プライム特有】
	新規上場と同様の審査	**スタンダード** 改訂コード：全適用
	市場選択	**グロース** 改訂コード：基本のみ

市場選択：移行基準日（2021/6）において、新市場区分の上場維持基準を充たしていない場合は、追加の手続きが発生
新規上場と同様の審査：一斉移行日（2022/4）までに新規上場審査に適合しなかった場合は、一斉移行日に猶予期間入り
出所：東証資料よりデロイト トーマツ グループにて作成

り求められている。

また2020年の『人材版伊藤レポート』で指摘されたとおり、付加価値を生み出す源泉が無形資産、特に人材に移ってきていることも重要な点である。イノベーションを生み出す組織・人材を確保することは持続的な企業価値向上において避けて通れない。他方、イノベーションの基

盤となる多様性について、日本は世界で最も低い水準であり、その女性や中途採用者を含む多様な人材のパイプラインも不足していることは広く知れわたっている。これらを受け、**管理職・中核人材の多様性確保（補充原則2-4①）や人的資本に関する投資と開示（3-1③）**も今回のコード改訂の実務対応として重要なテーマとなる。これまでダイバーシティに関しては、方針を立てるものの、目標や実績が伴わないケースも多かったのが実態ではないだろうか。今回のコーポレートガバナンス・コード改訂を機に日本企業の多様性が進むことを大いに期待したい。

2021年のコーポレートガバナンス・コード改訂を受け、形式的な社外取締役の選任数の増加や女性取締役を選任させるといった企業は引き続き増加するものと見込まれる。またスキル・マトリックスの作成においても、取締役の過去の経歴や各スキルを一覧にした星取表に留まらないことが肝要だ。

重要なことは、経営環境の変化や各社の事業特性をふまえて取締役会で議論すべき事項に対して、適切な取締役が確保できているかを継続的に検証していく点にある。国レベルでは、各企業のガバナンス水準を一定レベル以上に引き上げるため、形式を整えていくための制度・コードの策定が今後も進められていくだろう。しかし各企業等に所属する皆様におかれては、中長期的な企業価値の向上のため、取締役会での実質的な議論をより深めるための施策を検討・推進していくことは今後も変わらない。

以上で、日本企業におけるコーポレート・ガバナンス改革の背景と変遷および、指名・報酬のそれぞれの領域において求められる事項について説明をしてきた。ここまでの背景等を理解した上で、それぞれの領域について、具体的な実務の取り組みや考え方を、次章より解説していきたい。

第2章

役員報酬

第1節　本章の意義

本章では、役員報酬制度の設計方法やそのための考え方を中心に説明する。前述のとおり、企業の持続的な成長と中長期的な企業価値の向上を目的として、2015年に、コーポレートガバナンス・コードが適用開始されて以降、企業業績の向上を牽引する企業役員や経営陣幹部への報酬の見直しが進んできている。中でも、中長期の業績と連動した報酬制度の典型である株式報酬制度については、経済産業省を中心に検討・整理が進み、企業側の選択により、多様な株式報酬制度の導入が可能となった。企業の側からすると、複雑かつ多様な選択肢の中から、自社にとって最適な役員報酬制度を設計することは、より難易度が増してきているといえよう。加えて、独立社外取締役が中心となる任意の報酬委員会等においては、その役員報酬制度の妥当性や根拠等を客観性、透明性を持った形で明示・説明することが、より求められるようになっている。このような環境において、役員報酬制度の全体像に加え、そのスキームや設計方法の細部についても、十分な理解のもと設計することが、役員や実務担当者には求められているといえよう。

本章では、役員報酬制度の設計に関する考え方やその論点、検討のポイントや留意点を示していくことで、実務担当者の疑問に応えていきたい。

第２節　日本における役員報酬の現状と課題

まず、日本の役員報酬の現状と課題について見ていこう。

日本企業の役員報酬の水準は、**【図表 2-1】**にあるとおり、諸外国と比較すると**非常に低い水準**にある。日本の役員報酬水準は、１兆円以上の企業の社長報酬の中央値が 1.3 億円となっている。これに対して、米国では約 16.2 億円、英国は 5.0 億円、ドイツは、6.9 億円、フランスでも約 4.5 億円となっている。戦前期における日本企業の役員は、財閥等に代表される資本家や旧帝大出身者といった一部のトップエリートが占めており（いわゆる重役と呼ばれていた）、一般の従業員層との格差は大きかった。ところが戦後の財閥解体や労働争議等を経た高度経済成長期以降、日本企業における役員層は、いわゆるサラリーマンを中心に登用が進む形となった。従業員の延長線上に役員・社長という道があり、社外から経営者をヘッドハンティングするのではなく、社内者が役員に登用されるというキャリアパスが作られていった。

これは取締役会が、内部昇格者によって占められてきた戦後の日本の取締役会構成とも整合している。結果として、日本の役員層の報酬は、プロ経営者のマーケットが存在する欧米各国とは異なり、従業員報酬額との内部公平性を考慮した報酬水準となった。その結果、欧米と比較しても非常に低い報酬額となっている。

次に、報酬構成について見てみよう。日本は**固定報酬比率が約６割**となっており、米国の１割、英独仏の約３割と比較して非常に高い。また**中長期業績に連動する株式報酬等の割合が低い**ことが見て取れる。役員報酬を企業業績向上の動機付けのためのツールであるととらえた場合、日本の役員報酬は、いわば結果を出しても出さなくても、固定報酬として一定の役員報酬を受け取れる仕組みとなっているともいえよう。

他方、**【図表 2-1】**の報酬水準で見たとおり、欧米各国においても、実は固定報酬額というのは、おおむね１億～2 億円となっている。このため、企業の経営を担う役員としての生活給は、各国でそこまで変わりはないともいえる。日本の役員報酬はその絶対額が低いがゆえに、生活給である固定報酬額を一定程度支払う必要があり、結果として固定報酬比率が高くなっているともいえる。

【図表 2-1】CEO 報酬額の比較（中央値）

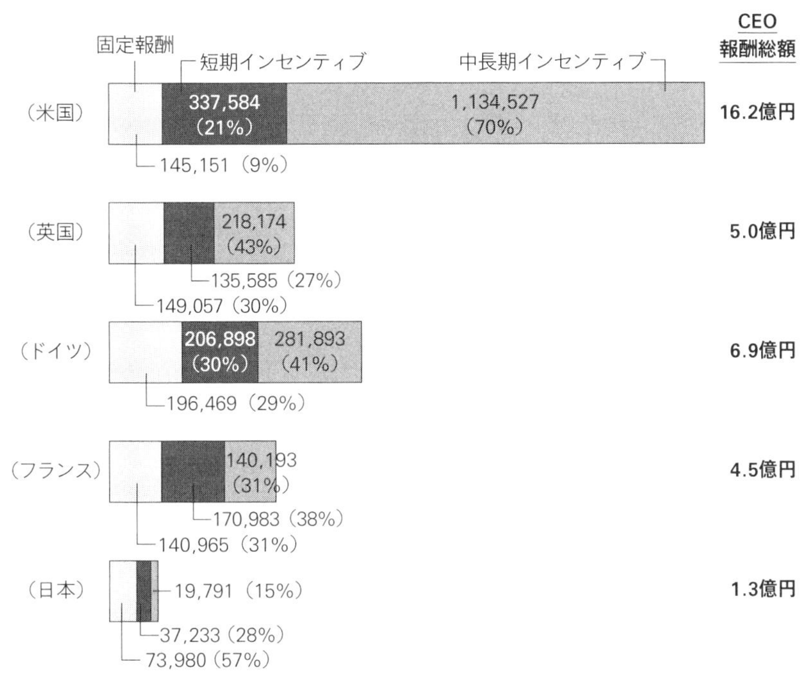

出所：日本：『役員報酬サーベイ（2019年度版）』よりデロイト トーマツ グループ作成
日本以外：Bloomberg抽出データ（2020年6月15日時点の各社開示データ）よりデロイト トーマツ グループ作成
※換算レートは2019年平均TTB（1ドル=108円、1ユーロ=121円、1ポンド=135円）を使用
【対象企業】
米国：S&P 500のうち、売上が1兆円以上の企業276社
英国：FTSE 100のうち、売上が1兆円以上の企業47社
ドイツ：DAX 30のうち、売上が1兆円以上の企業25社
フランス：CAC40のうち、売上が1兆円以上の企業34社
日本：TOPIX 100銘柄かつ、売上1兆円以上の企業22社（「役員報酬サーベイ（2019年度版）」参加企業）

したがって、日本の固定報酬が高いということそれ自体が悪いのではなく、報酬額全体の中における一定の生活給といった側面も考慮されなければならない。役員への企業価値向上へのインセンティブという観点においては、コーポレートガバナンス・コードが示すとおり、中長期の業績への連動性を高めていくこと自体は必要であるものの、絶対的な水準感の違いが、その報酬構成にも影響していることは、前提として理解しておく必要がある。

【図表 2-2】報酬決定の方法について、取締役会が代表取締役に一任するケースも目立つ

報酬決定の方法

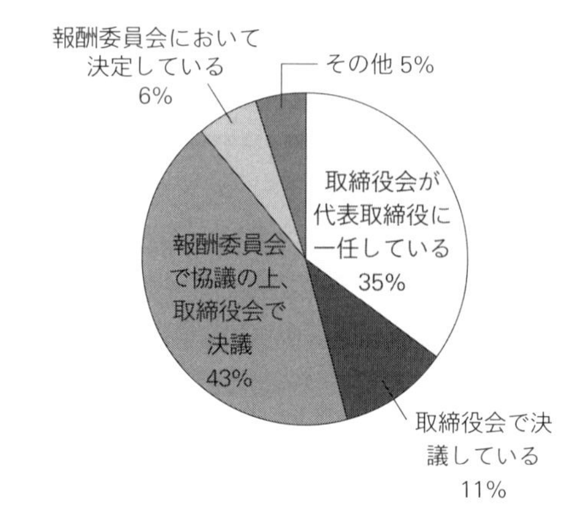

（単位：社）

	取締役会			報酬委員会において決定している	その他	総計
	取締役会が代表取締役に一任している	取締役会で決議している	報酬委員会で協議の上、取締役会で決議			
東証一部上場	193	40	341	45	37	656
東証二部上場	37	21	31	4	2	95
その他上場	83	33	25	7	3	151
非上場	23	9	11	3	6	52
総計	336	103	408	59	48	954

出所：「役員報酬サーベイ（2020年度版）」

また日本の役員報酬の決定方法についても、大きな課題がある。当社の最新の調査でも、役員報酬の決定方法は、依然として代表取締役に一任されているケースが多い**【図表 2-2】**。

本調査結果でも示されているように、日本企業の役員報酬は、伝統的に株主総会による総枠の承認を受けたのち、代表取締役である社長に一任されることが暗黙の了解となっていた。そのため、取締役クラスであったとしても自身の報酬がどのように決定されるかを把握していないケースが大半であった。後に説明する経営者指名においても同様であるが、経営トップである社長が報酬面でも絶大なる権限を有していたのである。またこれらの報酬決定にあたっては、社長自身が「鉛筆をなめる」形で、各役員の評価を決定しており、その評価決定のプロセスそのものも非常に不透明であった（あるいは評価そのものを実施していなかった）。社長自身に報酬決定権が委ねられている以上、社長自身の報酬も自分自身で決定されていた。これでは、経営者の規律付けに必要なガバナンスがまったく発揮されず、客観性・透明性のある報酬決定が行われているとは到底いえない状況にあった。さらには日本企業の役員報酬開示は、米国・英国と比較しても不十分であることが長年指摘されていた（第２章コラム：改正会社法の影響は？〜役員報酬開示から見える日本の現状を参照）。

以上のように、日本の役員報酬においては、さまざまな課題があり、現在多くの企業で見直しを進めている状況にある。

第３節　役員報酬制度の見直し

第１項　役員報酬とは何か

(1) 本書における「役員」と「報酬」の範囲

役員報酬に関する説明を行う上で、会社法等に規定される各種定義について触れておく必要がある。関連する法律・条文にきちんと触れたことがない方は、この点はやや読み飛ばしたいと思われるかもしれないが、役員報酬を理解する上では、重要な根拠・定義となる部分であるため、通読し、理解していただきたい。

ここでは、まず役員報酬における「役員」の範囲を明確にする**【図表2-3】**。そもそも「役員」とは、本書の性質上、特に記載のない限り、取締役、および、監査役を指すものとする。会計参与も会社法上の役員に含まれるが（会社329条1項）、会計参与については上場企業における設置率が低いという実態を考慮し、必要最低限の記述に留める。なお会計参与とは、税理士等の資格を持つ専門家が就任する機関で、取締役と共同で計算書類を作成する役割を担う。特に中小規模の会社の計算の適正化を促進する立場にある。

執行役については、会社法上、役員「等」に位置づけられている（会

【図表 2-3】会社法上の役員

区分	対象者
役員	取締役、会計参与、監査役
役員等	取締役、会計参与、監査役、執行役、会計監査人

社 423 条 1 項）が、指名委員会等設置会社特有の制度であることから、必要に応じて言及する。指名委員会等設置会社を採用する企業は、約 3,800 社ある日本の上場企業の中で、約 80 社しかない。このため、人によってはなじみがないことも多く、「執行役員」と混同されやすいため、用語の使用の際には、注意が必要である。

執行役員については、株主総会ではなく取締役会で選任される「重要な使用人」（会社 362 条 4 項 3 号）として位置づけがなされることが通常である。しかし近年では、経営陣幹部という位置づけで、取締役と執行役員の報酬を一体とし、役員報酬として構築する例が増えてきている。このため執行役員についても便宜上、役員に含め、執行役員報酬についても積極的に言及したい。役員「等」には会計監査人も含まれることもあるが、会計監査人は外部の法人であり、監査報酬の交渉はあり得るにしても、会計監査人の報酬制度を監査対象企業が設計することは通常ないため、検討の対象外としている。

なお、会社の機関設計との関係では、注意書きがない限りは、取締役会設置会社で監査役会設置会社を念頭に置いている。監査等委員会設置会社、指名委員会等設置会社についても、都度、言及する形とする。

会社法上の役員の範囲と比較して、法人税法上の役員の範囲はやや広く、定義規定によれば、「法人の取締役、執行役、会計参与、監査役、理事、監事及び清算人並びにこれら以外の者で法人の経営に従事している者のうち政令で定めるもの」とされている（法法 2 条 15 号）。会社法等における役員に加えて、法人の経営に従事する一定の者をみなし役員として役員に含める点が主たる相違点である。

次に、役員報酬の「報酬」の範囲について明確化する。ここでは 2021 年の改正会社法に基づく 361 条 1 項の 1 号から 6 号に該当するすべての報酬を対象としているが、世間で利用度の高いものを主として掘り下げていきたい。

(2) 役員報酬の会社法上の位置づけ

1. 役員報酬に係る会社法上の規定

取締役は会社のために経営の監督や業務執行等の職務を行う地位にあり、会社からその対価として報酬を受けるのが通常である。この取締役と会社の法律関係については民法上の委任の規定が適用される（会社330条）。ただ、委任契約は無償を原則とする（民法648条1項）ものの、実際には有償の委任契約、つまり、業務の対価として役員報酬を支給するケースが多い。ただし、例えば取締役や従業員が子会社の取締役を兼務しているケースを見ると、子会社において取締役としての報酬が無償とされることも少なくない。とはいえ、こういった事情がない限り無償で役員に就任するケースは少ない。

取締役の報酬については、会社法361条に規定されており、金額、算定方法、金銭以外の支給内容について、定款で定めるか、あるいは、株主総会の決議事項とすることが求められている。

役員報酬を支給する場合、取締役や監査役は会社と任用契約（委任契約）を締結し、その内容として報酬の約定をする。報酬に係る定款の定めがない場合には、株主総会決議によって報酬請求権が権利として具体化されるという手順となる。つまり、取締役や監査役は、株主総会決議があって初めて会社に対して役員報酬を請求することが可能となる。

2015年の会社法改正後に増加傾向にある監査等委員会設置会社においては、報酬に特則が設けられており、監査等委員である取締役とそれ以外の取締役との報酬を区別して定めなければならない（会社361条2項）。監査等委員である各取締役の報酬等について定款の定めまたは株主総会の決議がない場合、同361条1項の報酬等の範囲内で監査等委員である取締役の協議によって定められる。

これに対して、指名委員会等設置会社における執行役等の報酬については、会社法404条3項、409条に規定されている。指名委員会等設置会社においては株主総会ではなく、報酬委員会が執行役等の個人別の報酬等の内容を決定する。そして、執行役が委員会設置会社の支配人その他の使用人を兼ねているときは、当該支配人その他の使用人の報酬等の内容についても、同様に報酬委員会が決定することとなっている。

さらに、監査役の報酬等は、定款または株主総会の決議で決定されることになっている（会社387条1項）。そして、監査役が2名以上いる場合で各監査役の報酬等について定款の定めまたは株主総会決議がない場合には、その報酬等は定款または総会決議で定めた範囲内において、監査役の協議によって定められる（同条2項）。

2. 取締役の報酬に係る会社法上の規定の趣旨

取締役の報酬の決定は、取締役の業務の一環としての業務執行ととらえることができるため、本来的には、取締役会で決定すべき事項である。確かに、取締役は経営の専門家、かつ、会社に忠実義務を負う立場にある（会社355条）。とはいえ、自らの報酬水準等について、私利私欲を完全に排して適正に設定することは期待できず、ガバナンス上もそのようにすべきではない。つまり、取締役に自らの報酬を決定させると報酬をお手盛り（＝自分で好きなように器に食事を盛り付ける）にするといった弊害が生じることになる。このような背景から、会社法は、取締役の報酬を取締役会ではなく会社の定款で定める、もしくは、株主総会における株主の判断に委ねなければならないとしたのである。ただし、継続された問題として、個々の取締役報酬の決定プロセスが不透明であるという点が指摘されていた。すなわち、取締役報酬の総額を株主総会で決議することでいわゆる「お手盛り」を防ぐことはできるかもしれない。ただし各取締役への配分については規制がなく、報酬の決定プロセスとして透明性に欠けるとされていた。そこで2021年の会社法改正では、これらの課題を解消するために、いわゆる上場会社等に対して、取締役の個人別の報酬等の内容についての決定に関する方針を定めることが義務付けられたのである（会社361条7項）。また具体的に定めておくべき内容として、会社法施行規則98条の5で定められ、より透明性の高い報酬決定プロセスが整備されることとなった**【図表2-4】**。

なお、ほとんどの企業では、定款ではなく株主総会において役員報酬を決定する方式を採用している。これは、定款事項としてしまうと報酬総枠を変更する場合、都度、定款変更を要することとなり、定款変更が株主総会の特別決議事項とされていることから（会社466条、309条2項11号）、柔軟性に欠けるためであることが背景にある。

3. 取締役の報酬の種類と規制等

取締役（監査等委員会設置会社における監査等委員を含む）の報酬等

【図表 2-4】会社法施行規則 98 条の 5

項目	内容
1	取締役の個人別の報酬等（業績連動報酬等・非金銭報酬等を除く）の額又はその算定方法の決定に関する方針
2	業績連動報酬等がある場合には、業績指標の内容及び当該業績連動報酬等の額又は数の算定方法の決定に関する方針
3	取締役の個人別の報酬等のうち、非金銭報酬等がある場合には、当該非金銭報酬等の内容及び当該非金銭報酬等の額若しくは数又はその算定方法の決定に関する方針
4	固定報酬、業績連動報酬等の額又は非金銭報酬等の額の取締役の個人別の報酬等の額に対する割合の決定に関する方針
5	取締役に対し報酬等を与える時期又は条件の決定に関する方針
6	取締役の個人別の報酬等の内容決定の全部又は一部を取締役その他の第三者に委任するときは、次に掲げる事項 イ 当該委任を受ける者の氏名又は当該株式会社における地位及び担当 ロ イの者に委任する権限の内容 ハ イの者によりロの権限が適切に行使されるようにするための措置を講ずることとするときは、その内容
7	取締役の個人別の報酬等の内容についての決定の方法（6号に掲げる事項を除く。）
8	1-7号のほか、取締役の個人別の報酬等の内容についての決定に関する重要な事項

について規定する会社法 361 条では、第 1 項各号に規定する事項について株主総会決議を経なければならないとしている。2021 年の改正会社法改正により、改正前の三つからその内容は大きく六つに分類された。この背景として、改正前会社法のルールでは、株式報酬やストック・オプション等の非金銭報酬について「具体的な内容」を定めるべき旨が規定されていたが、どの程度具体的な内容を特定しなければならないかが不明確であった。各社の非金銭報酬（いわゆる株式関連報酬）に関する運用方法は各社によってまちまちとなっており、統一的なルール整備が求められていた。そこで 2021 年の改正では、株式報酬／ストック・オプションに関して株主総会で決議すべき事項が明確にされたのである。

改正会社法 361 条 1 項において、①報酬等のうち額が確定しているもの（1 号）、②報酬等のうち額が確定していないもの（2 号）、および、③株式報酬（3 号）、④ストック・オプション（新株予約権）（4 号）、⑤

【図表 2-5】改正会社法 361 条 1 項の報酬等の類型

号数	規制対象	主な決定事項（抜粋）
1号	報酬等のうち額が確定しているもの（確定報酬）	✓額
2号	報酬等のうち額が確定していないもの（不確定報酬）	✓具体的な算定方法
3号	株式報酬	✓募集株式数の上限 ✓（譲渡制限、無償取得事由、株式割当条件がある場合）その概要
4号	ストック・オプション（新株予約権）	✓募集新株予約権の数の上限 ✓新株予約権の目的である株式の数またはその数の算定方法 ✓新株予約権行使時に出資される財産の価額または算定方法 ✓行使期間、行使条件・取得条項の概要 ✓（取締役への新株予約権の割当条件がある場合）その条件
5号	株式や新株予約権の払込みに充てるための金銭報酬	✓募集株式の数 ✓（譲渡制限、無償取得事由、株式割当条件がある場合）その概要 ✓募集新株予約権の数の上限
6号	報酬等のうち金銭でないもの（非銭報酬）	✓具体的な内容

株式報酬または新株予約権の払込みに充てるための金銭報酬（5 号）、⑥非金銭報酬（6 号）となる**【図表 2-5】**。

その上で、会社法361条1項の各号に関する議案を提出した場合には、当該取締役は株主総会において、その具体的な算定方法や内容が相当である理由を説明しなければならないこととなっている（会社 361 条 4 項）。

まず、1 号報酬で決議する報酬として、典型的には、固定報酬が該当する。ここでは、役員報酬の「額」について定めるものとされているが、実務上は、具体的な支給額ではなく、取締役全員の報酬額の上限額だけを株主総会で決定した上で、その具体的な配分については、取締役会の決議に委ねる方法を採用する例が多い。株主の立場からすると、取締役の報酬については、個人別の額を明らかにしたものをベースとして株主総会決議を経るようにすることが望ましい。しかし、そもそも株主総会決議を経なければならない趣旨が「お手盛りの防止」にあることからすれば、株主総会の決議で取締役全員の報酬の総額を定めている以上、その具体的な配分について取締役会の決定に委ねるものとしたとしても、会社法改正後も必ずしもこの趣旨に反しないとされている。よって実務上、このような運用をする企業が大部分である。これは、最高裁判所の判例（最判昭和60年3月26日判時1159号150頁）によっても支持されている。

また、役員退職慰労金も役員退職慰労金規程等によって具体的な金額が定まっているのが通常であり、額の定まった金銭報酬として1号に該当する。

次に、2号報酬には、業績連動型報酬が該当し、その具体的な算定方法を株主総会で決議する必要がある。特に業績連動型の報酬制度は、短期的な業績の変化等によって、意図的な操作が可能となる業績指標を用いて算定される危険性もあるため、不確定額報酬の新設または改定に関する議案を提出した取締役は、必ず株主総会で、その算定方法が相応である理由を説明しなければならない（会社361条4項）。とすれば、賞与の仕組みを導入する場合には必ず2号の決議を経なければならないのではないかとの疑問が生じる。しかし、2号は、賞与について1号の固定報酬と別枠で決議を取らなければならないとするものではなく、固定報酬とセットで（額が確定している報酬の一部として）総額の1号決議を取ることを認めている。そうなると2号の存在意義がよくわからないようにも思えるが、本号は、業績連動の計算式によって算出された報酬額が1号の取締役報酬の総額を超過した場合であっても賞与の支給を適法とする効果を生じさせるものであり、総額決議という方法に加えて算定式の決議という方法をも選択肢として加えるものといえる。実際、この理解に基づき、企業では賞与について別途2号決議を取らず、1号の総枠決議の範囲内で対応している例が多い。

3号報酬は、いわゆる株式報酬を指す。2016年、2017年の税制改正を受け多くの上場企業で譲渡制限付株式やパフォーマンス・シェア等に代表される株式報酬制度を導入するようになった。改正前会社法においては、4号報酬である新株予約権（いわゆるストック・オプション）と同様、非金銭報酬（改正会社361条1項6号）の区分に含まれていたが、前述の通り、決議を取るべき「具体的な内容」が各社の裁量に任せられていたため、今回の改正で明確化されたものである。

5号報酬は、3号の株式報酬、4号の新株予約権の払込みに充てるための金銭報酬を指す。会社361条1項の各号における規制の潜脱（抜け漏れ防止）のために、3号、4号と同等の規制が設けられている。

6号報酬は、非金銭報酬を指し、現物給与がこの典型である。これは、金銭以外のものはその価値の評価方法が明確でない、あるいは、相場によって価値が変動するものがあり、評価が困難なものもあることから、その具体的な内容を開示して株主総会の承認を得る必要があるようにしたものである。

典型的には、社宅の給付（低賃料によるもの）や、退職年金の受給権、保険金請求権の付与が該当する。またストック・オプションの付与も現物方式（新株予約権の公正価値についての払い込みを要しない方式）で割り当てる場合にはこれに該当するとされる。新株予約権の対価としての金銭の払い込みを要しないものとして割り当てを行うと、割り当てる新株予約権そのものが非金銭報酬といえるからである。

なお2021年の改正会社法により、上場会社等では株式報酬やストック・オプションを発行する場合に必要であった取締役による払込が不要とされた（会社202条2項、236条3項）。改正前には、報酬として株式・新株予約権を付与する場合には、手続き上、金銭報酬債権と相殺を行う等の方法が必要とされていたがあくまでも形式的なものであった。今回の改正では、このような回りくどい方法を必要としないようにし、株式報酬やストック・オプションの発行に関する事務を簡略化・円滑化させることとしている。

4. 監査役の報酬に係る会社法上の規定の趣旨

これに対して、監査役の報酬については、会社法387条で定款あるいは株主総会決議に委ねられている。この趣旨は取締役のそれとは異なる。すなわち、監査役の報酬の決定についても業務執行であるとして取締役が決定できるとすれば、会社法が監査役の独立性を重視している趣旨が没却されることになる。報酬への影響力をちらつかせることによって監査役に圧力を与えることになりかねないからである。

監査される立場にある者が監査する立場にある者の報酬を決定することが独立性を害する危険性を生じさせることは明白である。また、監査役の報酬についても、取締役同様、株主総会の決議に委ねる例が多く、一度、監査役の報酬の総枠について決議を経ると、あとは、総枠を超えそうな場合を除いては株主総会の決議を経ない運用がなされることが多い。

監査役に対するインセンティブの付与について、その職務執行の性質上、業績と連動する報酬を付与することはガバナンス上、推奨されていない。ストック・オプション等の株式報酬を付与する例もあるが、この場合にも取締役と監査役を異なる取り扱いにする理由がなく、取締役と同じ手続きを踏むべきであるし（会社361条1項、同4項の類推適用）、実務上もそのような例が少なくない。なお、会計参与の報酬についても株主総会決議事項とされているが、これも監査役の場合と同様の趣旨、すなわち、会計参与が計算書類を作成するにあたってその独立性を確保するためである。

(3) 法人税法上の位置づけ

役員報酬は、損金算入の可否という観点において法人税法とも密接に関連を持つ。従業員の給与については賞与も含めて基本的には全額損金算入ができるが、役員においては損金算入できる場合が限定されているためである。

法人税法上、役員報酬は役員給与と呼ばれ、損金算入が認められる範囲は限定されている。法人税法の立て付け上、①定期同額給与、②事前確定届出給与、③業績連動給与のいずれかに該当する場合には、損金算入が認められることとなっているが、損金算入を行うにあたっては、それぞれに厳格な要件が課されている。

①の定期同額給与とは、役員に対して支給する給与のうち、その支給時期が1カ月以下の一定の期間ごとである給与で、当該事業年度の各支給時期における支給額が同額であるもの、その他これに準ずるもの（法法34条1項1号）をいう。いわゆる定額の月例給という形での支給について損金算入を認める制度である。

また、②の事前確定届出給与とは、役員の職務につき所定の時期に確定した額の金銭等を交付する旨の定めに基づいて支給する給与で、一定の届出期限までに所定の事項を記載した書類を、納税地の所轄税務署長に届出をしている給与をいう（法法34条1項2号）。これは、賞与であ

【図表 2-6】 役員報酬制度検討のステップ

項目	具体的な内容
①役員報酬戦略（方針）の策定	• 自社としての報酬に関する考え方や哲学を整理し、役員報酬に関する基本的な考え方や方針を決定する ▶各論での手戻りや議論のズレを防ぐとともに社外取締役や株主との議論にも活用
②報酬水準の設定	• 報酬に関するピアグループを設定。競合他社との報酬競争力を、外部データを活用して確認する • 自社の置かれた状況や収益性等、複数の視点から検証した上で、自社にとって、適切な報酬水準の設定を行う
③報酬構成比率の設定	• 各報酬項目の構成比率をどの程度に設定すべきか、他社データや、自社における今後の事業方針、役員インセンティブ報酬に対する考え方等を加味した上で設定を行う
④短期インセンティブの設計	• 自社にとって最適なものを選択するにあたって、税務、トレンド、オペレーションといった複数の視点から検証を行い、スキームを決定する • インセンティブを支給するにあたっての、評価指標の設定、評価期間（長期インセンティブの場合）等を、事業方針等と照らし合わせた上で決定する
⑤長期インセンティブの設計	

ってもあらかじめ定められた報酬の一部を夏冬等に支給する場合には、損金算入を認めようとの制度である。

③の業績連動給与とは、役員の給与が会社の業績指標等と連動して変動するものである（法法 34 条 5 項）。これは、会社の利益・株式の市場価格、売上等の指標等と連動させた報酬について一定の要件の下（法法 34 条 1 項 3 号）で損金算入を認めようとするものといえる。

第 2 項　役員報酬制度設計の考え方

役員報酬制度を設計する際、大きく分けて五つのステップがある**【図表 2-6】**。

まず、①役員報酬戦略（役員報酬の方針）の策定である。この戦略を受け、②トータルの報酬水準を設定する。そして、③報酬構成比率を設定する。さらに、④短期インセンティブの設計、最後に⑤長期インセンティブの設計となる。ただし、実際には、①は最初に検討するものの、詳細設計が終了した後に設計を抽象化する形で再度整理するのが通常である。

第３項　役員報酬戦略（役員報酬の方針）の策定

(1) 役員報酬戦略とは何か

役員報酬戦略とは、（優れた経営戦略とそれの執行による）事業の成功を、役員報酬戦略面から担保する方針のことを指す。すなわち、事業の成功に不可欠な人材を獲得し、つなぎとめ、さらには、これらの経営幹部の高いコミットメントを役員報酬の面から担保するものである。それゆえ、役員報酬戦略は高い戦略性を具備していなければならない。戦略性を具備するためには、会社の経営理念や経営戦略（中期経営計画、単年度事業計画）をふまえたものでなければならない。

経営理念でいえば、信賞必罰を徹底する会社なのか、そうでないのか、あるいは、個人主義的なのか全体主義的なのかといった方向性を、役員報酬に加味する必要がある。例えば、信賞必罰を徹底するなら役員報酬の変動比率が高くて然るべきだし、個人主義的ならインセンティブ報酬のKPIに全社業績だけではなく、個人の業績も盛り込むことが自然といえよう。

一方、経営戦略については、会社として新規事業を拡充したいということであればそういった人材を獲得・つなぎとめるための報酬水準設定が重要となる。また役員といっても、その管掌する領域や職種別に報酬水準を変えることが考えられる。

例えば、紙媒体が中心であった出版業界においてデジタル・テクノロジーに精通した役員を採用しようとするのであれば、出版業界とはまったく異なる業界からの採用を考えることになるかもしれない。また、５年ごとに景気変動や業績の波がある業界であれば、長期インセンティブの決済期間を５年として設計する必要があるかもしれない。

さらに、経営戦略を役員報酬戦略に落とし込むにあたって重要なのが、あるべき役員像である。あるべき役員像があってこそ、より緻密に経営戦略と報酬戦略を整合させることができるからである。どのような役員が今後のビジネスに必要なのかを明確化することなくして、報酬マーケットの特定は困難であるし、報酬マーケットの特定なくして報酬水準の設定が困難となることは容易に想像がつく。

では、あるべき役員像とはどのようなものか。これは役員として備えるべき人材要件のことで、典型的には、①業績、②経験、③能力（コンピテンシー）によって構成される。会社ごとに一つのあるべき役員像を策定すれば足りるわけではなく、通常は、あるべき社長像、あるべき取締役像、さらにはあるべき執行役員像といった具合に、いくつかの役員像を策定することになる。さらに理想をいえば、役員ポストごと（例えば、A事業担当取締役、経理財務担当取締役、CXO）にあるべき役員像を策定することになる。持ち株会社形式で経営をしている企業であれば、持ち株会社の社長とその傘下の事業会社では役割が大きく異なるためそれぞれを分けて、あるべき役員像を策定するのが自然である。

（2）役員報酬戦略の内容

では、役員報酬戦略には、具体的に何を盛り込むべきだろうか。大きくは、**【図表2-7】**の中で、総論1.と各論2.～9.に分けられる。前者が基本方針で、後者は役員報酬の構成要素に関する考え方が中心となる。

まず役員報酬に関する基本方針として、「1.報酬の基本方針」を記載する。これは報酬全体に関する基本的な考え方・思想であり、総論というべきものである。本来あるべき役員報酬の基本的な考え方（①報酬設計の思想）とは、以下のような考え方に基づいて練られたものである必要がある。すなわち、経営理念や会社の置かれた環境→会社の中長期的な戦略→あるべき役員像→報酬マーケットのとらえ方といった流れであり、このストーリーがどういったものであるかが最も重要だ。往々にして、報酬水準に視点が行きがちであるが、そもそも、報酬に対してどのような考え方や方針を取るかによって、比較する報酬マーケットやその狙うべきターゲット水準も異なる。

例えば、半導体事業のシリコンサイクルのように景気変動の影響を受けやすく、かつグローバルで優秀な人材の獲得競争が激しい企業があるとする。この場合、以下のような報酬戦略が考えられる。

「当社は、日本のみならず、グローバル（欧米、アジア、中東、アフリカ）でシェアを拡大し、各地域の大口顧客との強力なリレーションを築くことが重要な戦略である。この戦略を実現するためには、広く国内外から世界トップレベルの優秀な経営人材を役員として採用する必要がある。そのためには、グローバル標準の役員報酬制度を採用した上で、各国の人材マーケットの状況に応じて、同業他社以上の報酬水準を設定することにより、人材の獲得とリテンションを図っていきたい。

【図表 2-7】役員報酬戦略（方針）の主要検討項目

区分	項目	内容
1.報酬の基本方針	①報酬設計の思想	• 報酬ポリシーの考え方は、当社ビジネスに照らしてどのように置くか
	②対象役員の範囲	• 報酬ポリシーの対象となる役員の範囲をどのように設定するか（取締役・執行役員等）
	③報酬の決定権限者	• 誰が報酬額を決定するか、どの範囲までの権限を持つか
2.報酬水準	④ベンチマーク設定	• 報酬水準を設定する上で、どのような企業群（規模・業種等）をベンチマークの対象とするか
	⑤報酬水準の考え方	• 役員のモチベーション向上や外部からの採用に資するためには平均的な水準なのか、高いレベルを目指すのか
3.報酬構成	⑥報酬構成比率・報酬項目	• 現金報酬と自社株報酬との割合、現金報酬のうち固定報酬と変動報酬（短期・中長期）の割合は適切に設定されているか
4.固定報酬	⑦固定報酬の考え方	• 固定報酬の位置づけ、および何を基準に固定報酬を決定するのか（役位・業績評価等）
5.短期インセンティブ	⑧導入の目的・算出の考え方	• 年度業績のインセンティブとして適切なKPI及び支給額の上限・下限設定であるか
6.長期インセンティブ	⑨導入の目的・算出の考え方	• 長期的な成長のインセンティブとして適切なKPI及び支給額の上限・下限設定であるか
	⑩付与・権利行使等に関する各種条件	• 中長期的な業績達成のインセンティブにふさわしい条件（業績を達成しないと付与されない、権利行使できない等）は設定されているか
7.退職慰労金	⑪支給目的・仕組みの考え方	• 支給の目的は何か、支給額と業績を連動させるか
8.報酬決定のプロセス	⑫報酬委員会の権限・位置づけ	• ステークホルダーからみて、報酬決定のプロセスの客観性・透明性が確保されているか
9.リスク管理	⑬マルス・クローバック	• 財務諸表の改ざんや不法行為等が生じた場合、報酬を没収・返還させる仕組みを導入するか
	⑭株式保有ガイドライン	• 役員と株主の利害関係を一致させるために、どの程度の株式を役員に保有させることが適切か • 退任後にも一定の期間株式を保有させることを義務付けるか
	⑮支払いプロセス	• 自己都合退職等の際に、権利確定前の報酬を減額又は没収するか

【図表 2-8】Citi グループにおける報酬ピアグループ

2020 COMPENSATION PEER GROUP		
AIG（AIG）	Goldman Sachs（GS）	Prudential（PRU）
American Express（AXP）	JPMorgan Chase（JPM）	U. S. Bancorp（USB）
Bank of America（BAC）	MetLife（MET）	Wells Fargo（WFC）
BNY Mellon（BK）	Morgan Stanley（MS）	
Capital One（COF）	PNC（PNC）	

出所：Citigroup Inc.「Notice of Annual Meeting and Proxy Statement 2021」

また報酬は、半導体業界に特有となる景気循環による業績変動のリスクを加味して支払う。すなわち好業績の際には、より高い報酬を支払い、低業績の際には支給を抑える。これに伴う具体的な報酬水準として、本社役員クラスの人材については、米系企業との人材獲得競争が顕著であるものの、一足飛びにはこの水準に到達することが難しい。したがって、まずは欧州系企業の報酬水準を基準としつつ、好業績の際には米系企業と欧州系企業の中間程度の水準まで受け取ることができる報酬の仕組みとすることで、グローバルで優秀な人材の獲得やリテンションを図る。さらに報酬構成については……（以下略）」といったことが挙げられる。

また「1. 報酬の基本方針」には、「②対象役員の範囲」についても記載を行う必要がある。典型的には、執行役員まで含めて考えるのか、さらに子会社等の役員まで含めるのかといった報酬戦略の及ぶ範囲も報酬戦略策定において重要である。

一方、各論においては、「2. 報酬水準」「3. 報酬構成」「4. 固定報酬」「5. 短期インセンティブ」「6. 長期インセンティブ」「7. 退職慰労金」「8. 報酬決定のプロセス」「9. リスク管理」についての方針を記載する。

まず「2. 報酬水準」については、自社として報酬水準を決定するにあたっての考え方を記載することになる。どの業界を報酬水準の決定にあたっての人材獲得市場／マーケットとして設定するのかを決める。各企業の事業領域に応じて、全社的に特定のマーケットを設定する企業（製造業における売上高 XXXX 億円程度の企業との比較）もあれば、セクターやビジネスごとにマーケットを設定する企業もある。

また、欧米の企業においては、報酬水準の決定や他社比較において、ピアグループ（比較対象とする企業群）として具体的な企業名を列挙するケースも少なくない。例えば、米国の金融業であるCitiグループであれば、AIG、バンク・オブ・アメリカ、ウェルズ・ファーゴ、ゴールドマン・サックス、JPモルガン・チェース、モルガン・スタンレー等をピアグループとして設定[1]している**【図表2-8】**。最近では、資生堂のように日系企業でも、長期インセンティブ等の業績比較において具体的な社名を開示して、ピアグループ設定をするケースが出てきている。

次に、「3. 報酬構成」には、①固定報酬、②短期インセンティブ、③長期インセンティブ、および④後払い報酬としての役員退職慰労金等が含まれる。法定福利の充実している日本では、米国における医療給付（あるいは退職後医療給付）のような制度がほとんど存在せず、福利厚生については、多くの場合、欧米ほど考慮されていないのが実情である。

これら①～④の四つの構成要素について、およその構成比率を記載すべきことになる。ここでの比率は実際に支給するであろう報酬の比率ではなく、標準業績を達成した場合の比率を指すことが多い。さらに、業績によってどれくらい変動があり得るのか、といった変動幅についての言及を示すことや、上限値に関する記載があれば、よりよい戦略といえよう。

「4. 固定報酬」についての検討も必要である。何に対して固定給が支給されるのか、何を基準に水準が設定されているのかといった点が具体的な検討事項である。

「5. 短期インセンティブ」および「6. 長期インセンティブ」については、何に対してこれらが支給されるのか、支給の計算式といった支給の考え方、支給の上限、どういう場合に支給がゼロになるのか等について決める必要がある。また近年では、ESGへの報酬反映も議論の重要な論点となる。

「7. 退職慰労金」については、何に対して支給されるのか、および、業績連動性を含む支給水準の考え方についても決める必要がある。

「8. 報酬決定のプロセス」とは、役員報酬を誰がどのように決定するのかについての流れである。例えば、過半数の独立社外取締役によって構成される報酬諮問委員会が役員報酬の改定案を策定して、取締役会で

1　Citigroup Inc.「Notice of Annual Meeting and Proxy Statement 2021」

審議し、そこでの決議によって決定されるといった点について決めておく必要がある。

最後の「9. リスク管理」は、本書の初版には含めていなかった内容である。役員に対するインセンティブ報酬が一般的になる一方で、不正などが発生した場合の対応や、在任中にインセンティブ付けを行うだけではなく退任した後でも一定期間中長期的な株価が向上するようにインセンティブ付けした施策を検討する必要がある。

「マルス・クローバック」は後述するが、財務諸表の改ざんや不法行為等を役員が行った場合、インセンティブ報酬を没収・返還させるための仕組みを導入するか、が論点となる。適用事由や対象期間等について、取締役および執行役員の労働者性等を考慮しながら検討することが求められる。また単に制度だけを導入するだけではなく、実際に生じた場合の運用プロセスまで検討しておくことが重要だ。

「株式保有ガイドライン」は、役員と株主の利害関係を一致させるために、役員・経営陣幹部に一定基準の保有を義務付ける制度である（すなわち、当該期間は株式の売却ができない）。一般的に「役員・経営陣幹部に就任後、XX 年以内に基本報酬の X 倍の金額の株式を保有する」ことを記載する。加えて「権利確定度（あるいは退任後）XX 年間保有する」といった継続保有要件を設定するケースが一般的である。多くの企業では、株式報酬を導入する際の目的として「株主との利害関係の一致」を掲げている。しかし「株主との利害関係の一致」がどの程度であるかについては触れられていないケースが大半である。極論すると、1株でも株式を保有していれば、形式上は利害関係が一致することになるが、実態として十分かといえばそうではないことは読者の皆様もお気づきであろう。ESG の潮流の高まりとともに機関投資家は、持続的な企業の成長を企業に求めている。役員・経営陣に対して中長期的な経営を志向させ、株主との利害関係の共有をより深めていくために、株式保有ガイドラインの導入は必須のものとなる。代表的な企業として TDK、NEC、積水化学工業等が導入している。

「支払いプロセス」について、自己都合退職時の取り扱いに関する取り決めである。賞与や株式報酬等について競合他社への転職等の一定の事由により退職した場合、どのように未払いの報酬を支払うかを定めたものである。長期雇用を前提とした多くの日本企業においてはまだそこまでメジャーではないものの、今後役員クラスにおいても雇用の流動化が進んでいくと想定される中、徐々に設定を行う企業が増加するものと見込まれる。

報酬戦略も戦略／方針である以上、詳細設計のように具体的である必要はないが、そうはいっても自社の経営理念、経営戦略をふまえた差別化要因になっていることが望ましい。

(3) 役員報酬戦略の開示

役員報酬戦略やその方針については、上場企業等の一定の条件に該当する場合、金商法第24条「企業内容等の開示に関する内閣府令」に基づいて、有価証券報告書におけるコーポレート・ガバナンスの状況の中の「役員報酬の方針」の項目に、その内容を記載することが求められる。またコーポレート・ガバナンス報告書への記載も求められている。もちろん、具体的な役員報酬戦略を会社として策定したとしても、それをすべて対外的に開示することにはならない。開示するということは投資家、株主その他利害関係者に対して内容をコミットすることになり、柔軟な対応が困難になる可能性があるからである。

しかし、2019年1月31日付で金融庁が公布・施行した「企業内容等の開示に関する内閣府令の一部を改正する内閣府令」によって、2019年3月31日以降に決算期を迎える企業においては、従来以上に有価証券報告書に関する開示を詳細にすることが求められている。各企業ではその報酬の方針について、より詳細な検討を行った上で、わかりやすく開示する必要がある。参考までに、武田薬品工業の事例を示す**【図表2-9】**。

第4項　報酬水準の設計

(1) 報酬水準決定の考え方

役員報酬の水準を検討する際、まずトータルの報酬水準、すなわち報酬総額を決定する。では、報酬総額の水準とはどのように決めるべきなのだろうか。ここでは、自社の役員の人材マーケットをどのようにとらえるかがポイントである。その上で、自社にとって最適なピアグループ（比較対象とする企業群）をどのように組むかが重要となる。日本では、近年でこそ「プロ経営者」という言葉に言い表されるように、役員層においても外部からの登用が少しずつ増えてきている。しかし基本的に

【図表 2-9】役員の報酬等の額の決定に関する方針（武田薬品工業）

⑥ 役員の報酬等の額の決定に関する方針

「取締役報酬ポリシー」

当社の取締役報酬制度は、当社経営の方針を実現するために、コーポレートガバナンス・コードの原則（プリンシプル）に沿って、以下を基本方針としております。

1. 基本方針
   - 当社のVisionの実現に向けた優秀な経営陣の確保・リテンションと動機付けに資するものであること
   - 常に患者さんに寄り添うという当社の価値観をさらに強固なものとする一方で、中長期的な業績の向上と企業価値の増大への貢献意識を高めるものであること
   - 会社業績との連動性が高く、かつ透明性・客観性が高いものであること
   - 株主との利益意識の共有や株主重視の経営意識を高めることを主眼としたものであること
   - タケダイズムの不屈の精神に則り、取締役のチャレンジ精神を促すものであること
   - ステークホルダーの信頼と支持を得られるよう、透明性のある適切な取締役報酬ガバナンスを確立すること

2. 報酬水準の考え方

   企業価値を追求する、グローバルな研究開発型のバイオ医薬品企業への変革を牽引し続ける人材を確保・保持するため、グローバルに競争力のある報酬の水準を目標とします。

   取締役報酬の水準については、グローバルに事業展開する主要企業の水準を参考に決定しています。具体的には、外部調査機関の調査データを活用した上で、取締役の役職毎に、当社の競合となる主要なグローバル製薬企業の報酬水準および米国・英国・スイスの主要企業の報酬水準をベンチマークとしています。

3. 報酬の構成

   3－1. 監査等委員でない取締役（社外取締役を除く）

   監査等委員でない取締役（社外取締役を除く）の報酬は、定額の「基本報酬」と、会社業績等によって支給額が変動する「業績連動報酬」とで構成します。「業績連動報酬」はさらに、事業年度ごとの連結業績等に基づく「賞与」と、3カ年にわたる長期的な業績および当社株価に連動する「長期インセンティブプラン」（株式報酬）で構成します。当社取締役と当社株主の利益を一致させ、中長期的に企業価値の増大を目指すため、業績連動報酬のうち特に長期インセンティブプランの割合を高めています。なお、2019年以降、比較対象企業群や主要な産業と並ぶよう長期インセンティブプランの割合を2018年度比で増加させました。取締役報酬のうち「賞与」および「長期インセンティブプラン」は、会社の業績にあわせて変動するようその割合を高めています。グローバルに事業展開する企業の報酬構成を参考に、「賞与」は基本報酬の100％～250％程度、「長期インセンティブプラン」は基本報酬の200％～600％程度とします。

• 標準的な監査等委員でない取締役（社外取締役を除く）の報酬構成モデル

基本報酬	賞与 基本報酬の100%～250%程度*	長期インセンティブプラン （株式報酬） 基本報酬の200%～600%程度*
固定報酬	業績連動報酬	

＊賞与および長期インセンティブプランの基礎報酬に対する割合は、ポジションに応じて決まります。

3－2. 監査等委員でない社外取締役

監査等委員でない社外取締役の報酬は、定額の「基本報酬」と「長期インセンティブプラン」（株式報酬）とで構成します。「長期インセンティブプラン」は、会社業績に連動せず当社株価にのみ連動し、2019年度以降新たに付与される株式報酬は算定の基礎となる基準ポイントの付与日から3年経過後に交付または給付され、交付された株式については退任時までその75%を保有することを求めています（なお、2018年度以前に付与された株式報酬は退任時に交付または給付されます）。賞与の支給はありません。取締役会議長、報酬委員会委員長、指名委員会委員長には、基本報酬に加えて手当が支給されます。現在の報酬構成は、「基本報酬」を基準として「長期インセンティブプラン」は基本報酬の100%程度を上限としております。

• 標準的な監査等委員でない社外取締役の報酬構成モデル

基本報酬 議長・委員長には、 手当をあわせて支払います	長期インセンティブプラン （株式報酬） 基本報酬の上限100%程度
固定報酬	

3－3. 監査等委員である取締役

監査等委員である取締役の報酬は、定額の「基本報酬」と「長期インセンティブプラン」（株式報酬）とで構成します。「長期インセンティブプラン」は、会社業績に連動せず当社株価にのみ連動し、2019年度以降新たに付与される株式報酬は算定の基礎となる基準ポイントの付与日から3年経過後に交付または給付され、交付された株式については退任時までその75%を保有することを求めています（なお、2018年度以前に付与された株式報酬は退任時に交付または給付されます）。賞与の支給はありません。監査等委員である社外取締役には、基本報酬に加えて手当が支給されます。現在の報酬構成は、「基本報酬」を基準として「長期インセンティブプラン」は基本報酬の100%程度を上限としております。

• 標準的な監査等委員である取締役の報酬構成モデル

基本報酬 社外取締役には、 委員会手当をあわせて支払います	長期インセンティブプラン （株式報酬） 基本報酬の上限100%程度
固定報酬	

4. 業績連動報酬

4－1. 監査等委員でない取締役（社外取締役を除く）

監査等委員でない取締役（社外取締役を除く）の長期インセンティブプランについては、中長期的な企業価値の増大に対するコミットメントを高めるべく、60％を業績連動型株式報酬（Performance Shares）制度および40％を譲渡制限付株式報酬（Restricted Stock）制度を参考にした仕組みを導入し、報酬と会社業績や株価との連動性を高めています。長期インセンティブプランに用いる業績指標は、最新の中長期的な業績目標（3年度後の3月期の目標値）に連動させるとともに、透明性・客観性のある指標である連結売上収益、フリーキャッシュフロー、各種収益指標、研究開発指標、統合の完結に関する評価指標等を採用します。なお、業績連動部分は業績指標の目標達成度等に応じて0％～200％（目標：100％）の比率で変動します。2019年度以降新たに付与される株式報酬（業績連動型報酬も含む）については、株式が交付されてから2年間の保有期間を設けています。

• 各年度の事業に応じた長期インセンティブプラン（株式報酬）のイメージ

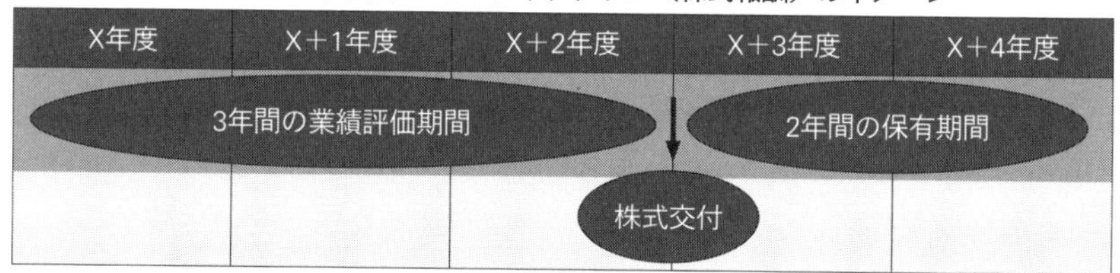

監査等委員でない取締役（社外取締役を除く）に対し、株主の期待に沿った企業戦略に直結する特別業績連動型株式報酬を状況に応じて支給することがあります。特別業績連動型株式報酬の業績指標は、3年間にわたり各年度ごとに独立して設定され、かかる株式報酬は、各年度の業績に基づき、交付または給付されます。特別業績連動型株式報酬により交付された株式については、交付後の保有期間は設定されません。

• 特別業績連動型株式報酬のイメージ

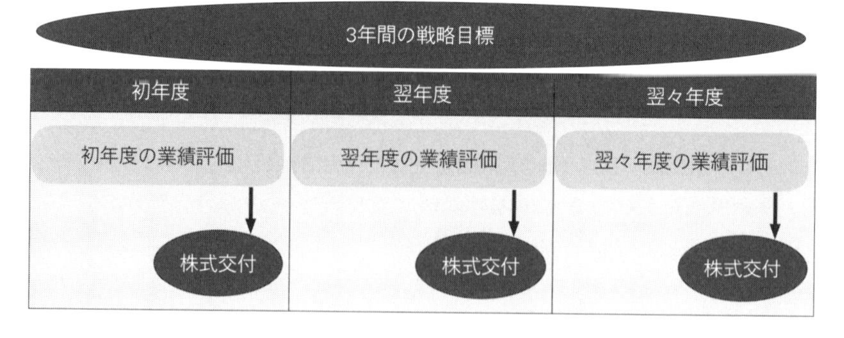

• 年次賞与

年次計画達成へのインセンティブを目的として賞与を付与します。賞与は、業績指標として採用する連結売上収益、Core営業利益、Core EPS等の単年度の目標達成度を総合的に勘案して、0%～200%（目標：100%）の比率で変動します。CEOについては全社業績指標を100%としています。責任部門をもつその他の取締役については、75%を全社業績指標と連動させ、武田グループ全体の目標へ向かう原動力となるように構成しています。

4－2. 監査等委員である取締役および社外取締役

監査等委員である取締役および社外取締役の長期インセンティブプランは、会社業績に連動せず当社株価にのみ連動し、2019年度以降新たに付与される株式報酬は算定の基礎となる基準ポイントの付与日から3年経過後に交付または給付され、交付された株式については退任時までその75%を保有することが求められます（なお、2018年度以前に付与された株式報酬は退任時に交付または給付されます）。賞与の支給はありません。

• 役員報酬制度の全体像

		監査等委員でない取締役		監査等委員である取締役	
		社内取締役	社外取締役	社内取締役	社外取締役
基本報酬		●	●	●	●
賞与		●*2			
長期インセンティブプラン（株式報酬）	業績連動*1	●*3、4			
	非業績連動	●*4	●*5	●*5	●*5

＊1　特別業績連動型株式報酬を含む

＊2　単年度の連結売上収益、コア・アーニングス、Core EPS等の単年度の目標達成度を総合的に勘案し、0%～200%の比率で変動

＊3　3年度後の目標値に対する連結売上収益、フリーキャッシュフロー、各種収益指標、研究開発指標、統合の完結に関する評価指標等に応じ、0%～200%の比率で変動

＊4　在任中

＊5　算定の基礎となる基準ポイントの付与日から3年経過後に交付

5.　ガバナンス

5－1. 報酬委員会

当社取締役の報酬等の妥当性と決定プロセスの透明性を担保するため、取締役会の諮問機関として、社外委員のみからなる、社外取締役を委員長とする報酬委員会を設置しています。取締役の報酬水準、報酬の構成および業績連動報酬（長期インセンティブプランおよび賞与）の目標設定等は、報酬委員会での審議を経た上で取締役会に答申され、決定されます。また、取締役会決議をもって、監査等委員でない社内取締役の個別の報酬額の決定を報酬委員会に委任することとしており、個別の報酬の決定にあたり、より透明性の高いプロセスを実現しております。取締役報酬の基本方針を変更する際には、タケダイズムに則り、株主価値の創出を目指すとともに、取締役が果たすべき役割と責任に応じた報酬制度とします。

5－2. 報酬返還（クローバック）ポリシー

当社の報酬委員会および取締役会は、決算内容の重大な修正再表示（過去の財務諸表における誤りの訂正を財務諸表に反映すること）または重大な不正行為が発生した場合、独立社外取締役は、当社に対し、インセンティブ報酬の返還を要求することができるクローバックポリシーを2020年に導入しました。返還の対象となり得る報酬は、当社取締役会のメンバーである社内取締役、およびその他独立社外取締

役が特定した個人が、決算内容の重大な修正再表示または重大な不正行為が発生した事業年度およびその前の3事業年度において受け取った報酬の全部または一部となります。本ポリシーは2020年4月1日に発効し、2020年度の賞与および長期インセンティブよりその適用対象となり、以後すべての期間において適用されます。

⑦当事業年度に係る取締役（監査等委員を除く）の個人別の報酬等の内容が上記⑥役員の報酬等の額の決定に関する方針に沿うものであると取締役会が判断した理由

当社においては、上記⑥役員の報酬等の額の決定に関する方針の「取締役報酬ポリシー」の「5. ガバナンス」において記載しているとおり、より透明性の高いプロセスを実現するため、取締役会の決議により、監査等委員でない社内取締役の個別の報酬額の決定については、報酬委員会に委任しており、また、監査等委員でない社外取締役の個人別の報酬については、報酬委員会の答申を受けて、取締役会の決議により決定しております。

報酬委員会では、取締役の報酬水準、報酬構成および業績連動報酬（賞与および長期インセンティブプラン）の目標設定等、上記⑥役員の報酬等の額の決定に関する方針との整合性を含めた多角的な観点から審議を行った上で、取締役会の決議による委任に基づき、当該事業年度に係る監査等委員でない社内取締役の個人別の報酬額について決定しており、また、監査等委員でない社外取締役の個人別の報酬額については取締役会に答申いたしました。そのため、取締役会は、報酬委員会の審議の過程および答申の内容を確認した上で、当該事業年度に係る監査等委員でない社内取締役および社外取締役の個人別の報酬額の内容は、上記⑥役員の報酬等の額の決定に関する方針に沿うものであると判断しております。

出所：武田薬品工業有価証券報告書より抜粋

は、IT・外食業界等の一部の業界を除けば、内部昇格者から役員層は選抜されており、人材の流動性は依然として高くない。このため、人材マーケットという考え方はまだまだなじみがない方も多いのではないだろうか。

もう少し具体的に説明をしたい。まず報酬決定に関しては、自社の役員がどのような人材マーケットに属しているかを見るのが重要であることはすでに述べた。人材マーケットを考えるにあたっては、「外部から役員を獲得するとすれば、当該役員をどの業界・企業から採用するのか。あるいは転職や引き抜きにあうとすれば、どの企業に流出するのか」を特定することがスタートとなる。それが当該企業における役員の人材マーケットとなる。

例えば、ある化学メーカー（X社）において少子高齢化を背景に、今後注力する事業として医薬・医療事業を設定したとする。この場合、製薬メーカーから採用する（もしくはその可能性がある）場合には、製薬メーカーの報酬水準がX社の採用すべき報酬水準ということなる。

一方、ある半導体メーカー（Y社）の役員が外資系の同種企業（Z社）に引き抜きにあったり、流出したりする場合には、Z社の報酬水準がマーケット水準となる。

とはいえ、日本においては依然として役員層の人材流動性は高くはないため、役員層の人材マーケットなど意識していない（もしくは存在しない）という企業があることも事実である。この場合、その企業にとってのピアグループ（比較対象とする企業群）をベンチマーク対象とする考え方を採用すべきであろう。

(2) 情報ソース

役員報酬の水準は、秘匿性の高いデータであり、入手できる情報ソースはかなり限定されている。そこで、有力な情報ソースとして挙げられるのが、①役員報酬サーベイ、②有価証券報告書、さらに、海外企業であれば、③Proxy Statementである。

役員報酬サーベイに参加を検討する際の視点

まず、①の役員報酬サーベイは、コンサルティングファーム等が実施するサーベイで、詳細なデータは参加企業だけに開示されるのが通例である。役員報酬サーベイに参加することによって、詳細な報酬データを入手することが可能となる。企業によっては複数のサーベイに参加して併用するケースもある。競合先が海外企業の場合には、国内系のサーベイと海外のサーベイを併用することになろう。

いわずもがなであるが、役員報酬サーベイに参加する際に、十分に考慮すべき点は、**「自社にとって比較対象とすべき企業がどの程度加入しているか」**である。調査によっては、外資系企業が大半を占めるものもあり、そのサーベイが自社のニーズにマッチするかどうかをよく確認しておく必要がある。また、参加企業数も重要な要素となる。さまざまな比較・統計分析を実施する上では、統計学上、その分析の母集団となる社数が、約100社必要となることが明らかとなっている。このため、サーベイに参加する企業数として、少なくとも500社以上は参加していないと、その詳細なベンチマーク分析を行うにあたり、統計上必要となる母集団を確保できない上に、参照とすべき報酬水準は、個社の要素による振れ幅が大きくなる。また参加企業にとっては、大規模なサーベイに

【図表 2-10】東証一部上場企業の役位別の報酬総額一覧

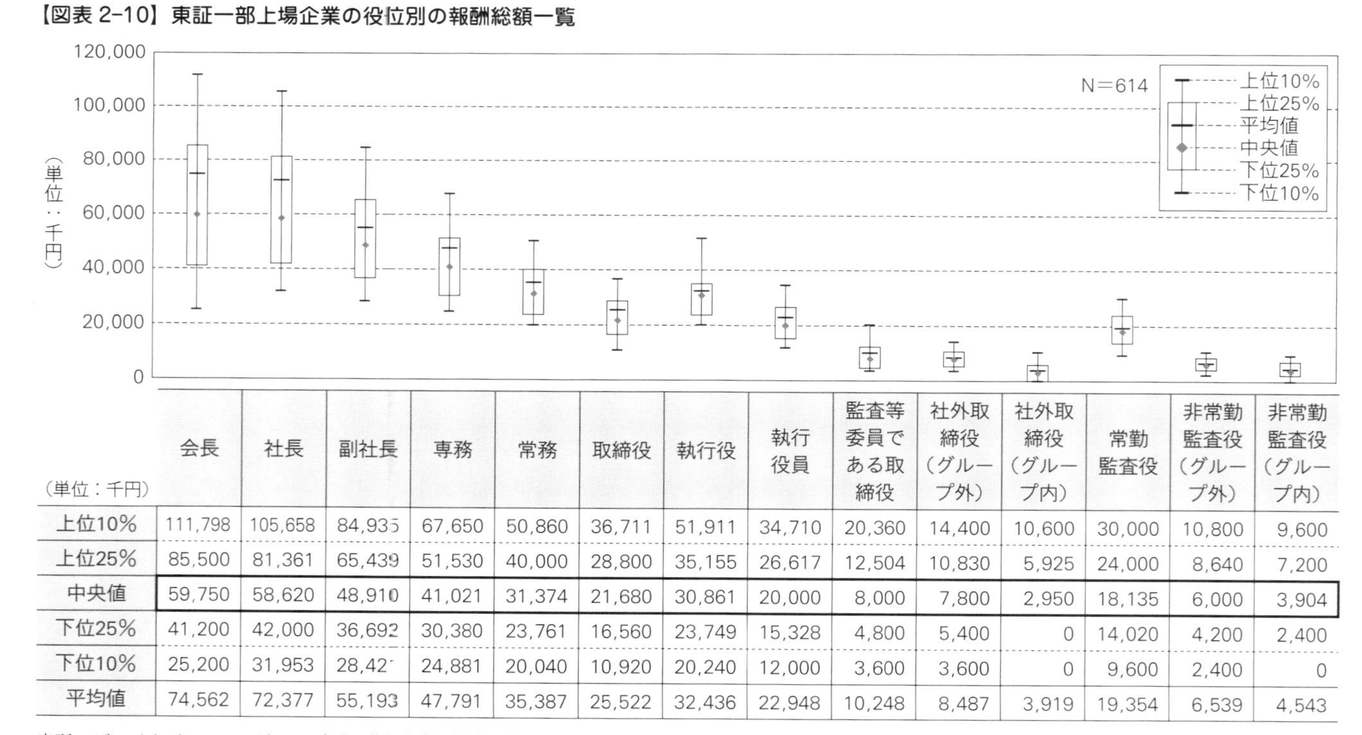

（単位：千円）

	会長	社長	副社長	専務	常務	取締役	執行役	執行役員	監査等委員である取締役	社外取締役（グループ外）	社外取締役（グループ内）	常勤監査役	非常勤監査役（グループ外）	非常勤監査役（グループ内）
上位10%	111,798	105,658	84,935	67,650	50,860	36,711	51,911	34,710	20,360	14,400	10,600	30,000	10,800	9,600
上位25%	85,500	81,361	65,439	51,530	40,000	28,800	35,155	26,617	12,504	10,830	5,925	24,000	8,640	7,200
中央値	59,750	58,620	48,910	41,021	31,374	21,680	30,861	20,000	8,000	7,800	2,950	18,135	6,000	3,904
下位25%	41,200	42,000	36,692	30,380	23,761	16,560	23,749	15,328	4,800	5,400	0	14,020	4,200	2,400
下位10%	25,200	31,953	28,42[illegible]	24,881	20,040	10,920	20,240	12,000	3,600	3,600	0	9,600	2,400	0
平均値	74,562	72,377	55,193	47,791	35,387	25,522	32,436	22,948	10,248	8,487	3,919	19,354	6,539	4,543

出所：デロイト トーマツ グループ／三井住友信託銀行「役員報酬サーベイ（2019年度版）」

参加することには、全体の分布をより正確に把握できるというメリットもある。

役員報酬サーベイで開示される内容

役員報酬サーベイの報告書においては、参加企業に対して、売上高、従業員数、時価総額、上場区分等の規模別かつ役位別の水準が、報酬総額、金銭報酬、固定報酬、株式報酬といった区分別に開示されるのが通常である。**【図表 2-10】**は、「役員報酬サーベイ（2019 年度版）」の全参加企業 928 社[2]のうち、東証一部上場企業における役位別の報酬総額の一覧（各数値は開示可能な実際の統計データ）である。「箱ひげ図」と呼ばれる、役員報酬の分布とともに、統計的な処理を施した形で個社の役員報酬額がわからないようにした上で、開示される。役員報酬額は、年々増加[3]しているため、適切なベンチマークを取るためには最新のデータの取得が欠かせない。

もちろん、実際にはこれらの参加企業の全データをそのまま使用することはない。自社にとって、最適なピアグループ（比較対象企業のグループ）を組んだ形で使用する。

また箱ひげ図の報酬データのグラフの見方についても、補足的に説明しておきたい**【図表 2-11】**。よく使用される「中央値」とは、集計対象となる役員の報酬額の中位にあたる役員の報酬額である。つまり、「社長の中央値」といった場合、イメージとしては、100 名の社長の報酬額を上から順番に並べ、ちょうど 50 番目にあたる社長の報酬額が中央値となる、ととらえるとよいだろう。

では中央値と平均値との違いは何だろうか。平均値は「対象となる役位の役員全員の報酬額を単純平均した値」のことである。この場合、例えば極端に報酬額が高い社長（例：200 億円）、あるいは低い社長（例：1 円）がいた場合、平均値はその報酬に引っ張られて上振れしたり、下振れしたりする。一方で中央値を用いる場合、そのような「外れ値」に

2　なおデロイト トーマツ コンサルティング・三井住友信託銀行の共同実施による「役員報酬サーベイ（2020 年度版）」の参加企業は 954 社。役員報酬サーベイは、毎年 6～7 月に参加申し込みを受付し、10 月頃に各社へ報告書を提供している。

3　例えば「役員報酬サーベイ（2020 年度版）」における東証一部上場企業の社長の報酬額の中央値は、5,940 万円（前年比 +1.3%）となっており、年々報酬総額は上昇傾向にある。

【図表 2-11】報酬データのグラフの見方

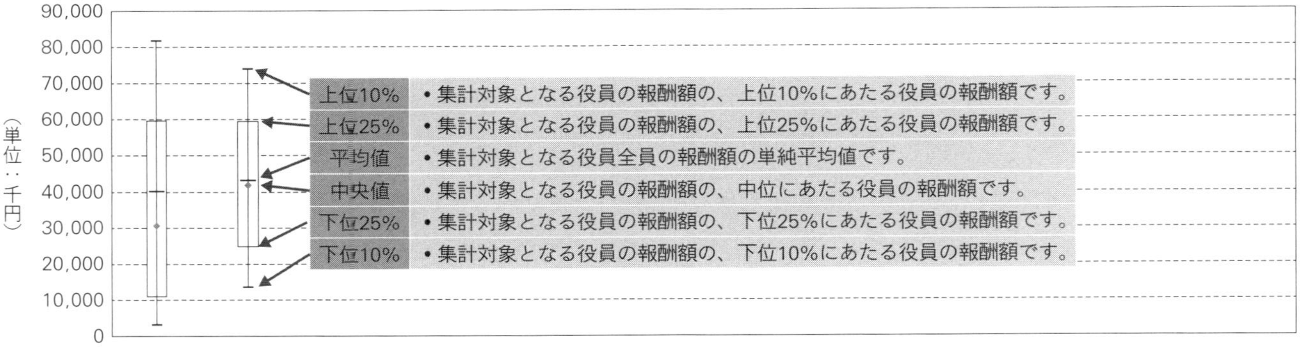

（単位：千円）

90,000
80,000
70,000
60,000
50,000
40,000
30,000
20,000
10,000
0

上位10%	・集計対象となる役員の報酬額の、上位10%にあたる役員の報酬額です。
上位25%	・集計対象となる役員の報酬額の、上位25%にあたる役員の報酬額です。
平均値	・集計対象となる役員全員の報酬額の単純平均値です。
中央値	・集計対象となる役員の報酬額の、中位にあたる役員の報酬額です。
下位25%	・集計対象となる役員の報酬額の、下位25%にあたる役員の報酬額です。
下位10%	・集計対象となる役員の報酬額の、下位10%にあたる役員の報酬額です。

（単位：千円）	会長	社長	副社長	専務	常務	取締役	執行役員	監査等委員である取締役	社外取締役（グループ外）	社外取締役（グループ内）	常勤監査役	非常勤監査役（グループ外）	非常勤監査役（グループ内）
上位10%	81,843	73,830	46,800	46,540	35,040	24,000	22,214	26,400	12,155	#N/A	26,600	10,651	#N/A
上位25%	59,508	59,358	39,275	33,500	29,261	18,840	17,787	21,000	10,800	2,950	22,040	7,401	#N/A
中央値	30,570	42,000	32,700	28,200	24,240	15,600	15,600	10,800	7,200	2,800	17,000	4,920	#N/A
下位25%	11,000	24,853	27,120	26,120	20,400	11,400	12,000	5,400	5,775	2,700	12,000	3,600	#N/A
下位10%	3,156	13,560	23,920	20,000	17,972	5,484	8,640	2,246	3,060	#N/A	8,979	2,280	#N/A
平均値	40,230	43,054	33,540	30,850	25,816	15,577	15,673	14,135	7,901	3,800	17,303	5,657	#N/A

近い報酬額の影響を低減することができる。このため、役員報酬の決定においては、報酬額の平均値ではなく、中央値が使用されることが多い。

また同様に、上位25%であれば、上から25番目、下位25%は上から75番目にあたる社長の報酬額となる。

有価証券報告書の分析には一定の手間が必要

②の有価証券報告書も、他社の役員報酬制度や報酬水準を分析するためには有用なツールである。特に1億円以上となる場合には個別の詳細な情報が開示されるため、開示対象者についてはそれらをそのまま利用できる。しかし、1億円未満の場合には、取締役や社外取締役ごとの構成要素別（固定報酬・賞与・株式報酬）の支給総額だけしか開示されないため、そのままでは役位別の水準がわからない。

そこで、役員報酬サーベイで集計・整理した、役位別の傾斜（格差）係数が役立つ。これを用いることによって補正することが可能となる。

また、有価証券報告書は人数については1年間（3月末日決算の会社の場合には4月1日から翌年の3月31日まで）の員数を指すため、総会で退任（解任）となった取締役も1名としてカウントされる（適正な報酬水準を取るためには、本来は、4月から6月末までの3カ月分、すなわち、0.25名としてカウントされるべき）。報酬についても7月から3月までしか在籍していない人についてはその期間分だけが掲載される。そのため、これらの情報も補正する必要がある。逆にいえば、こういった補正がなされれば、かなりの精度で役位別の報酬水準を把握することができる。ただし、持ち株会社の役員報酬についてはこの手法が使えない可能性が高い。持ち株会社と事業会社を兼務している場合には、両社から報酬が支給されていることが多いにもかかわらず、持ち株会社だけの情報しか有価証券報告書に開示されないためである。なお、特殊事情（例えば、特定の役員だけ著しく水準が低い）が存在する場合には大きな誤差が発生する可能性は否めない点に注意を要する。

海外企業の経営トップの報酬水準を詳細に把握できる

③のProxy Statementは、株主総会等の前に米国の上場企業等が発行するもので、その大部分が役員報酬関連の開示となっている。日本の

【図表 2-12】Proxy Statement の例（Citi Group）

2020 Named Executive Officer Annual Compensation

The Compensation Committee approved the annual compensation described below for our named executive officers for 2020 performance:

（US ドル）

Name	Base Salary[1]	Cash Bonus[1]	Performance Share Units[2]	Deferred Cash[2]	Deferred Stock[2]	Annual Compensation for 2020 (Sum of Columns 1-5)
Michael Corbat	1,500,000	5,260,500	6,137,250	6,137,250	—	19,035,000
Mark Mason	500,000	4,220,000	3,165,000	3,165,000	—	11,050,000
Jane Fraser	500,000	6,660,000	4,995,000	4,995,000	—	17,150,000
Paco Ybarra[3]	8,355,669	—	—	4,809,382	3,934,949	17,100,000
Michael Whitaker[3]	3,856,463	—	—	2,109,820	1,726,217	7,692,500

(1) Reported in the Summary Compensation Table for 2020.

(2) In accordance with SEC rules, these awards are not reported in the 2020 Summary Compensation Table. They may be reportable in the Summary Compensation Table for 2021 or subsequent years.

(3) Compensation for Messrs. Ybarra and Whitaker is designed to comply with U.K. and E.U. requirements, as described on pages 97-100 of this Proxy Statement. Their compensation is converted from British pounds to U.S. dollars at the rate of 1.2854875 dollars per pound.

CEO報酬:
- 固定報酬が約8%
- 短期インセンティブが約28%
- 中長期インセンティブが約64%となっている

2020 DIRECTOR COMPENSATION

（USドル）

Name	Fee earned or Paid in Cash($)[1]	Stock Awards ($)[2]	Total（$）
Ellen M. Costello	277,500	150,000	427,500
Grace E. Dailey	186,250	150,000	336,250
Barbara J. Desoer	258,750	150,000	408,750
John C. Dugan	575,000	150,000	725,000
Duncan P. Hennes	315,000	150,000	465,000
Peter B. Henry	188,750	150,000	338,750
S. Leslie Ireland	225,000	150,000	375,000
Lew W.（Jay）Jacobs, IV	232,500	150,000	382,500
Renée J. James	211,250	150,000	361,250

出所：Citi Group Proxy Statement（2021）よりデロイト トーマツ グループにて作成

企業、特に、各業種のトップ・ティアの企業の多くは海外の大手企業を競合先としており、そういった企業にとって参考となるのがこのProxy Statementである。例えば米国のProxy Statementには、Named Executive Officerと呼ばれる当該企業における（CEO・CFOおよびその他トップ3名を含む）高額報酬者の詳細な報酬情報が記載されている。具体的には、報酬水準、構成要素、構成比率、評価の仕組み、個人別の評価結果である**【図表2-12】**。

もちろん、トップ・ティアの企業でなくても米国の先進的な取り組み状況等を把握するために用いることもできる。以上のように、役員報酬水準を把握する上での主たる情報ソースとしては、①役員報酬サーベイ、②有価証券報告書、および、③Proxy Statementが存在し、それらを適切に組み合わせることによって類似企業の報酬水準を把握することが可能となる。

(3) ピアグループ設定

ピアグループはどのように設定するか。

報酬水準情報を入手したら、ピアグループを設定する必要があるが、それには、大きく分けて二つの考え方がある**【図表2-13】**。

一つめは役員人材の競合先から設定するパターンである。例えば、化学メーカーであれば、通常は同規模の他の化学メーカーがピアグループになると考えられる。しかしながら、最近はそのように単純ではない。例えば、化学メーカーが医療機器や製薬事業に進出し、医療機器メーカーや製薬メーカーの役員を採用しようとすることもある。一方、電機メーカーが化学事業に進出し、化学メーカーから役員を獲得しようとするケースもある。つまり、同じ企業の中に伝統的な業種と異なる業種が含まれているケースが増加している。このような場合、ピアグループ設定の検討は容易ではない。また、コングロマリット企業の場合、保有している事業が重なるケースは一部の総合商社を除いてはほとんどない。こういったケースでは割り切って、一見すると同業とはいえないが、人材を奪い合っている企業をベンチマーク先とすることも少なくない。

二つめは、財務指標により設定するパターンである。同じ業界・業種でも売上規模が異なると、役員の報酬水準に違いが生じることが、デロイト トーマツのコンサルティング部門とアナリティクス部門が実施し

【図表 2-13】ピアグループ設定の考え方（イメージ）

① 人材の競合先から設定したピアグループ

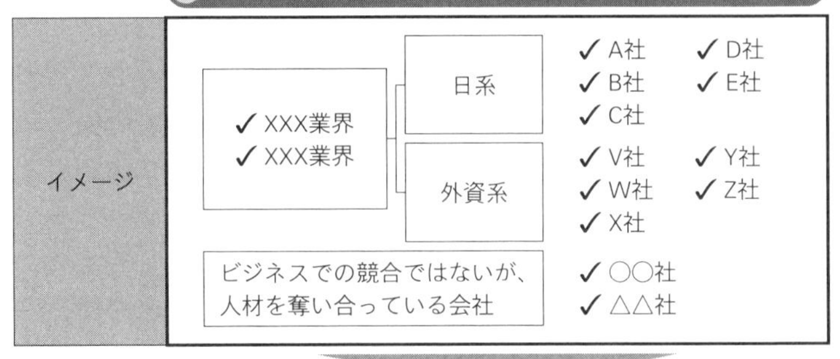

目的	• 個社ごとに役位別の報酬水準を把握し、人材の採用・流出に対応可能な報酬水準を把握する
ピアグループ設定方法（例）	• 以下の内容を調査した上で、自社のピアグループを設定 ▶ビジネス及び採用における競合企業役員の流入元・流出先企業を調査し、傾向を分析 ▶競合先企業におけるピアグループの傾向を分析

② 財務指標等により設定したピアグループ

イメージ

指標	規模	
売上高	XXX万～XXX万	✓ A社 ✓ C社 ✓ B社 ✓ D社
時価総額	XXX万～XXX万	✓ A社 ✓ E社 ✓ B社 ✓ F社
ROE	XXX%～XXX%	✓ A社 ✓ D社 ✓ C社 ✓ F社

目的	• 財務指標等を基に、報酬水準を設定する ▶売上・利益など、及びそれらの収益率等 ▶従業員規模 ▶時価総額・外国人株主比率・ROE等
ピアグループ設定方法（例）	• 自社と同規模企業群をピアグループとして設定

た調査結果によって明らかになっている（コラム「役員報酬水準の決定要因」参照）。これらの調査結果もふまえ、報酬水準を検討する場合には、売上高、時価総額、従業員数、外国人株主比率、ROE等、報酬水準と一定程度の相関が存在する指標を用いてスクリーニングを行うことが通常である。この際に利用する数値は、直近の数値を使う例も多いが、場合によっては目標値を使う例もある。例えば、現状では売上高が3,000億円だが、数年後には6,000億円を目指すという企業においては、3,000億円ではなく5,000億円規模の企業をベンチマーク対象とするといったケースだ。

仮に売上高5,000億円を基準とした場合、5,000億円規模の企業を10社程度サーベイから抽出した上でベンチマーク比較を行うことが望ましいが、参加企業数には限界があるため、通常そこまで細かなデータは取ることができない。そこで、ある程度の幅を持たせた形でデータを取ることになる。例えば、4,000億円から6,000億円規模の企業をベンチマーク対象とするといったやり方である。ただし、売上高だけでは信頼性に欠ける可能性があることから、例えば、時価総額や従業員数等の一定の相関関係のある指標によるベンチマークをすることが多い。売上高と従業員数で取った社長の報酬水準の中央値が7,200万円、上位25%が9,000万円、下位25%が5,000万円だったとすると、どの水準を狙うのかが重要な論点となる。多くの企業は中央値を基準とするが、もっと上の上位25%が妥当だと考える企業も少なくない。そこで次にこの点について、さらに詳しく述べる。

コラム　役員報酬データベース「DEX-i（デックス・アイ）」

デロイト トーマツ コンサルティングでは、役員報酬サーベイのデータベースを活用し、2019年より、役員報酬水準をWeb上で簡単に比較分析できる新サービス「DEX-i（デックスアイ）」を開始した（Deloitte EXecutive compensation Intelligenceの略）。2018年6月のコーポレートガバナンス・コードの改訂に伴い、役員報酬が企業の持続的な成長に向けた健全なインセンティブとして機能するよう、役員報酬制度の見直しや具体的な報酬額を決定すべきであることが明記された（補充原則4-2①）。またその手続きとして自社内に指名・報酬委員会等の諮問委員会を設置し、議論を行うことが求められている（補

【図表 2-14】DEX-i のサービス概要

DEX-iは、「役員報酬サーベイ」のデータを活用し、各社のニーズに対応した報酬水準データ・分析レポート作成ツールです。

役員報酬データの分析条件の設定

- さまざまな分析軸での報酬比較分析が無制限で可能*1
  - ▶業種、売上高、時価総額、従業員数、上場区分を報告書より細分化して集計可能
  - ▶上記分析軸のクロス集計（複数の分析軸での集計）が可能
- 集計対象の役員の条件設定が可能
  - ▶最大13役位まで同時に集計・表示
  - ▶取締役兼務、代表権の有無、執行役員（委任型／雇用型）、監査等委員である取締役（社内／社外）、顧問・相談役等の詳細条件も設定可能

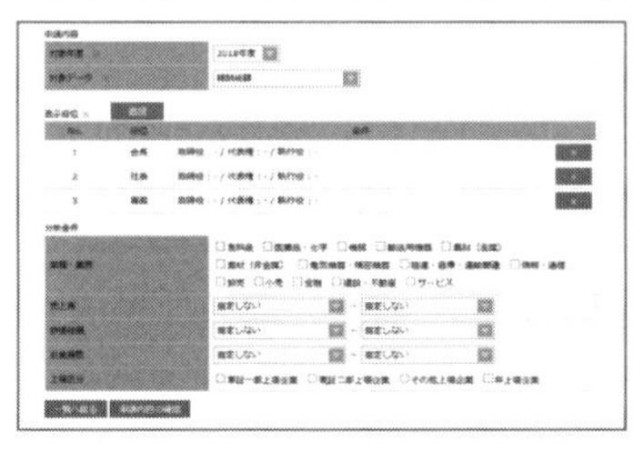

Webで完結する分析・レポートの提供

- Web上でデータ確認、分析が可能*2
  - ▶Web上でデータ確認が可能なため、迅速かつ効率的に分析可能
- ローカル環境へのダウンロード機能搭載
  - ▶Excel・PDF形式での出力が可能
  - ▶自社に適したカスタマイズにより、報酬委員会等での活用を促進

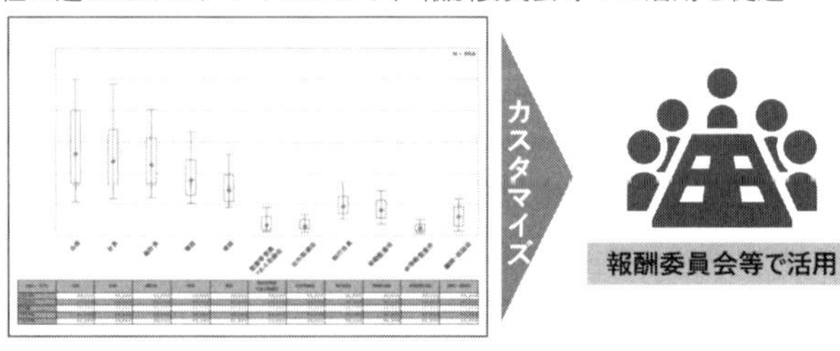

*1　本来の利用用途から逸脱した利用が発覚した場合は、一時的にサービスの利用を制限する場合がある

*2　当システムにおいては、SSL証明書を利用した通信の暗号化、データ（個人情報）の暗号化等の高いセキュリティ対策を講じている

充原則4-10①)。当社では、こうした各企業内でのコーポレートガバナンス・コード対応における取り組みの進展をふまえ、DEX-iの提供を通じて、企業の役員報酬の客観性・透明性の実現を支援している**【図表2-14】**。

特に、従来の調査報告書では対応できなかった比較対象の企業群の分析条件の変更、クロス集計の実現や、役員の詳細条件が指定可能となった点が大きなメリットである。例えば、さまざまな分析軸での報酬比較分析が無制限で可能であり、業種、売上高、時価総額、従業員数、上場区分を報告書よりも細分化して集計可能となっている。またこれらの分析軸のクロス集計(複数の分析軸での集計)も可能である。

さらに、**取締役兼務や代表権の有無、執行役員(委任型/雇用型)、監査等委員である取締役(社内/社外)、顧問・相談役や各委員会における委員長、委員に支給される追加手当額等の詳細条件も設定可能**である点は、従来多くのサーベイで取得することが難しかった報酬データであるといえよう。

これらのデータをWeb上で簡単に取り扱うことができ、かつExcelやPDFに簡単にダウンロードできるため、非常に使い勝手がよい点も特徴である。

報酬委員会・取締役会での議論や、社外取締役への説明など、役員報酬の透明性・客観性の向上に利用できると考えている(詳細は、当社のWebサイトを参照されるか、「デロイト・役員報酬・DEX-i」等のキーワードで検索していただきたい)。

(4) 水準調整(パーセンタイル設定)

ここまでで、ベンチマークを行う際に用いるピアグループが設定できた。それでは、他社の報酬水準の中央値をそのまま自社が目指すべき報酬水準(ターゲット報酬水準)とするべきなのだろうか、という問いが出てくるであろう。

次に、報酬水準を設定する際の要素を検討する。デロイトのフレームワークでは、大きく分けて六つの観点から、報酬水準を検討することを推奨している。それらは、①外部価値(競合企業の水準)、②業績・収益性、③リスクの程度、④役割の重要性、⑤内部公平性、⑥株主・投資家の意向である**【図表2-15】**。これらの各要素において、報酬水準が上げ要因なのか下げ要因なのかを検討することで、より精緻な報酬水準を

【図表 2-15】報酬水準設定の観点

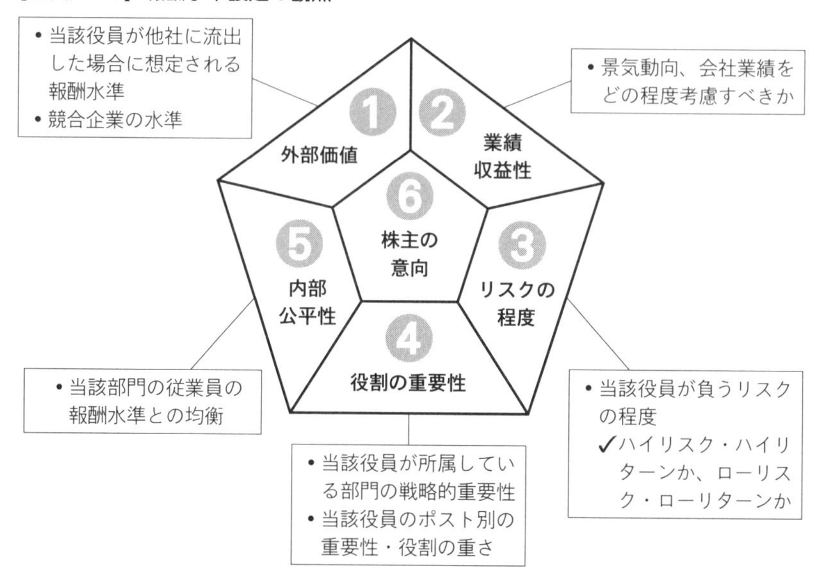

検討していく。

まず、①の外部価値とはどういったものであろうか。これは自社の役員が外部に流出した場合、当該役員の報酬水準が上がる傾向にあるのか、下がる傾向にあるのかを確認することにある。上がる場合には当該役員の外部価値は高く、報酬水準としては上げ要因となる。大企業において内部では大きな価値を発揮するものの、外部に行くとあまり大きな価値を発揮できないという内部価値型の役員が多い企業においてはこの要素は下げ要因となり得る。

②の業績・収益性は、過去と将来の収益性を指す。何をもって収益性を指すか（例えば、営業利益の成長率、当期純利益、ROE 等）、は各企業における事業特性によるが、収益性が水準設定の重要な指標であることは間違いない。これらをふまえ、競合企業と比較して業績や収益性が高い場合には、報酬水準の絶対額として、上げ要因とするなどが挙げられる。

③のリスクの程度はハイリスク・ハイリターンという言葉があるとおり、役員が負っているリスクを指す。ファイナンス理論に基づくと、高

いリスクを負っている場合には、その対価として高いリターンが期待されることは当然である。これを役員の報酬にも適用させている考え方である。例えば、パフォーマンスが悪い場合（例えば、2期連続で予算未達の場合）には再任されない、つまり、簡単にクビになる企業の役員とそうでない企業の役員では負っているリスクが異なる。前者は、リスクが高いため、報酬水準の上げ要因となり、後者は、リスクが低いため下げ要因となる。また、固定報酬の構成比率が低い（つまり、変動報酬の構成比率が高い）企業は役員が比較的高いリスクを負っているといえるため、報酬総額については上げ要因となり得る。2018年6月のコーポレートガバナンス・コードの改訂を受け、再任基準を策定する企業が増えつつあるが、仮にその基準が厳しいものである場合にはハイリスクな役員報酬ということになる。

④の役割の重要性は、当該役員の担う役割の重さや部門によって報酬水準に差をつけるべきかを検討する際に使う観点である。例えば、役割によって水準を変えるケースである。例えば、副社長が2名実在するケースで、副社長によって役割の重さが大きく異なる場合には同じ役位であっても報酬水準を変えようという考え方である。もう一つが、担う部門によって報酬水準を変えるケースである。例えば、新規事業の立ち上げを至上命題とする企業において、新規事業を管掌する役員の報酬水準を、他の役員よりも、高くするといったことがある等である。

さらに、⑤の内部公平性は、従業員の賃金と役員報酬の公平性を考慮するというものである。役員が従業員よりも上位の存在である以上、従業員のうち最も高い報酬を受給している者よりも、より高額の報酬を受け取るべきであると通常考えられる。その反面、役員と従業員間で、大きな水準差があるのは妥当ではないという考えが典型である。この考え方は、欧米ではこれまであまり考慮されてこなかった。しかし日本においては、役員はあくまでも従業員のキャリアパスの延長線上にあるものとしてとらえられてきた企業が多い。このような企業の場合、従業員の賃金に関する考え方や水準と、役員報酬との間に整合性を取ろうとすることがあり、役員と従業員の報酬差がつきすぎないように調整を行う。もちろん、欧米のように役員と一般従業員の報酬との間に整合性は取らないという発想のもと、原則として、内部公平性を考慮しないという報酬戦略を持っている企業においてはこの要素は不要となる。

⑥は、①～⑤の各要素を含めて、株主が報酬に対してどのような意向を持っているのかである。役員報酬は株主総会における決議事項であるから株主の役員報酬水準に対する考え方を無視できないのは当然であろう。

これら６個の要素の一つひとつについて、上げ要因なのか、横ばい要因なのか、下げ要因なのかを検討し、総合的にパーセンタイルを設定することになる。

例えば、ある企業において、①役員がより報酬水準の高い業界に引き抜かれることがあるとする（上げ要因）。また②の業績はここ５年間右肩上がりで、かつ今後の見込みも右肩上がりであり（上げ要因）、③役員の解任要件（＝不再任を含む）が明確で、パフォーマンスが悪ければ再任されない。かつ過去にそのような役員が存在した（上げ要因）。

さらに、④２名の常務執行役員のうち、一方の常務は役割が重く、一方は軽く（一方にとっては上げ要因、他方にとっては下げ要因）、⑤役員報酬は従業員報酬と切り離して考えるというポリシーを採用している（上げ要因ないし横ばい要因）。

その上、⑥海外機関投資家からは、収益性が高くてビジネスが堅調であれば、ペイ・フォー・パフォーマンス（Pay for performance）の観点から、業績に連動する報酬（賞与等）を大きく支給しても構わないといわれ（上げ要因）ているという場合には、多くの上げ要因が存在することから役員報酬は全体として高くすべきである。

この場合、例えば上位25％水準をターゲット報酬水準とする等が考えられる。また、常務執行役員については、④で述べたように役割の大きさに差があるため、報酬テーブルを複数設ける等により、個別の報酬水準の設定を行うことが望ましい（例：１人の常務執行役員は上位25％水準、もう１人は50％水準等）。

以上、報酬水準を設定するにあたっては、報酬総額を一定のピアグループの水準を参考とし、６個の要素を考慮した上で、報酬水準の調整（パーセンタイル調整）をかけ、役位別の水準を決定することになる。

第５項　報酬構成・構成比率

（1）報酬構成

欧米企業・日本企業を問わず、役員報酬は、固定報酬と変動報酬で構成されるのが通常である。また変動報酬には、短期インセンティブと長期インセンティブがある。短期インセンティブが日本における役員賞与、長期インセンティブが１年超の期間に対応するインセンティブ報酬で、株式報酬がその典型である。株式報酬は、2015年６月のコーポレートガバナンス・コードの適用後から導入が加速化し、2021年時点では上場企業2,000社程度の企業（約50％超）が導入[4]しており、一般的な制度と呼べるようになった。また日本においては、株式報酬制度そのものが黎明期であるため、１種類のスキームのみ導入されているケースが大半であるが、欧米ではその付与目的に応じて、２種類から３種類のプランを入れることも多い。

さらに、企業によっては役員退職慰労金という従業員の退職金に相当する制度を保有している。これは15年ほど前までは一般的な制度であったが、2006年以降、投資家等から批判を浴び、多くの企業で廃止されてきた。この結果、現在では上場企業の９割が廃止している。加えて、社用ジェット機、社用車、役員社宅等の役員固有の福利厚生制度も報酬の構成要素として挙げることができるが、日本においてはCEOがジェット機で移動する等は少なく、重要性は必ずしも高いとは言えない。

これらを整理すると、多くの上場企業では、固定報酬、短期インセンティブである賞与、長期インセンティブとしての株式報酬が主要な構成要素といえる。

（2）報酬構成比率

1. 構成比率の考え方

報酬構成が決まったら、次に検討するのは、それぞれの構成要素の比率である。まず報酬総額における、固定報酬と変動報酬の割合を決定する。例えば、報酬総額を100とした場合、固定報酬と変動報酬の比率を50：50とすることを指す。この比率は、常に一定になるわけではなく、

4　日本経済新聞「株で役員報酬５割超　上場2000社導入」（2021年６月６日付）

あくまでも標準業績を達成したときの固定変動比率を意味する（Target と呼ばれる）。それゆえ、業績がよい場合で、実際に支給される金額（Actual と呼ばれる）はその比率になるとは限らず、設計によって結果的に 30：70 となることもある。

投資家の立場からすると、変動報酬の比率が高ければ高いほど、「儲かったときに払い、儲からないときには報酬を払わない」という、ペイ・フォー・パフォーマンスの精神に最も合致する。このため、こういった変動報酬比率が高い方が一般的には望ましい。第 3 節の冒頭で指摘したとおり、日本の役員報酬は欧米各国と比較して、60％近い固定報酬比率（つまり、変動報酬比率が40％以下）となっている点が課題である。

一方、変動報酬の比率が極端に高くなると、そのリスク性の高さゆえに、米国のように相当高額の報酬が支給されるのでなければ、多くの役員が敬遠することになり、役員になりたい人が限定されてしまう。このため、固定・変動報酬比率のバランスを取る必要があるが、その際には重要なのが会社の経営理念、戦略・ビジネス等との整合性である。

そもそも変動報酬を導入する目的・意図は何だろうか。それは、変動報酬によって役員を動機付けることで、会社の業績・株価を上昇させることにある。そうであるならば、役員個々人の業績向上に向けた努力や頑張りと、業績との間に一定の関連性が必要となる。つまり、関連性が高ければ変動比率を高めることになじみやすく、関連性が低ければそうでないことになる。つまり、役員個々人の努力や頑張りが業績に反映しやすい企業ほど、変動比率を高めることと親和性が高い。

例えば、半導体業界のように業績の上下が激しい業界における営業部門を管掌している役員であれば、変動報酬の比率を高めることと親和性が高い。他方、電力やガス・水道といったインフラ系企業のように、一般に業績の変動がそもそも小さく、かつ、役員個々人の努力や頑張り、業績が直接反映されにくい企業がある。このような企業の場合、役員個人が頑張ってもそれが適切に反映されないため、インセンティブとしての効果が望めないケースもある。もちろん、だからといってすべてを固定報酬にすべきだということではなく、大きな変動比率にはなじまないということである。

それでは、具体的に固定報酬比率と変動報酬比率をどのように決定すべきだろうか。これは他社（およびトレンド）をベースとしつつ、各企業のビジネスの特性を勘案して決定することが望ましい。

例えば、「役員報酬サーベイ（2019年度版）」によると、社長の場合、「固定報酬：変動報酬＝57：43」となっている。トレンド的には変動報酬を高めようとする方向で動いていることからすると、例えば、6：4を基準としつつ変動になじみやすい企業は5：5、なじみにくい企業については7：3といった設定が、固定変動比率の設定方法といえよう。また役位別に固定・変動比率を一律とするか、もしくは異なる固定・変動比率を定めるか、といったことも論点となる。

さらに、同じ企業の中でも担当管掌領域の異なる役員によって固定・変動比率を変えるということも当然検討すべき論点となる。この点については本章第7項と第8項のインセンティブについての解説で詳述する。

2. 短期インセンティブと長期インセンティブの比率設定

変動比率が決まったとしても、さらに短期インセンティブと長期インセンティブの比率の問題もある。当社の調査**【図表 2-16】**によると、米国の大手企業では、固定・変動報酬比率は、9：91となっているが、短期と長期では23：77と、長期インセンティブの比率が短期の約3倍になっている。

これに対し、日本では、短期65に対して、長期35となっている。欧州各国でも、「4：6」もしくは「5：5」程度の比率になっており、日本は欧米各国よりも短期インセンティブの占める比率が高い。

【図表 2-16】各国 CEO の報酬構成比率

国	固定報酬	短期インセンティブ	長期インセンティブ	固定・変動比率	短期・長期比率
日本	57%	28%	15%	57：43	65：35
米国	9%	21%	70%	9：91	23：77
英国	30%	27%	43%	30：70	39：61
ドイツ	29%	30%	41%	29：71	42：58
フランス	31%	38%	31%	31：69	55：45

出所：「役員報酬サーベイ（2019年度版）」、Bloomberg抽出データ（2020年6月15日時点の各社開示データ）よりデロイト トーマツ グループ作成

この点、欧州各国の視点からすると、日本は（報酬に連動する形で）短期的な目線で経営しているのではないか、という風に映る可能性がある。一方、日本企業の視点からすると、そもそも日本企業は欧米系企業と異なり、長期目線での経営をしているので、ことさらに長期インセンティブを重視する必要がないという主張もある。しかし、このような主張はいわゆる「阿吽の呼吸」であり、そのような「空気感」を共有している日本企業にしか伝わりにくいのではないだろうか。

そもそも日本企業では、役員層は、内部から昇格した人材によって構成されるのが通常である。加えて、経営幹部の人材マーケットが確立されていない中で、短期的な目線で経営を行うことは通常考えにくいといえよう。しかし、グローバルにおける日本の相対的な地位が低下する中で、日本の特殊性を強調したとしても、なかなか外国人投資家の理解を得られないことも事実である。

したがって、よほど企業業績が好調である企業以外、日本の特殊性だけを根拠として長期インセンティブ比率が低いことを説明したとしても、外国人株主の理解を得ることはなかなか難しい。

とりわけ、長期インセンティブが存在しない、あるいは、その比率が極めて低い企業については、自社の固有のビジネスとの関係性から長期インセンティブの必要性が相対的に低いということを訴求するほかない。

そこで、欧米の短期インセンティブと長期インセンティブの比率を参考にしつつ、自社が属する業界の特性をふまえ、短期・長期インセンティブ比率を調整するという手法が妥当といえよう。

米国の報酬構成比率は、日本の現状からするとやや採用しづらいと想定される。このため、欧州を参考とした場合、日本は「6：4」程度から、今後は「4：6」、もしくは「5：5」くらいを目指すことが適当ではないだろうか。

第６項　固定報酬の設計

固定報酬の設計では、固定報酬を支給する体系をどのようにするかを検討する。

典型的には、**【図表2-17】**にあるように、「①シングルレート方式」と呼ばれる、役位（専務、常務）または役割（CXO等の特定のポスト）

【図表 2-17】固定報酬の設定の類型

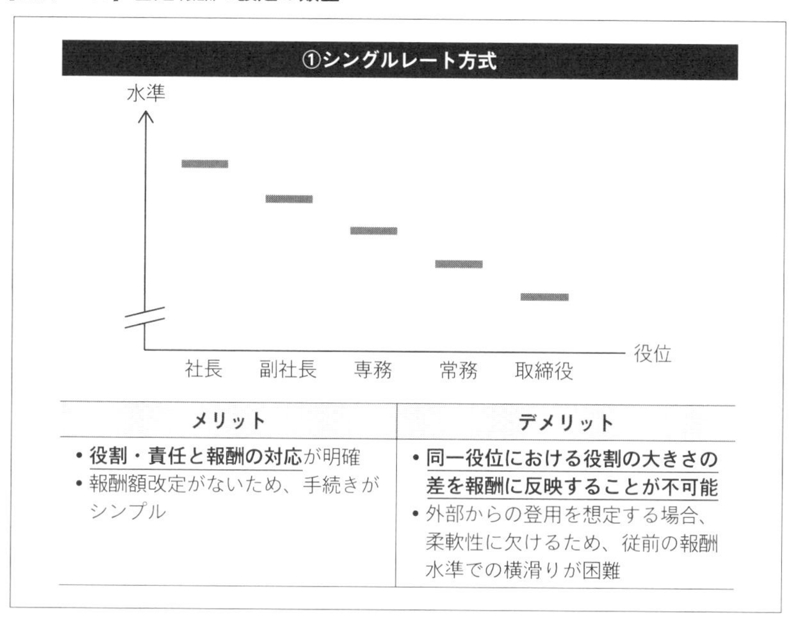

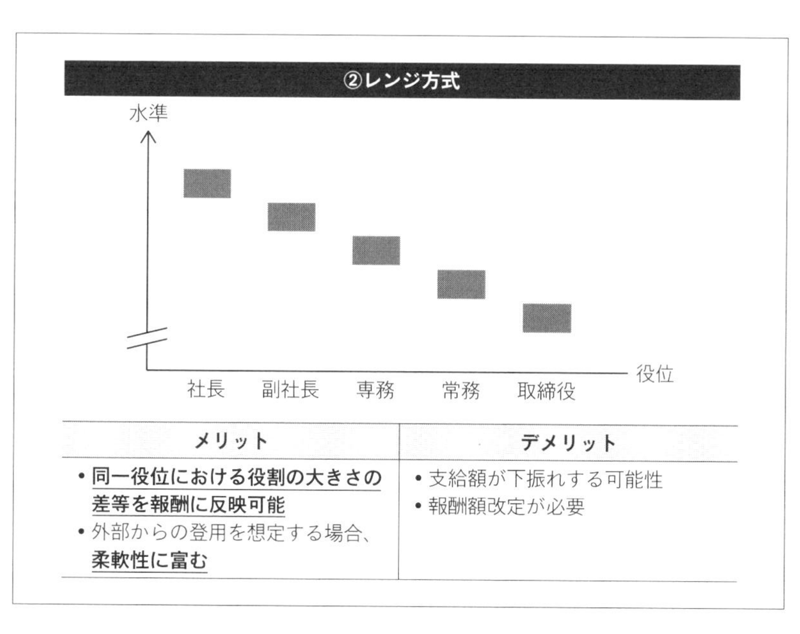

に対応した一定額とする形式と、「②レンジ方式」と呼ばれる、同じ役位・役割でも一定の幅を持たせるかを検討することになる。

まず①の「シングルレート方式」は、役員の役割・責任と報酬の対応が明確となる点にメリットがある。他方、役員を外部から登用するなどを想定される企業においては、柔軟性に欠けるといったデメリットがある。なぜなら、外部から登用することを前提とした場合、例えば、CFO ポジションの固定報酬が、転職前の企業と転職後の企業でまったく同一ということはまずあり得ないからである。このため、他社から役員を採用する場合、シングルレート方式では対応することが難しい。

②の「レンジ方式」は、シングルレート方式と異なり、同一の役位であったとしても、報酬額に一定の幅を持たせることができると同時に、外部からの登用などにも柔軟に対応することができる点がメリットである。他方、客観性・透明性のある報酬額の決定という観点では、報酬額の改定に関する一定の基準や条件を整備する必要があるといえよう。

なお一般にこのレンジ方式は欧米で活用されるケースが多い。というのも、日本では役員の昇給は通常行われることが少ないが、欧米企業では毎年2.5～3%程度の昇給を行っているため、シングルレート方式はなじみにくいからである。

またレンジ方式の派生形として、マルチレート方式がある。これは、一定の幅の中で、複数段階を設けるやり方で、同じ役位の中に、「グレード1」「グレード2」「グレード3」といった形で段階を持たせる方法である。役員の流動性が比較的低い日本企業においては、レンジ方式のうち、こちらのやり方がどちらかといえばなじみやすい。仮に、ある役位で3段階でのグレードを設定している企業があるとする。この場合、同じ役位でも役割の重い役員は、「グレード3」を適用し、役割が相対的に軽い役員は「グレード1」を適用する、といったものである。

加えて、本来的には短期インセンティブで解決するべきであるが、年功的な観点を重視する企業では、「グレード1」を初めてそのポストに就任した役員とし、2年目以降はグレード2以上を活用しているケースもある。「本来的には」と書いたのは、本来役員の報酬額はパフォーマンスの差によって変えられるべきである、という発想からすると、固定報酬額が同じであっても、そのパフォーマンスの差は短期インセンティブである賞与で反映されるためである。

第７項　短期インセンティブの設計

(1) 短期インセンティブとは何か

短期インセンティブとは、１年以内の評価期間を対象とした報酬のことである。企業の会計年度が１年であることから、役員については、通常は１年の評価期間に対する報酬を指すことが多い。短期インセンティブの趣旨は、役員の会社業績・株価向上を動機付けすることにある。したがって、短期インセンティブによる報酬額と業績や株価の上昇との間には強い関係性が求められる。

ところが日本では、東証一部上場企業であったとしても、依然として短期インセンティブを導入していない企業が存在していることも事実である。賞与が原則として損金算入の対象とならないことも、その一因として挙げられるが、役員の動機付けやガバナンスの面からは、大いに問題があるといえよう。ここでは、短期インセンティブの設計とその考え方について、説明を行いたい。

(2) 短期インセンティブのスキーム

短期インセンティブは、日本では役員賞与と呼ばれる。また海外においては、Short Term Incentive（＝STI）と通常呼ばれている。日本では、短期インセンティブのスキームには、大きく分けて四つあるが、損金算入の可否によって区分ができる**【図表 2-18】**。

これまでも述べてきたとおり、日本では、役員の賞与は原則として損金不算入となっており、損金算入を行わない「①損金不算入型」と呼ばれるスキームが存在する。次に、損金算入が可能なスキームとして３種類ある。

まず、「②変動報酬の固定報酬化」というスキームである。これは従来から日系企業で導入されているスキームで、前期の業績に連動して年俸が決まり、これを翌期に12分割して定期同額給与として支給するものである（法法34条１項１号）。

次に、「③事前確定届出給与」である。これは期初に税務署に一定の届出をして、その届け出た額を賞与として支給するものである（法法34条１項２号イ）。

最後に、「④業績連動給与」である（法法34条１項３号、５項）。かつ

【図表2-18】短期インセンティブのスキームの位置づけと導入率

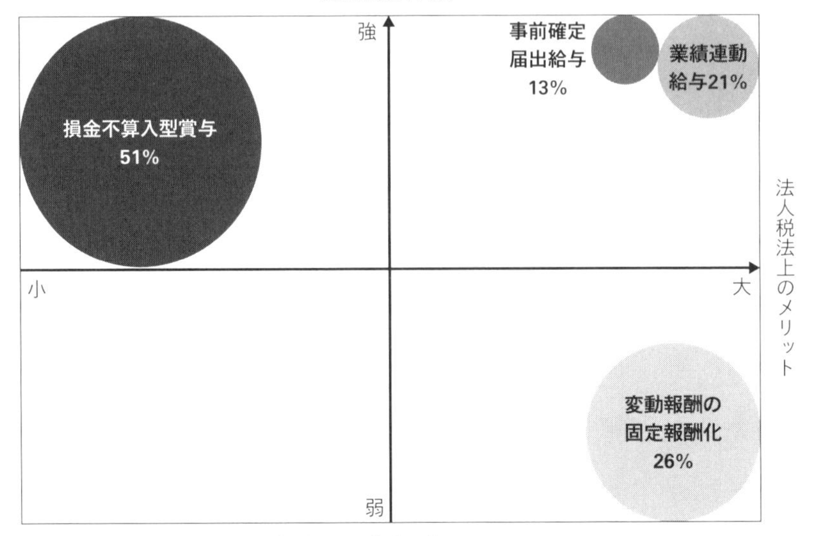

出所：「役員報酬サーベイ（2020年度版）」、複数回答

て利益連動給与と呼ばれていたが平成29年度税制改正により改名された。これは、典型的には有価証券報告書に業績に連動して変動する賞与の算式を開示することによって損金算入を可能とするスキームである。このように、一定の税法上の要件を充足すると損金算入させることが可能となる。以下、スキームごとに詳述する。

1. 損金不算入型賞与

損金不算入型賞与は、損金算入を取りにいかないため、法人税法上の損金算入要件による縛りがなく、設計の自由度が高い。例えば、個人の業績や開示されていない部門業績をKPIとして使用することも許容される。ここでのKPIについても特に制限はなく、定性的な評価指標でも構わない。また、変動報酬の固定報酬化（定期同額給与）のように前期の業績と連動させるわけではなく、当期の業績と連動させるため、期ズレが生じず、ガバナンス上も問題がない。そのため多くの企業で導入されており、当社調査によると51%の企業がこのスキームを導入している。

2. 変動報酬の固定報酬化（定期同額給与）

変動報酬の固定報酬化とは、前期の業績と対応した年俸を12分割して支給するスキームであり、26%の企業が採用している。定期同額給与として支給するため、形式上は固定報酬に見えるが、前期の業績に応じて当期の報酬が決まることから、実質的にその一部分は賞与といえなくもない。

例えば、前期の業績が好調であったため、前期の年俸を20%増額し、それを12分割して固定給的に支給するやり方がこれである。12分割して支給するため損金算入が可能となり、それがこのスキームの大きなメリットである。一方、デメリットとしては、前年の業績結果に基づいて、翌期の報酬が支給される場合、当該役員にとっては、退任が近い役員になればなるほど、その業績を向上させようというインセンティブ付けにはなりにくい。なぜなら、退任が近い役員にとっては、自分自身が頑張っても、その翌期の報酬を、自分自身が受け取れないためである。また退任が近い役員は、日本企業においては、より年齢が高く、より重責を担う役位であることが多い。このため、重責を担う役員であるにもかかわらず、インセンティブ付けが適切になされてないという点で問題があるとも考えられる。

3. 事前確定届出給与

事前確定届出給与は、その役員の職務につき所定の時期に確定した額の金銭または確定した数の株式もしくは新株予約権等を交付する旨の定めに基づいて支給する給与で定期同額給与及び業績連動給与のいずれにも該当しないものをいい、原則的には、納税地の所轄税務署長にその定めの内容に関する届出をすることが求められる（法法34条1項2号）。つまり、支給額があらかじめ定められている賞与もしくは株式関連報酬について、一定の要件のもと、損金算入を認めようとする制度であり、13%の企業が採用している。

事前確定届出給与として損金算入が認められるためには、まず役員がその職務の執行を開始する日までに「職務執行の対価」の支払い時期および金額が確定していなければならない。その上で、決められた期限までに届出を行うことが要件となっている。また納税地の所轄税務署長へ届け出た額と実際の支給額が異なる場合には、これに該当しないことと

【図表 2-19】事前確定届出給与の届出期限

項目	内容
1. 株主総会等の決議により役員の職務につき事前確定届出給与の定めをした場合	以下の（1）と（2）のいずれか早い日 （1）株主総会等の決議をした日（同日がその職務の執行を開始する日後である場合には、その開始する日）から1月を経過する日 （2）職務執行開始日の属する会計期間開始の日から4月（確定申告書の提出期限の延長の特例にかかる税務署長の指定を受けている法人にあっては、その指定にかかる月数に3を加えた月数）を経過する日
2. 新設法人がその役員のその設立の時に開始する職務につき事前確定届出給与の定めをした場合	その設立の日以降、2月を経過する日
3. 臨時改定事由により当該臨時改定事由に係る役員の職務につき新たに事前確定給与の定めをした場合をした場合	当該臨時改定事由が生じた日から1月を経過する日

なり、原則として、その支給額の全額が損金不算入となる（法基通 9-2-14）。

なお、事前確定届出給与の届出期限については、**【図表 2-19】**のようになる（法令 69 条 4 項）。

事前確定届出給与は、賞与や株式報酬を損金算入とすることができる点で大きなメリットがある。しかし現実には、13%程度の企業でしか採用されておらず、決して人気があるとはいえない。この理由として、業績の予測が難しいということが挙げられる。つまり、事前確定届出給与においては賞与の額を事前に確定させ、かつ、この事前確定額を事前に確定させた時期に支給しなければならない[5]。このため、賞与の額を確定させるには期初の段階で業績予測がある程度、正確にできなければならないが、そういった企業は決して多くはない。

もう少し具体的に説明しよう。例えば、3 月末決算の企業であれば、

5　届出額と支給実態額が異なる場合、原則として全額損金不算入（法基通 9-2-14）となり、損金算入のメリットを享受できなくなる点に注意。また届け出た支給額が実際より、多くても少なくても、全額損金不算入となる。要は、届け出どおりに支給することが求められる。

6月末頃に株主総会を実施するのが通常であるが、この時点から1カ月後（あるいは、会計開始から4カ月経過するまで）、つまり7月末までに事前確定給与の届出をしなければならない。しかし、このタイミングで翌年3月末までの業績を予測することは、多くの企業にとって難しいため、事前確定届出給与を、特に賞与において用いる企業は大規模な企業になればなるほど難しかったといえよう。

なお賞与という観点では上述のとおりであるが、平成29年度（2017年度）税制改正によって、①株式および②新株予約権が事前確定届出給与で損金算入が可能な形で整理された。これによって、後述する、事前交付型の特定譲渡制限付株式（リストリクテッド・ストック）や、いわゆるリストリクテッド・ストック・ユニット（RSU）、株式交付信託等が一定の要件を満たすことで、損金算入が可能となった。つまり株式報酬という観点では今後導入する企業がより増加するものと考えられよう。

4. 業績連動給与

Ⅰ．概要

これは、一定の同族会社に該当しない内国法人がその業務執行役員に対して支給する業績連動給与で、一定の要件を満たすものをいう（法法34条1項3号）。要は、業績連動型の賞与でありつつも、一定の要件を満たした場合に損金算入が認められる制度である。事前確定届出給与と同様、支給時期や支給額等について会社による利益調整の余地が排除されていることから、法人税法上の損金算入が許容されており、21％の企業が採用している。

平成29年度（2017年度）税制改正以前は、「利益連動給与」という名称が使用されており、「（単年度における）利益の状況を示す指標」のみが認められている状況であった。しかし、2015年のコーポレートガバナンス・コード適用開始後、経営陣の報酬に対して中長期的な業績反映を行うことができる報酬および税制のあり方が求められたことを受け、平成29年度（2017年度）税制改正において、「利益の状況を示す指標」に加えて、「株式の市場価格の状況を示す指標[6]」や「売上の状況を示す

6　その他に、「当該法人の株価と株価指標（TOPIX）との比率」や「一定期間の株価の平均が目標株価を上回る数値」「TSR（株主総利回り）」といった指標を用いることが可能。

【図表 2-20】業績連動給与の損金算入要件

No.	要件
1	支給する内国法人が一定の同族会社ではないこと
2	業務執行役員に対して支給されること
3	業務執行役員のすべてに対して要件を満たす業績連動給与を支給すること
4	客観的な業績指標によること
5	確定額・確定株数を限度とすること
6	報酬委員会等の適正な手続きによっていること
7	内容が有価証券報告書等に開示されていること
8	業績確定後、一定期間内に金銭が交付されること
9	損金経理をしていること

指標」が追加されたのである。また同時に、単年度の業績指標だけではなく、複数年度の業績指標を用いることも可能となった。これにより、中長期的な業績とその結果を報酬額へ反映することが可能となった。

加えて、平成29年度（2017年度）税制改正前の「利益連動給与」では、金銭報酬のみに適用可能であったが、税制改正後は、パフォーマンス・シェアや株式交付信託、新株予約権（税制非適格）についても一定の要件のもと、損金算入が認められるようになった。

Ⅱ．損金算入要件

業績連動給与として損金算入が認められるためには、具体的には、九つの損金算入要件を充足する必要がある**【図表2-20】**。詳細は、経済産業省「『攻めの経営』を促す役員報酬 ―企業の持続的成長に向けたインセンティブプラン導入の手引― （2021年6月時点版）」を確認していただきたい。

Ⅲ．業績連動給与の使い勝手

業績連動給与は、支給金額を会社業績等と連動させることができることから、戦略性を持った利用が可能となるとともに、スキーム「②変動報酬の固定報酬化」とは異なって、業績と報酬が期ズレしないことから、ガバナンスにも資するといった意味で非常に有用である。さらに、上記要件を充足することによって損金算入ができるため、税務上の視点からも評価できる。また、平成29年（2017年）の税制改正では、従来の利益の状況に関する指標に加えて、株式の市場価格の状況を示す指標や、売上の状況を示す指標が追加された。これによって、TOPIXとの比較指標やTSR（株主総利回り）といった指標を利用することができるようになり、さらに使い勝手がよくなっている。

しかし、業績連動給与を導入するためには、報酬の算定式を有価証券報告書等において開示しなければならず、この結果、事実上、取締役個人に対していくらの賞与が支給されたのかが明らかになる。投資家や株主の観点からは、取締役の個人別支給額が明らかになることはディスクロージャー上も好ましい。しかし、取締役の報酬については、総額１億円以上の役員を除いては、実際には取締役報酬総額という形でしか報酬が開示されていないことが多い。すなわち、個々の取締役の支給額は明らかになっていないのが日本の開示の実情であり、欧米の役員報酬の開示と比較しても、非常に遅れている。そういった中で取締役個人の支給賞与額が事実上個別に開示されてしまうことに対しては抵抗感を持つ取締役も、最近まで一定数存在していた。

ところが、近年１億円を超える役員報酬を得る役員の数が増加しており、また、社長に対して１億円以上の報酬を支給することに肯定的な社外取締役が増えてきたことから、業績連動給与に対する抵抗は薄まりつつあるといえよう。

そうであるにもかかわらず、業績連動給与の導入率が21％と伸び悩んでいる理由としては、役員の個人業績を反映できない点が挙げられる。インセンティブとしての効果を考えると、役員の個人別業績（例えば、管掌領域の業績）を賞与に反映したいところだが、管掌領域の業績が有価証券報告書に開示されていない限りはこの指標を使うことができない。管掌領域と有価証券報告書の開示が一致しない企業は少なくないのである。

以上、大きく分けて四つある短期インセンティブのスキームの中から、自社にとって最適なスキームや組み合わせも含めて検討する必要がある。

(3) 短期インセンティブの原資設定

短期インセンティブのスキームを選定した後に決めるべきは、原資で

【図表 2-21】利益配分方式と業績達成方式

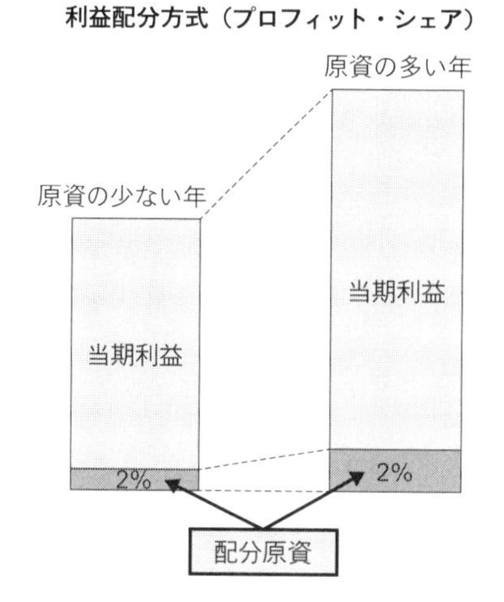

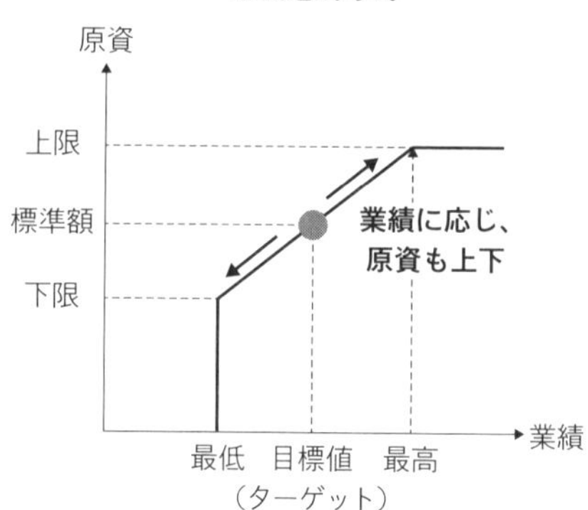

✓ 旧商法の利益処分と同じ考えに基づく方式だが、現在でも利用されている。

✓ 一定のターゲット（目標値）を決め、例えば、この目標値を達成した場合に固定報酬の半額が賞与の原資となるといった仕組み。通常は、最低目標（許容限度）と最高目標（キャップ）が設定される。

ある。すなわち、役員賞与の総額をどのように設定するのかについての取り決めである。これには大きく分けて二つの類型がある。一つが、「①利益配分方式」（プロフィット・シェア）である。これは、純利益等[7]のプロフィットの一定割合を分配する仕組みである。もう一つが、「②業績達成方式」である。会社業績（もしくは部門・個人業績）の達成度合いに応じて、報酬額の原資を決定する仕組みである【図表 2-21】。

①の利益配分方式は、利益（原資）を役員全員で分け合おうという発想であり、標準的な原資が存在しない。他方、②の業績達成方式は、達成度に応じて原資を増減させ、これを支給しようという発想に立つため、標準的な原資が存在するという点が異なっている。

(4) 短期インセンティブのKPI設定

短期インセンティブに関するKPIの設定は、ペイ・フォー・パフォーマンスが適切に反映されているかが重要である。すなわち短期インセン

7　役員賞与前純利益や営業利益を採用する例も多い。

【図表 2-22】業績評価の視点

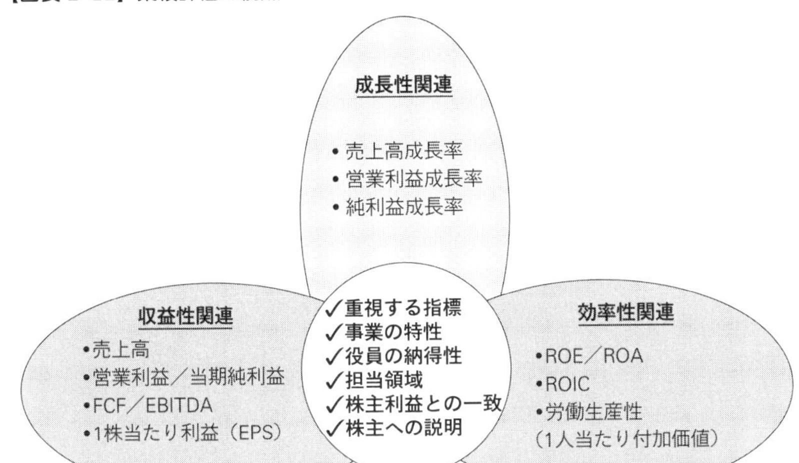

ティブの目的である「短期の業績向上への動機付け」が、報酬額と適切にリンクしているかをよく見なければならない。

業績評価を行うKPIとして、財務指標と非財務指標という大きく二つの区分がある。デロイトトーマツグループの調査結果によると、非財務指標を用いている企業は659社中99社（全体の15%）となっており、客観的に結果がわかりやすい財務指標を用いている企業が多いことがわかる。

財務指標としては、【図表 2-22】のように、収益性関連、成長性関連、効率性関連の大きく分けて三つがある。まず収益性関連の指標としては、売上や利益（営業利益・経常利益・当期純利益）FCF（フリーキャッシュフロー）やEBITDA（利払前・税引前・減価償却前利益）およびEPS（1株当たり利益）が挙げられる。これらの各指標は、短期経営計画での計数管理の基本的指標として重視している企業も多い。成長性関連の指標では、売上高成長率、営業利益成長率、当期純利益成長率等が挙げられる。特に毎年の事業成長を重視する企業にとっては、これらの指標を採用することで、事業の成長度と役員の報酬額をリンクさせることができるだろう。さらに、効率性関連の指標では、ROE（株主資本利益率）やROA（総資産利益率）が代表的な指標である。

【図表 2-23】は、日本の短期インセンティブにおける業績指標である

【図表 2-23】短期インセンティブに関連付けられる全社業績指標（社長）：日本

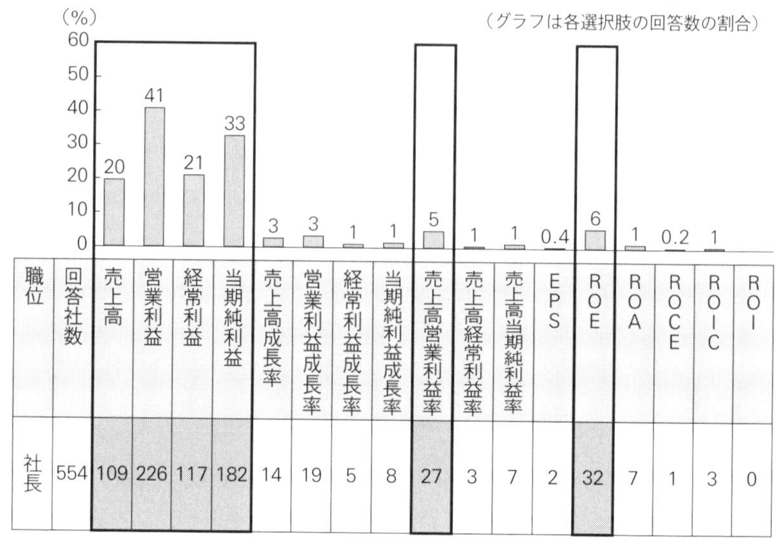

職位	回答社数	売上高	営業利益	経常利益	当期純利益	売上高成長率	営業利益成長率	経常利益成長率	当期純利益成長率	売上高営業利益率	売上高経常利益率	売上高当期純利益率	EPS	ROE	ROA	ROCE	ROIC	ROI
社長	554	109	226	117	182	14	19	5	8	27	3	7	2	32	7	1	3	0

（複数選択可、単位：社）

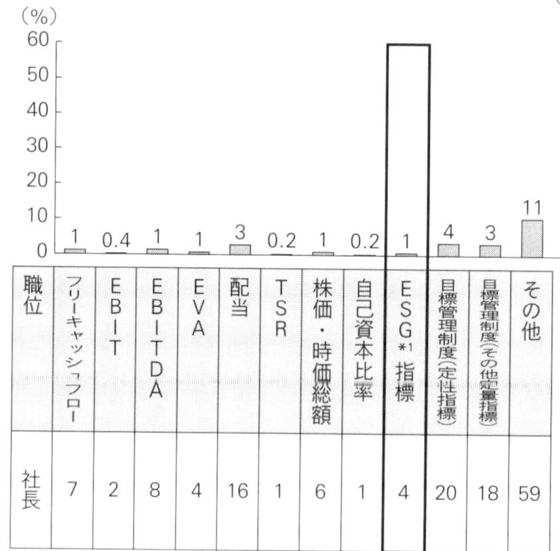

職位	フリーキャッシュフロー	EBIT	EBITDA	EVA	配当	TSR	株価・時価総額	自己資本比率	ESG*1指標	目標管理制度（定性指標）	目標管理制度（その他定量指標）	その他
社長	7	2	8	4	16	1	6	1	4	20	18	59

（複数選択可、単位：社）

出所：「役員報酬サーベイ（2020年度版）」
注：「短期インセンティブに反映する業績指標」で当該職位に対する企業の回答
＊1. 環境・社会・ガバナンス

【図表 2-24】報酬に関連付けられる経営指標（米国）

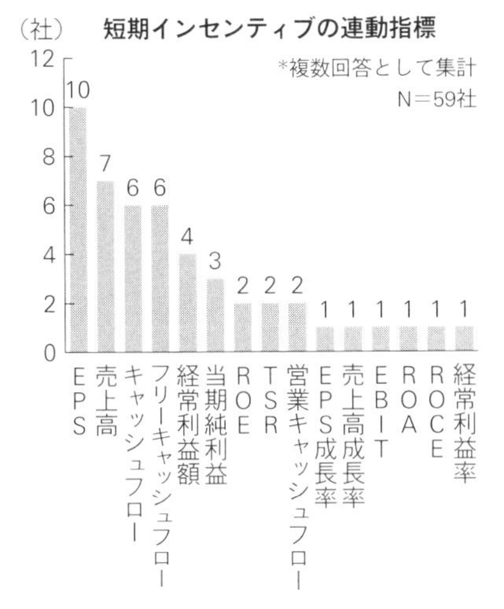

【図表 2-25】報酬に関連付けられる経営指標（英国）

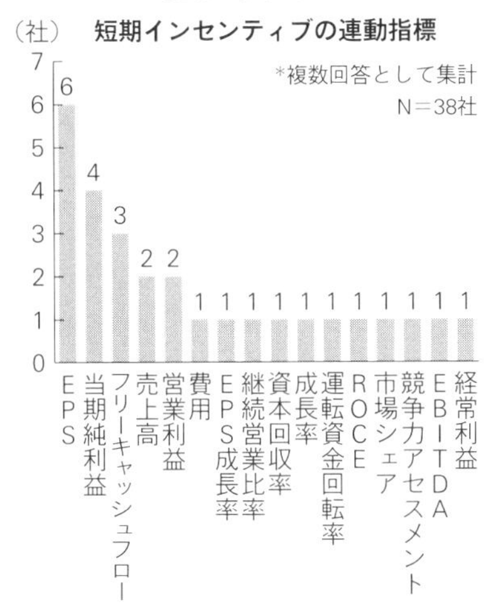

出所：日本と海外の役員報酬の実態及び制度等に関する調査報告書（経済産業省、デロイト トーマツ グループ受託業務　2015年3月）より加工

が、この結果を見ると、日本企業においては、売上高・利益等が中心に導入されていることがわかる。ROEを採用している企業も一部存在するものの、欧米で一般的なEPS等の株主利益に直結する指標を採用している企業は少ないことがわかるであろう**【図表 2-24、25】**。

(5) 短期インセンティブのインセンティブカーブ

短期インセンティブを設定するにあたり、業績の目標値や上限・下限をどのように設けるかは、ガバナンスの観点から非常に重要である。例えば、業績の目標値が簡単に達成できるものであったり、一定の業績を下回ったとしても、報酬が支給されてしまったりする場合、役員の業績向上に対するインセンティブを失うことになる。

【図表 2-26】のとおり、ここでは論点を①～④に分けて説明する。業績指標（KPI）を売上高に設定したとしよう。

まず論点①「基準となる目標値」をどのように設定するかであるが、これは選択したKPIにおける単年度の業績目標を据えることが望ましいであろう。例えば、今期の売上高目標を1,000億円と設定し、開示している企業の場合、この1,000億円という金額がそのまま業績目標とな

【図表 2-26】目標・上限・下限の設計

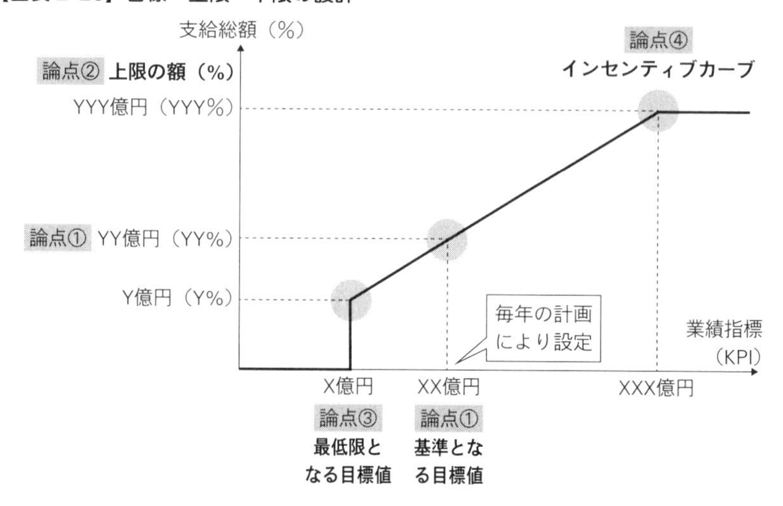

るイメージである。

続いて、論点②「上限の額」、論点③「下限の額」を設定する。この際、上限・下限額の設定と同時に、インセンティブの幅がどの程度となるかを検討することが重要である。例えば、売上高の目標値を1,000億円と設定した企業のうち、過去10年や今後の中期経営計画を見て、相当程度高い目標が上限値に設定される。例えば、ここでは仮に1,500億円を上限額とする。また過去の状況も加味して、リーマン・ショック級の事態が発生したと想定し、売上高500億円を下限値として設定する。

次にもし上限売上高1,500億円を達成した場合、あるいは下限である売上高500億円を下回った場合、短期インセンティブは標準額に対して、どの程度受け取ることができるかの幅を設定する。

米国Meridianの調査によれば、ターゲット報酬額（基準賞与額＝100%）に対するインセンティブ幅の支給上限は、200%が最も多く（全体の62%）、次いで150%（全体の13%）となっている。他方、支給下限は、50〜74%が最も多く（全体の36%）、次いで25%未満が多い（全体の33%）。ガバナンスの観点からは、一定の上限が課せられており、他方で下限値としては一定の業績を下回った場合には、インセンティブ報酬を支給しないということが望ましい。

これらを加味すると、例えば、売上高1,500億円を達成した場合、

200%の賞与が短期インセンティブとして支給され、他方、売上高500億円を下回った場合、短期インセンティブは支給されない（＝0%）ということを設定する。

最後に、論点④として「インセンティブカーブ」の傾きをどのように設定するかを検討する。テクニカルには、**【図表2-27】**にあるとおり、a.階段型、b.直線型、c.ジャンプ型、d.S字型の大きく4種の類型に分かれる。

a.階段型は、インセンティブカーブではなく一定の評価結果に基づいてABCDE評価等を実施する企業において、使われている形式といえる。先ほどの上限・下限をふまえると、売上高1,500億円以上であれば、A評価となり、インセンティブは200%支給され、売上高が1,250億円超～1,500億円未満であればB評価として、150%支給されるといった具合である。一定の業績を達成するとその評点の幅が変わる点が特徴であるが、例えば、売上高数億円単位や、他の指標での0.1%といったわずかな差異を反映する場合、無数の評価記号が必要となってしまう（例えば、A～Zまで26段階で評価する等）。

b.の直線型は上限・下限値を設定した上で、その間に直線式を引く形で、インセンティブ額を算出する（上限・下限は設定しなくても線を引くことは可能）。したがって、直線式に基づく支給係数が「y＝ax＋B」といった形で表される。a.の階段型とは異なり、業績達成度と報酬額をより結び付けることが可能となる。

c.ジャンプ型は、一定の業績目標に対して、より強い達成の動機付けを促したい場合に有効なカーブである。例えば、売上高1,300億円が何とか達成したい目標であるとする。この場合、1,300億円の前後で、ジャンプするようなインセンティブカーブを引くことにより、この業績達成をより強く動機付けさせることができる。他方、このようなジャンプ型は役員の不正や押し込み等を助長する可能性があることも事実であるため、使い方には十分留意しなければならない。

最後にd.のS字型は、階段型と直線型の両方のよい点を取り込んだカーブといえる。すなわち、業績達成度が低い場合には、その支給係数は低くなる。一定以上の業績達成が見込まれる場合、支給係数を高くすることで、連続的な評価を行いつつも、より高い業績達成への動機付けを行うことができる。

【図表 2-27】インセンティブカーブの類型

	a.階段型	b.直線型
イメージ	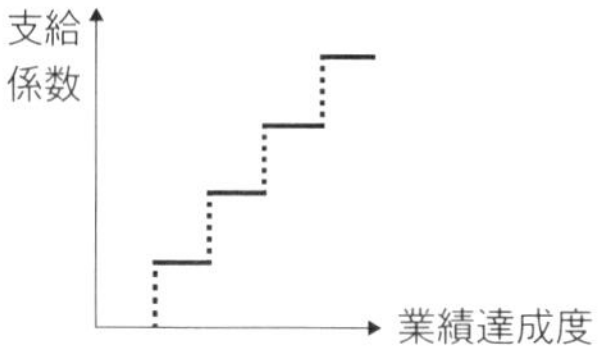 支給係数 業績達成度	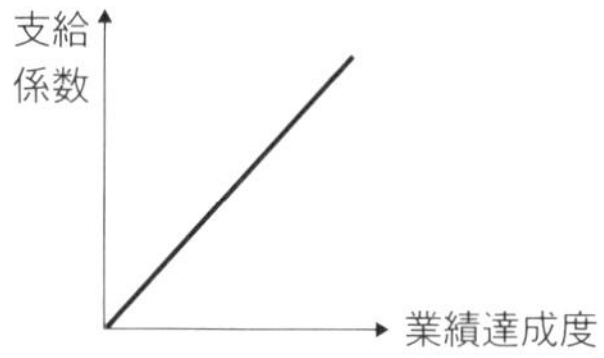 支給係数 業績達成度
内容	• 段階的な基準を設定し、それを達成した場合、あるいはその評価を取った場合、設定した支給係数とする	• 業績達成度に応じ連続的に支給係数が決定される • 明確な業績指標を持ち、その指標を直接的に支給係数に結び付ける場合が多い
効果	• 一定の業績目標への達成をわかりやすく示すことができる一方、0.1%等の微妙な差を反映しづらい	• 一定の業績目標への達成をわかりやすく示すことができる

「**b.直線型**」をアレンジしたパターン

	c.ジャンプ型	d.S字型
イメージ	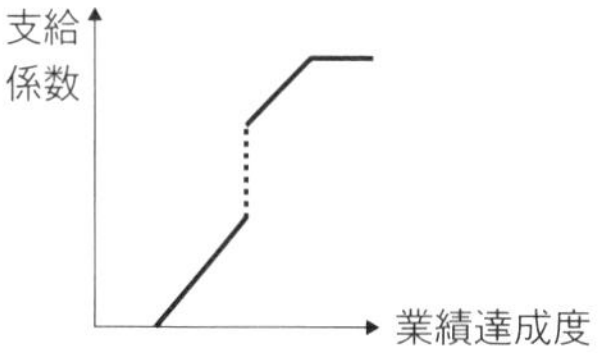 支給係数 業績達成度	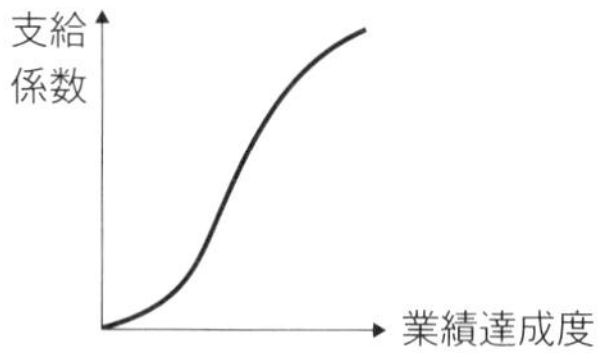 支給係数 業績達成度
内容	• ある一定の基準目標を達成できるかどうかを重視し、基準目標を達成した場合は、より高い支給係数が付与される	• 業績が低いところでは抑えた支給係数とする • 中間は直線に近い形で上昇する • 業績が一定程度以上高くなった場合は支給係数を抑える
効果	• 対外的な業績へのコミットを明示することで、役員を強くモチベートさせることができる	• 階段型と直線型のよい点を取り込んだ形 • 一定の上限・下限値を超えた場合、支給額を抑えることが可能

(6) 短期インセンティブに関する評価方法の設計

ここまでに短期インセンティブのKPIやその目標設定、上限・下限等の検討を行ってきたが、評価に関する方法全体という観点から、改めて整理を行いたい【図表2-28】。

まず評価を行う場合、評価対象として、部門別の指標や非財務指標を含めるかどうかが大きなポイントとなる。役員評価を実施する場合、社長らのトップマネジメントについては、会社全体の業績に責任を負っているため、全社指標のみを活用する形で問題ないだろう。しかし、それ以下の執行役員クラスについてはどうだろうか。確かに役員として、全社的な業績責任を負っているといえば、そのとおりではある。しかし多くの場合、執行役員クラスは、特定の管掌部門を任されているに過ぎない。この場合、当該執行役員個人が、全社の業績で評価されることは理にかなっているといえるだろうか。各担当部門の業績指標を織り込むことで、当該役員のパフォーマンスをより精緻に測ることができるという考え方は一定の理解を得られるだろう。

また財務指標だけですべての業績を評価することが難しいという観点から、非財務指標を活用することも重要な検討要素である。非財務指標として、典型的に使用される指標だと、「後進の人材育成」や「理念・ビジョンの共有・浸透」「コンプライアンスの順守」「品質管理」「労働安全衛生・災害発生率」等が挙げられる。これらはいわゆる財務上の数値には表れてこないが、事業の基盤を支えていく上で非常に重要な指標であることはいうまでもない。以上のような部門別の指標や、非財務指標の活用の検討が必要となる。

次に、財務指標KPIにおいて、どの業績を評価するかを検討する。これは前述のとおり、自社に合った適切なKPI（例えば、売上高や営業利益成長率、EPS等）を採用する必要がある。

その上で、どの程度の数のKPIを活用するかということを検討する。単一の指標ですべての業績を測ることは難しいが、とはいえ、あれもこれもとKPIを導入したとしても、役員本人にとっては「何をどう頑張ればよいのか」がわかりにくくなる。このため、多くの企業では2～3個程度、多くても4個の指標を入れることがせいぜいである。短期インセンティブという1個の評価項目に対して5個以上指標がある場合、あれもこれも入れたくなることは理解できるが、本質的に重要となるKPI

【図表 2-28】短期インセンティブに関する業績評価方法の視点

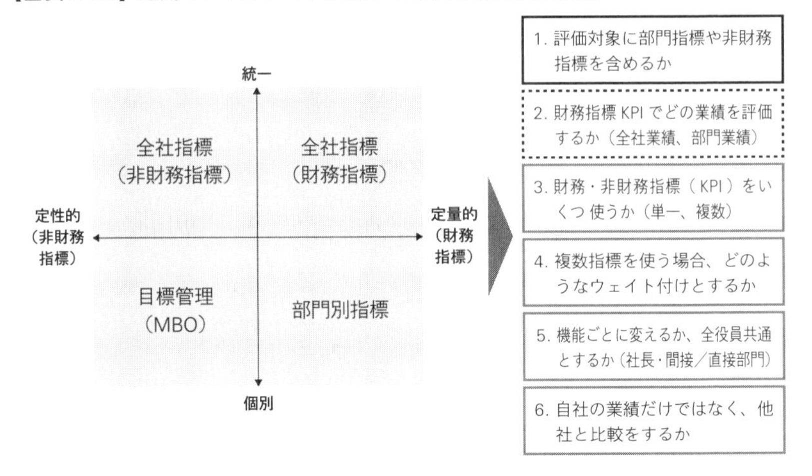

【図表 2-29】KPIと役位などによるウェイト付け

KPI			社長	間接部門役員	直接部門役員
定量	全社	売上高	40%	40%	20%
		営業利益成長率	20%	20%	10%
		FCF	20%	20%	10%
	部門	売上高	—	—	20%
		営業利益成長率	—	—	10%
		FCF	—	—	10%
定性	個人別重点目標		20%	20%	20%
計			100%	100%	100%

は何であるかを改めて見直した方がよいだろう。

さらに、複数のKPIを用いる場合、どのKPIに対してどの程度ウェイト付けを行うか、またそれらは役位・もしくは役員の管掌する機能（社長・間接／直接部門役員）別に分けるかどうかを検討する必要がある。**【図表2-29】**はあくまでも一例であるが、全社・部門の定量指標および定性指標を社長・間接部門・直接部門役員別にウェイト付けしたものとなる。

また最後に、日本ではまだ一般的ではないが、各業績指標を自社の業績だけではなく、競合企業等のピアグループとの比較を行った上でその順番によって決定するという方法もある。これは業界として業績が好調・不調である場合にそれらの要因を取り払った上で、競合対比において、どのような順番であったかによって決定するものである。例えば、EPSを業績指標としている場合、競合企業が10社あったとして、そのうちの上位3社であれば、200%支給、4〜6位であれば、100%支給といったような形で報酬額が決まる。

第8項　長期インセンティブの設計

(1) 長期インセンティブとは何か

長期インセンティブ（Long Term Incentive＝LTI）とは、短期インセンティブとの対比で用いられる用語である。短期インセンティブは、1年以内の評価期間を対象とした報酬であるのに対して、長期インセンティブは、1年超の評価期間を対象とした報酬となる。別の考え方として、長期インセンティブの対価として株式報酬が付与されることが多いことから、企業によっては期間を問わず、株式報酬そのものを長期インセンティブとして位置づけているケースもある。多くの企業において、長期インセンティブでは、株式報酬を付与されることが典型であり、スキームの設計上、一定期間、権利行使や譲渡・売却が制限を受けることが多い。

こういったことから、長期インセンティブには、短期インセンティブと異なる存在意義が大きく分けて5点ある**【図表2-30】**。

まず1点目は、役員が株式を保有することで、株主・投資家と役員の利害を一致させる効果が挙げられる。すなわち、一定数の株式を役員が保有することで、株主との利害関係を共有[8]していることを対外的に意思表示することができ、ガバナンス上の信頼関係を株主・投資家と築くことができる。

2点目は、役員に対して、長期の業績を向上させるインセンティブ向上を図ることができる点である。中期経営計画の達成や、一定の期間、役員に対して株式を保有させることを促すためである。

3点目は、長期インセンティブは優秀な役員を引き留めるリテンションにも大きな効果を発揮する。例えば、「一定の期間を経ずに退職した

8　同じ船に乗る運命共同体という意味で、セイムボート（Same boat）という言い方をすることもある。

【図表 2-30】長期インセンティブの存在意義

1.株主との利害関係の共有
2.業績達成インセンティブの向上
3.リテンション効果
4.リスク回避
5.グループ一体感の醸成

場合、報酬が支払われない」といった設計が可能である。

4点目は、長期インセンティブには、リスクの回避という大きな意義を見いだすことができる。賞与と異なり長期で決済されるため、不祥事等が発生した場合に、支給した報酬の没収（マルス）や返還（クローバック）により、リスク回避措置を取ることが可能となるからである。

最後の5点目として、株式報酬には役員やグループの一体感を醸成する効果もある。役員が株価の向上を目指して動くことになるし、付与対象者を（海外を含む）グループの経営幹部にまで広げれば、グループ全体が本社の株価向上を目指し、一体感を醸成できるからである。

以上を鑑みると、長期インセンティブの支給方法としてはやはり現金報酬よりは株式報酬に分がある。とはいえ、資本政策いかんによっては株式を利用できないケースもあるため、そのような場合には現金報酬を用いざるを得ない。海外子会社を買収したものの、子会社の経営幹部に株式報酬を付与することが困難なケースは少なくないが、近年は、株式報酬を海外の経営幹部に対して付与することができるように、徐々に実務的な整備が進みつつある。

(2) 長期インセンティブ検討の論点

長期インセンティブを検討する際の論点を以下に説明する**【図表 2-31】**。

① 付与目的

まず、長期インセンティブを導入する目的は何かである。前項の図表（長期インセンティブの存在意義）で述べたとおり、長期インセンティブには、短期インセンティブでは得られない効果がある。このため「当社はなぜ長期インセンティブを導入するのか」という目的を明確にする

【図表 2-31】長期インセンティブ検討の論点

論点	検討項目	対象スキーム
①付与目的	•長期インセンティブを導入・付与する目的は何か（株主との価値共有、中長期計画の達成に向けた動機付け、リテンション等）	すべてのスキームで検討すべき項目
②付与対象者	•付与目的をふまえ、誰に長期インセンティブを付与するか（本社の業務執行役員である取締役・執行役員、子会社の経営陣を含むか）	
③スキーム	•付与目的を達成するために、どのスキームを選択するか •導入するプランの数は、一つにするか、複数とするか	
④付与計画・頻度	•付与計画は、どのように設定するか（一括型、ローリング型） •毎年付与するか、数年おきに付与するか	
⑤業績評価指標	•どのようなKPIに基づいて、評価を行うか	業績評価を行う場合に検討すべき項目
⑥インセンティブカーブ	•業績達成度に応じて、どのような傾斜をつけたインセンティブカーブを設計するか（最低業績値、最高業績値、支給額と業績の関係の3点を設定）	

ことで、その目的の達成にふさわしい対象者やスキームを決定することができる（詳細は後述）。例えば、中長期の業績達成へのインセンティブ向上を強く意識させたいのであれば、一定のパフォーマンス条件を含んだ株式報酬制度が望ましいだろうし、そうではなくて、株主との利害関係を明確に示したいということであれば、結果的に譲渡制限付株式等が選ばれやすい。したがって企業側の立場に立つと「どの株式報酬スキームを導入するべきか」ということは、二の次であり、得たい果実は何かを明確にすることが重要である。

もちろん、目的を一つに絞る必要はない。複数の目的がある場合には、後に示すとおり、それに応じた複数のプランを導入することや、一つのスキームの中で、複数の目的が達成できるように設計すればよい。

② 付与対象者

次に検討すべきことは、付与目的に応じた、適切な付与対象者の決定である。

長期インセンティブが、株主との利害関係の共有、中長期業績達成へのインセンティブ付与、リテンションといった目的を持つ以上、その付与対象者の基本的な考え方としては、社長・CEO、業務執行取締役、執行役、執行役員およびその他重要な使用人といった、経営の執行を担う経営陣幹部が中心となる。またグループの一体経営を付与の目的とする場合、主要子会社・重要子会社の役職員への付与も考えられる。他方、非業務執行役員（監査役、監査等委員である取締役等）については、必ずしも当人たちの役割の遂行結果と企業業績（パフォーマンス）が連動するわけではない。また執行部門からも一定程度の独立性が求められるという役割の性質から鑑みても、非業務執行役員に対する長期インセンティブ付与は適切とはいえないだろう。

では、社外取締役についてはどうだろうか。社外取締役は、その役割として、株主の代理として執行部門メンバーの監督を行うことが求められている。この意味においては、株主との利害関係の共有を目的として、長期インセンティブの付与（ただしパフォーマンス連動しない）が検討されるべきである[9]。

③ スキーム

目的・付与対象者を決定したら、次はそれを具体的に実現するためのスキームはどのようなものにするかを決定する（詳しくは、後述する「(3)長期インセンティブスキームの詳細」「(4)どの長期インセンティブスキームを採用するか」を参照）。

この際の論点として、目的に照らして、一つのスキームとするべきか、あるいは複数のスキームを導入するべきかということがある。日本企業においては、現在は長期インセンティブ導入の黎明期ということもあり、まずは一つのスキームを導入するケースが圧倒的多数である。また、導入目的も、株主との利害関係の共有および、中長期業績達成に向けたインセンティブの向上というこの２点が多数を占めている。

他方、欧米においては、目的に応じて、1～3程度のスキームを導入することが多い（典型的には、譲渡制限付株式といった、一定期間在籍した場合に支給するタイムベースのRSもしくはRSUと、業績条件の達

9　長期インセンティブ付与の考え方については、別途、「第５章第３節：社外取締役の選任・処遇から評価・再任までの実務のあり方」を参照されたい。

成度に応じたパフォーマンスベース（PS／PSU）の株式報酬制度を付与するケースである）。

④ 付与計画・頻度

付与スキームに関する方向性を決定した後、長期インセンティブ導入の目的に応じた付与計画・頻度を設定する。この設定にあたっては、通常、中期経営計画等の期間や、自社のビジネスの果実がどの程度の期間で得られるのかを考慮して行う。日本企業においては、中期経営計画においては３カ年の計画が多く、これに対応する形で、３年間という期間を設定している企業が多い。

付与計画・頻度を検討する際の代表的な方式として、「一括方式」と「ローリング方式」がある。どちらを採用するかは各企業の置かれた状況やビジネス環境によって、適するものが異なる**【図表 2-32】**。

まず、一括方式を採用しやすいのはどのような企業であろうか。典型的には、中期経営計画等の経営戦略が、定期的かつ一定の定められた期間（例えば３年）で策定されていたり、景況等による業績への影響を受けにくい企業である。また、ある程度成長期を過ぎた安定・成熟企業が使用する場合に適している。これは、中長期の業績見通しが立てやすく、付与計画や頻度が変わりにくいためである。

他方、ローリング方式はどうだろうか。こちらは景況等による業績への影響を受けやすい企業、あるいは成長期の企業で毎年目標が変わり得る企業が使用する場合に適している。

もちろん、運用上の手間としてはローリング方式の方が毎年付与・評価等を行う分、一括方式と比較して、相対的に手間はかかる。反対に、一括方式では特定の年において役員報酬が大きく膨らむ可能性があり、その分、役員の個人報酬額の開示を行う必要性が生じるケースがある点に留意が必要となる。

⑤ 業績評価指標（KPI）

ここからは、長期インセンティブの付与にあたってのパフォーマンス評価について解説する。特にパフォーマンス・シェア（PS・PSU）等が典型例として該当する。この他にも、株式交付信託や株式報酬型ストック・オプションに業績連動性を持たせる場合も同様のものとして概観し

【図表 2-32】付与計画・頻度

	一括方式（数年度おきに評価・付与）
イメージ	●中期経営計画等、特定の期間に対応して、長期インセンティブの評価期間を設定する（例：3年ごとに目標を設定し、支給は3年に1回とする）
比較検討 メリット	●安定期の企業や、中期経営計画の期間が定まっている企業においては、中計達成等の企業戦略と連動した形で、役員へのインセンティブを付与することができる ●評価及び付与に係るオペレーション上の手間は少ない
比較検討 デメリット	●複数年度分の中長期インセンティブに関する報酬を**一度に付与するため、個別報酬額開示や、取締役報酬総額枠を改定する必要が出る可能性がある**

対象期間	2022	2023	2024	2025	2026	2027
2022-2024	● 目標設定 →	→	→ ◇ 支給			
2025-2027				● 目標設定 →	→	→ ◇ 支給

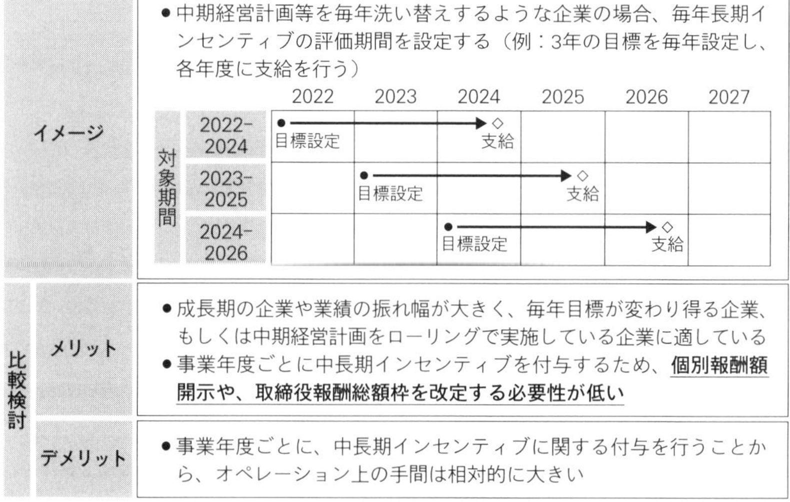

	ローリング方式（毎期評価・付与）
イメージ	●中期経営計画等を毎年洗い替えするような企業の場合、毎年長期インセンティブの評価期間を設定する（例：3年の目標を毎年設定し、各年度に支給を行う）
比較検討 メリット	●成長期の企業や業績の振れ幅が大きく、毎年目標が変わり得る企業、もしくは中期経営計画をローリングで実施している企業に適している ●事業年度ごとに中長期インセンティブを付与するため、**個別報酬額開示や、取締役報酬総額枠を改定する必要性が低い**
比較検討 デメリット	●事業年度ごとに、中長期インセンティブに関する付与を行うことから、オペレーション上の手間は相対的に大きい

対象期間	2022	2023	2024	2025	2026	2027
2022-2024	● 目標設定 →	→	→ ◇ 支給			
2023-2025		● 目標設定 →	→	→ ◇ 支給		
2024-2026			● 目標設定 →	→	→ ◇ 支給	

ていただきたい。

長期インセンティブは、中長期の業績達成、ひいては中長期的な企業価値の向上を目的としている。この目的達成に向けて役員へのインセンティブ付けを行うために、長期インセンティブのKPIは中長期の業績達成がなされたか株主としてどの程度の利益を得ることができたのか、という観点で設定することが求められる。

したがって、株主として企業価値向上を客観的に見ることができる、TSR（株主総利回り）やEPS（1株当たり利益）、あるいは中長期の業績達成として、売上高や当期純利益等が用いられる。

また一般的に、KPIは1～2個、多くても3個程度で設定されるケースが多い。あまり多くの指標を入れた場合、短期インセンティブと同様に、何をどのように役員が努力すればよいのかがわかりづらくなるためである。一部の日本企業では、あれもこれもと、総花的なKPI指標を設定しがちであるが、最も重要なKPIに絞り込む努力を怠ってはならない。

【図表2-33および図表2-34、図表2-35】は、日本および米国・英国で使用されている長期インセンティブである。日本では、売上高、営業利益、当期純利益や、ROEといった指標が用いられていることが多い。この理由は、日本企業の中期経営計画で設定しているターゲットKPIではこれらの指標が用いられるためである。他方、米国・英国においては、株主利益の向上、ひいては中長期的な企業価値の向上という観点から、前述したTSRおよびEPSが用いられているケースが圧倒的に多いことが見て取れるであろう。

⑥ インセンティブカーブ

最後に、短期インセンティブの場合[10]と同様に、長期インセンティブをKPIに基づいてどのように評価するかを決定する**【図表2-36】**。まず論点①として、目標となる基準業績をどこに設定するかであるが、中期経営計画で示した計画値を使用することが一般的である。一方、中期経営計画で掲げている計画値が、役員等を鼓舞するために、現実的に達成可能となる目標値よりもやや高めの値を設定している企業がある。この

---

10 第7項「(5) 短期インセンティブのインセンティブカーブ」を参照。

【図表 2-33】長期インセンティブに関連付けられる全社業績指標（社長）

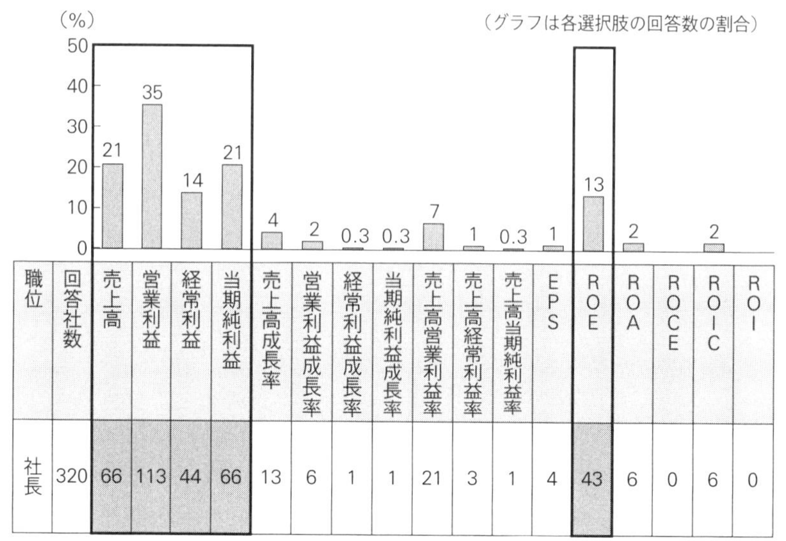

職位	回答社数	売上高	営業利益	経常利益	当期純利益	売上高成長率	営業利益成長率	経常利益成長率	当期純利益成長率	売上高営業利益率	売上高経常利益率	売上高当期純利益率	EPS	ROE	ROA	ROCE	ROIC	ROI
社長	320	66	113	44	66	13	6	1	1	21	3	1	4	43	6	0	6	0

（複数選択可、単位：社）

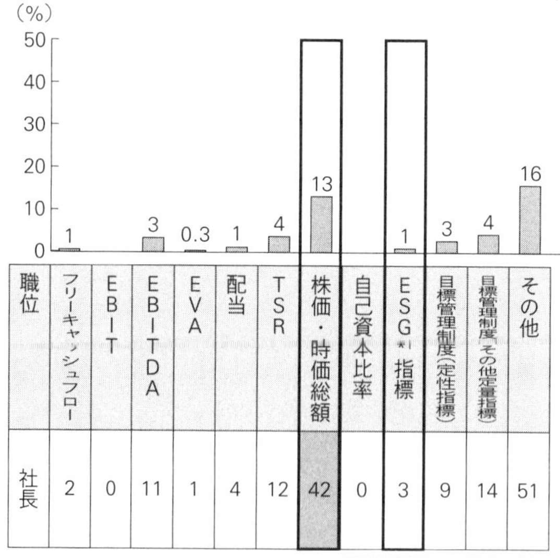

職位	フリーキャッシュフロー	EBIT	EBITDA	EVA	配当	TSR	株価・時価総額	自己資本比率	ESG*1指標	目標管理制度（定性指標）	目標管理制度（その他定量指標）	その他
社長	2	0	11	1	4	12	42	0	3	9	14	51

（複数選択可、単位：社）

出所：「役員報酬サーベイ（2020年度版）」
注：「長期インセンティブに反映する業績指標」で当該職位に対する企業の回答
＊1　環境・社会・ガバナンス

【図表 2-34】報酬に関連付けられる経営指標（米国）

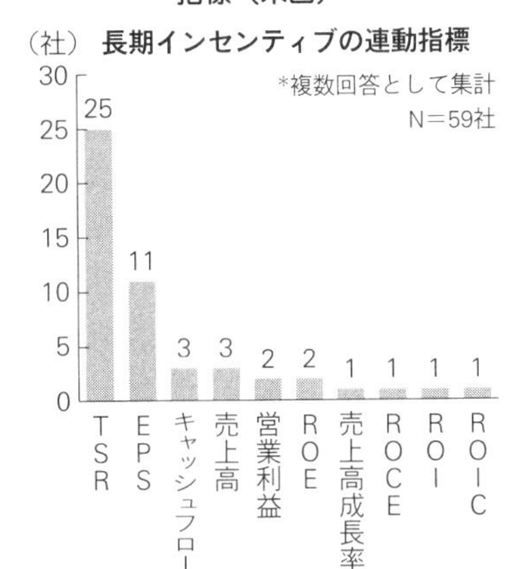

【図表 2-35】報酬に関連付けられる経営指標（英国）

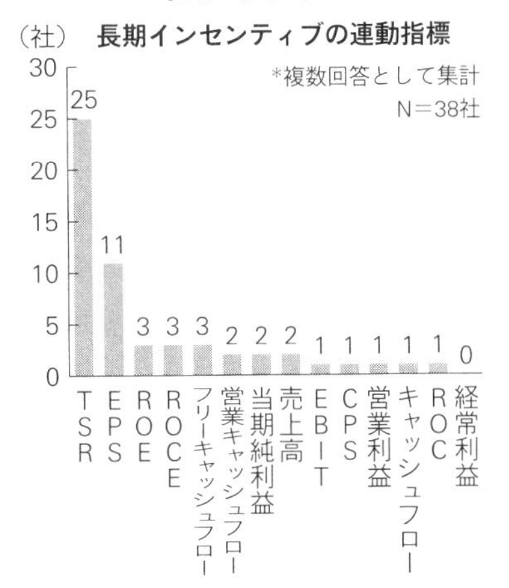

出所：日本と海外の役員報酬の実態及び制度等に関する調査報告書（経済産業省、デロイトトーマツグループ受託業務　2015年3月）より加工

【図表 2-36】目標・上限・下限の設計

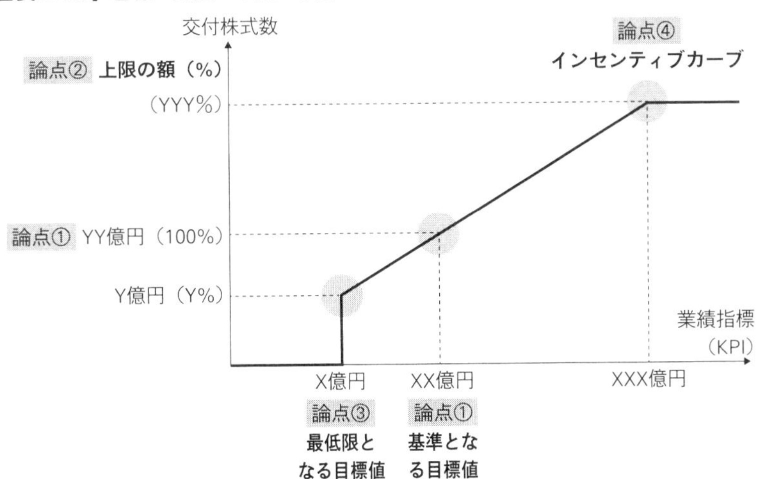

ような場合、中期経営計画の数値をそのまま使用することは難しい。そのような企業においては、社内用資料として、非公開ではあるものの、現実的なラインで設定している業績計画を活用するということも一案であろう。

論点②と③の上限値・下限値については、短期インセンティブ同様、過去10年や中期経営計画の達成状況をふまえて、設定することが現実的である。さらに論点④についても、短期インセンティブと同様に、どのような傾きにするか、階段型・直線型・ジャンプ型・S字型といったそれぞれの特徴を理解した上で決定する。

(3) 長期インセンティブのスキームの詳細

長期インセンティブには、多くのスキーム（類型）があるが、大きくは金銭が支給されるものと株式が支給されるものに分けられる。またその双方を組み合わせるものもある**【図表 2-37】**。

金銭が支給されるものについては、何を評価対象とするかによってさらに細かく分類できる。例えば、3年間の財務指標（設計次第で、各年度の業績を個別業績の集合として考慮することも、最終年度の業績だけを考慮することもできる）と連動させるパフォーマンス・キャッシュや、権利行使時の株価から権利行使価格を差し引いた額を現金で支給するストック・アプリシエーション・ライト（SAR）のようなスキームがある。

株式が支給されるものとしては、譲渡制限付株式（リストリクテッド・ストック：RS）、パフォーマンス・シェア・ユニット（PS／PSU）、ストック・オプション（通常型・株式報酬型等）、株式交付信託などがある。譲渡制限付株式は譲渡制限期間を設けた株式を支給するスキーム、パフォーマンス・シェア・ユニットは一定の業績の達成度に応じて株式を支給するもの、ストック・オプションは一定の価格で株式を購入できるオプション（新株予約権）を割り当てるもの、株式交付信託は信託口（信託銀行）を利用して株式を支給する仕組みである。

ここでは、特に注目・関心が高まっており、多くの企業で採用が進んでいる株式報酬を中心に説明する。以下、株式報酬の各スキームについて記載するものの、その選択にあたっては、どのような目的（例えばリテンションや業績達成へのインセンティブ付け）を重視するかをしっか

【図表 2-37】長期インセンティブスキームの類型

形態	名称	内容
株式報酬	通常型ストック・オプション	• 株式をあらかじめ定められた一定の価格で購入できる権利を無償で付与するもの。通常型ストック・オプションは、権利行使価額を時価以上と設定するストック・オプションを指す
	株式報酬型ストック・オプション	• 株式をあらかじめ定められた一定の価格で購入できる権利を無償で付与するもの。「株式報酬型」の場合は権利行使価格を1円に設定するケースが典型的である。2021年会社法改正により、無償発行が役員（取締役・執行役）に認められた。これにより「0円SO」が可能となり必要性が低下している
	有償ストック・オプション	• 株式をあらかじめ定められた一定の価格で購入できる権利を有償で付与するもの
	譲渡制限付株式（RS）	• 譲渡制限付株式と呼ばれるもので、無償で実株を付与するスキームである • 一定期間、例えば、3年間株式を譲渡することができないよう制限がかけられるのが通常である
	パフォーマンス・シェア（PS）	• 譲渡制限付株式を付与し、一定の指標に基づく中長期の業績に応じて制限を解除するスキームである
	株式交付信託	• 米国のパフォーマンス・シェア制度及び譲渡制限付株式報酬（Restricted stock）制度を参考とした役員インセンティブ・プラン（信託スキームを活用） • 在任年数、役位、業績貢献度合いなどの交付条件を設定することにより、RS（U）、PS（U）、退職慰労金　等と類似の効果を得ることができる
金銭報酬	ファントム・ストック	• 仮想の株式を付与し、付与対象者が権利行使した時点での株価相当の現金を支給する
	SARs（Stock appreciation rights）	• 権利行使価格と権利行使時の株式の時価の差額を現金で支給する
	パフォーマンス・キャッシュ	• 中長期の業績に応じて、現金を支給する制度（通常は、パフォーマンス・シェア・ユニットの仕組みを取り、株価との連動性を持つ制度とすることが一般的）
選択式	パフォーマンス・シェア・ユニット（PSU）	• あらかじめ基準額または基準株式数を定めた上で、対象期間終了後、一定の指標に基づく中長期の業績に応じて、交付株式数または基準額を変動・確定させる。直接またはこれに対応して支給される金銭報酬債権と引き換えに、現金・株式のいずれか、もしくは両方の組み合わせで支給する
	リストリクテッド・ストック・ユニット（RSU）	• あらかじめ株式を取得する権利を付与した上で、対象期間終了後に、現金・株式のいずれか、もしくは両方の組み合わせで支給する

りと考えることが肝要となる。税務面等も重要ではあるが、本来検討すべきは長期インセンティブとして付与する目的であり、枝葉末節にとらわれないことが重要となる。

1. ストック・オプション

ストック・オプションとは、会社が取締役や従業員に対して付与する、あらかじめ定められた価額（権利行使価額）で会社の株式を取得することができる権利を指す。ストック・オプションを付与された取締役や従業員は、将来、株価が権利行使価額より上昇した時点で、権利を行使して、会社の株式を取得した上で、その株式を売却することにより、株価上昇分の利益を得ることができる。日本では、1997年の旧商法改正により導入され、大手企業・スタートアップ企業を問わずさまざまな企業がこれまで導入をしてきた。ストック・オプションは、役員に付与される場合、いわゆる報酬であると同時に、会社法上は新株予約権[11]として位置づけられる形となるため、新株予約権発行時の株主総会の決議の要否や、潜在株式として既存株主にとっての株式の希薄化をもたらす点など、さまざまな観点で留意すべきポイントが存在する。ストック・オプションは大きく、①通常型ストック・オプション、②株式報酬型ストック・オプション、③有償ストック・オプションの三つの類型からなり、それぞれについて、以下概観していく。

① 通常型ストック・オプション

通常型ストック・オプションの全体の仕組みを時系列に見ていきたい【図表 2-38】。

まずX社がA氏に対して、1株当たり1,000円（＝権利行使価格）で、ストック・オプションを20個購入できる権利を割り当てたとしよう。これは、オプション1個＝100株とおいた場合、計2,000株となる。A氏に権利を割り当てた後、一定の権利行使制限期間を経て、権利行使ができるタイミングで、株価が2,000円に上昇したとする。この時、A氏

11　会社法上の新株予約権は、必ずしも役員や従業員といった個人に対して割り当てるだけでなく、会社間での割り当ても予定されている。新株予約権ではなくストック・オプションという名称を用いる場合には、新株予約権をインセンティブ報酬として役員や従業員に割り当てることが通常である。

【図表 2-38】通常型ストック・オプションのイメージ

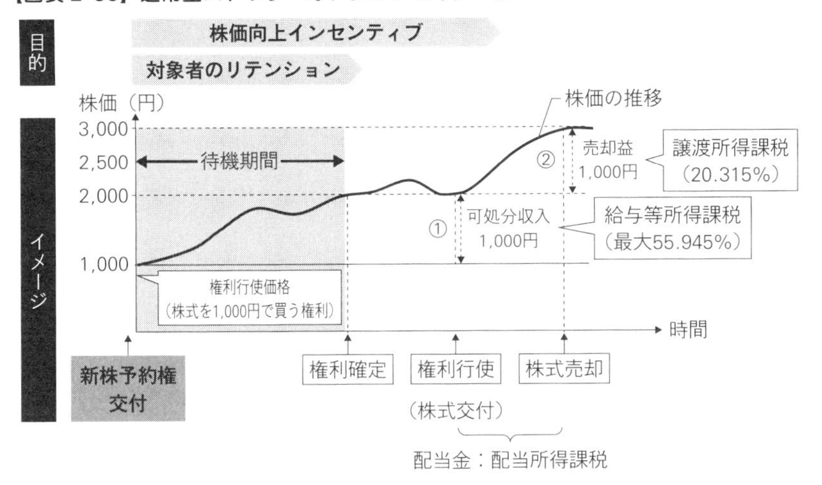

が権利行使を行い、2,000株分すべて新株予約権から株式に換えたとすると、（可処分収入：2,000−1,000円…①）×2,000株として、計200万円分の未実現利益（売却前に生じている潜在的な利益）が生じることとなる。その後、さらに株価が3,000円まで上昇して売却した場合（②）、売却益（キャピタルゲイン）が生じる。この場合、課税の取り扱いはどのようになるのだろうか。まず通常、ストック・オプションには譲渡制限が課されており、付与時点では課税は発生しない。しかし、権利行使時（①）において、**給与所得等として、所得税・復興特別所得税として最大45.945%、住民税10%と合算すると最大55.945%**の課税が行われる。具体的には、新株予約権に係る経済的利益として、「権利行使時の株式の時価（株価）」と「新株予約権の払い込み金額及び権利行使価格の合計額」の差額について、課税される形となる（所法36条2項、所令84条43号）。さらに、**株式の売却時に、②に対しては20%（復興特別所得税を含めると20.315%）の譲渡所得課税**がなされる。

このように、ストック・オプションは、税制の優遇措置を得られない場合、最大55.945%という非常に高い税率が課される点が、役員へのインセンティブを損なう原因となっていた。そのため、一定の要件を満たした場合、「税制適格ストック・オプション」という形で、税制上メリットの得られる形式が整備されている。税制適格ストック・オプション

【図表 2-39】税制適格ストック・オプションの要件

No.	項目	内容	根拠法
1	発行形態	金銭の払い込み（金銭以外の資産の給付を含む）をさせないで発行されたものであること（または無償で発行されたものであること）	措令19の3①
2	付与対象者	自社または子会社の取締役、執行役、使用人（大口株主等を除く）	措法29の2①
3	権利行使期間	付与決議後、2年を経過した日から10年を経過するまでの間	措法29の2①の一
4	権利行使価額の制限	権利行使価額が年間1,200万円を超えないこと	措法29の2①の二
5	行使価額	権利行使価額がストック・オプションにかかる契約締結時の1株当たりの時価以上であること	措法29の2①の三
6	譲渡制限	新株予約権を譲渡してはならないとされていること	措法29の2①の四
7	権利行使	権利行使に係る株式の交付が会社法上の決議事項に反しないで行われること	措法29の2①の五
8	株式の保管委託	付与会社と金融商品取引業者の間であらかじめ締結される株式の保管委託等に関する契約にしたがい、ストック・オプションの権利行使により取得した株式が、振替口座への記載・記録または保管の委託もしくは管理等信託がなされること	措法29の2①の六

が適用された場合、権利行使時の課税は行われず、株式の譲渡時に、行使価額と譲渡収入との差額が、譲渡所得として課税される形となる。

税制適格ストック・オプションを適用するためには、**【図表 2-39】**の要件に該当する必要があり、厳格であるということも留意が必要となる。

さらに、税制適格を取るためには、権利者が大口株主等に該当しないことの誓約書を会社に提出しなければならず、会社はその誓約書の提出を受けた日の属する年の翌年から5年間保存しなければならない。また新株予約権の付与に関する調書を付与日の属する年の翌年1月31日までに税務署長に提出することなどが必要となる（措法29条の2第1項本

【図表 2-40】株式報酬型ストック・オプション

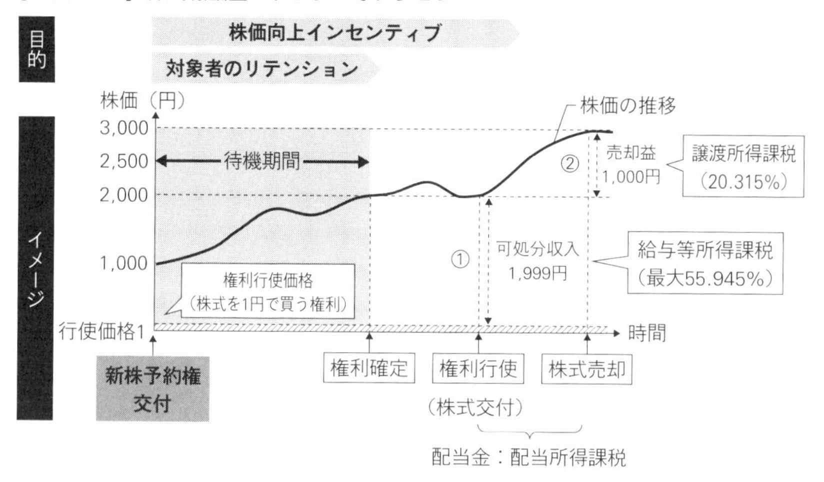

文、同条2項、同条3項、同条5項、措規11条の3第3項）。

② 株式報酬型ストック・オプション

株式報酬型ストック・オプションとは、権利行使価額を1円に設定しているストック・オプションである。1円ストック・オプションと呼ばれることもある。通常、ストック・オプションの権利行使価額は、割当日を含む割当日に近い一定期間の株価をベースにして決定される。しかし、株式報酬型ストック・オプションは権利行使価額を1円に設定しているため、付与対象者が享受できる利益は、「権利行使時の株式時価－1円」となり、ほぼ株式の時価とイコールになる**【図表 2-40】**。

株式報酬型ストック・オプションは、その権利行使価額を1円に設定することから、税制適格ストック・オプションの要件の一つである、「権利行使価額がストック・オプションにかかる契約締結時の1株当たりの時価以上であること」を満たさない。このため、権利行使時（①）において、**給与所得等として、所得税として最大45.945%**[12]**、住民税10%と合算すると、復興所得税を加味して最大55.945%**課税される。具体的には、新株予約権に係る経済的利益として、「権利行使時の株式

12　復興特別所得税として基準所得税額の2.1%が課税される。最大所得税額45%×2.1%とした場合、45.945%となる。

の時価（株価）マイナス１円」（すなわち図表でいえば、1,999 円分）について、課税される（所法 36 条２項、所令 84 条２項）。さらに、**株式の売却時に、②に対しては 20%（復興特別所得税を含めると 20.315%）の譲渡所得課税**がなされる。

株式報酬型ストック・オプションの権利行使期間は、通常の長期インセンティブとして導入する企業においては、割当日から３年後～10 年後の間で設定することが一般的である。一方で、権利行使期間を 20 年～30 年といった長期間に設定した上で、権利行使の条件に退任日の翌日から 10 日以内といった内容を付している企業も多い。このような企業は、株式報酬型ストック・オプションを役員退職慰労金の代替手段として導入しており、権利行使時（図表のうち①）において、退職所得として課税されることを狙っている。「10 日以内」とは 2004 年に出された東京国税局回答[13] を踏襲したものである。

通常ストック・オプションは、「権利行使時の株式時価マイナス権利行使価額」が付与対象者の利益となる（このようなタイプの株式報酬は「値上がり益型」と呼ばれる）。これに対して、株式報酬型ストック・オプションでは、付与対象者の利益は上述したように株式の時価とほぼイコールになる（このようなタイプの株式報酬は「フルバリュー型」と呼ばれる）。よって、通常ストック・オプションの場合には株価が権利行使価額を上回る蓋然性が低いと判断される状況においてはインセンティブとしてほとんど機能しないが、株式報酬型ストック・オプションはそのような状況においても、インセンティブとして機能する可能性が高いといえる。

株式報酬型ストック・オプションは、2002 年の商法改正以降、2003 年頃から採用されるケースが目立ち始めた。当初は、役員退職慰労金の代替手段として用いられるケースが多かったが、徐々に単に代替手段としてではなく、より積極的に長期インセンティブの一つのスキームとして用いられるケースが増加した。我が国においては、2021 年改正前会社法上、無償で株式を発行することや労務出資が認められておらず、現物株式そのものを報酬として直接役員（取締役・執行役）に交付するこ

13　東京国税局「権利行使期間が退職から 10 日間に限定されている新株予約権の権利行使益に係る所得区分について」として、株式会社伊藤園に宛てた回答（2004 年 11 月 2 日）

とができないと解釈されているため、フルバリュー型の株式報酬を導入したい企業は、株式報酬型ストック・オプションを導入することが多かった。しかし、2016年に経済産業省が作成した、「『攻めの経営』を促す役員報酬―新たな株式報酬（いわゆる「リストリクテッド・ストック」）の導入等の手引―」[14]によって、現物株式を間接的に交付する方法[15]に対する「お墨付き」がついたため、昨今では、現物株を交付するスキーム（後述する、譲渡制限付株式やパフォーマンス・シェア・ユニット）を採用する企業も増えている。加えて、第1章で説明したとおり、2021年の改正会社法により株式の無償発行（株式・新株予約権の付与において払込を要しない直接交付）が認められることとなった。これにより、上場会社の取締役または執行役に対しては、権利行使時の払込を不要とする権利行使価額0円の「0円SO」を発行することが可能となっている。ただし、上記はいわゆる執行役員や従業員に対する報酬等として無償発行をすることは引き続き認められていないため、経営陣幹部（取締役・執行役員等）に対する共通の報酬制度として利用するには、手続きが煩雑で忌避されることになると見込まれる。このため、株式報酬型SO（いわゆる1円SO）を利用する企業は今後激減するものと考えられる。

③ 有償ストック・オプション

有償ストック・オプションは、新株予約権の割り当て時に、対象者からの新株予約権の公正価値相当額の払い込みを要するスキームを指す。通常型ストック・オプションでは、新株予約権の割り当て時に新株予約

14　2015年のコーポレート・ガバナンス・システムの在り方に関する研究会が、報告書「コーポレート・ガバナンスの実践 ～企業価値向上に向けたインセンティブと改革～」において、新しい株式報酬の導入に関する会社法上の整理を行ったことや、平成30年度（2018年度）税制改正において、①役員へ付与した株式報酬（いわゆる「リストリクテッド・ストック」）を届出が不要となる事前確定届出給与の対象とする等の制度整備を行う、②利益連動給与の算定指標の範囲等について明確化を行う　等の措置が講じられたことをふまえて、作成された手引き。その後も継続的に改訂がされており、本書発行時点では2021年6月版が最新。

15　①株主総会において取締役全体に対する報酬総額を決議 ② 取締役会において取締役個人に対する金銭報酬債権の付与を決議 ③ 取締役会において株式の第三者割当て（新株の発行または自己株式の処分）を決議 ④ 会社と各取締役との間で特定譲渡制限付株式に関する契約（割当契約）を締結 ⑤ 払込期日において、各取締役による上記②の金銭報酬債権の現物出資と引き換えに、各取締役に特定譲渡制限付株式を交付。また2021年の会社法改正により、株式の無償発行が認められた。

権の公正価値相当額の払い込みがなく、表面上は無償に見えることから、その対比上、「有償ストック・オプション」と呼ばれている。つまり、有償ストック・オプションは、職務執行・労務提供等の対価ではないと整理されるため、厳密には報酬ではないともいえるものの、本書においては広義の意味での報酬として整理している。

本スキームは、当時のソフトバンク株式会社（現ソフトバンクグループ株式会社）が2013年に自社および子会社の取締役、執行役員、従業員等に割り当てたことで、メジャーになったスキームである。（ソフトバンクは東証一部上場企業であるが）特に、マザーズ・JASDAQなどの新興市場上場企業で採用されているケースが多い。

有償ストック・オプションは、会社・付与対象者双方にとってメリットがある。会社側から見ると、新株予約権の公正価値に相当する金額の払い込みにより有償にて発行されることから、通常型ストック・オプション・株式報酬型ストック・オプションとは異なり、株主総会の承認を得ることなく発行できる。付与対象者側のメリットとしては、権利行使時に給与所得として課税されることがなく、株式売却時に初めて譲渡所得として課税されることが挙げられる。これは、前出の通常型ストック・オプションのところで言及した税制適格ストック・オプションと同様のメリットである。

ただし、有償ストックオプションはその性質上、新株予約権付与時の払い込みが発生することにより、対象者が権利行使時に享受できる利益は「権利行使時の株価－（権利行使価額＋払い込み額）」となる。よって、株価が権利行使価額と比較して相当に大きくないと、インセンティブとして働かないことがデメリットとして挙げられる。

有償ストック・オプションは従来のストック・オプション会計基準が適用されるか明らかでなかったため、多くの企業において、費用計上されていなかった。しかし、2018年1月12日に公表された実務対応報告36号「従業員等に対して権利確定条件付き有償新株予約権を付与する取引に関する取扱い」によって、2018年4月1日以降に発行されたいわゆる「有償ストック・オプション」は、ストック・オプション会計基準第2項（2）に定めるストック・オプションに該当するとされたため、2018年4月1日以降に発行された有償ストック・オプションについては、「公正価値－払込金額」を費用計上することが求められる。

【図表 2-41】譲渡制限付株式（RS）のイメージ

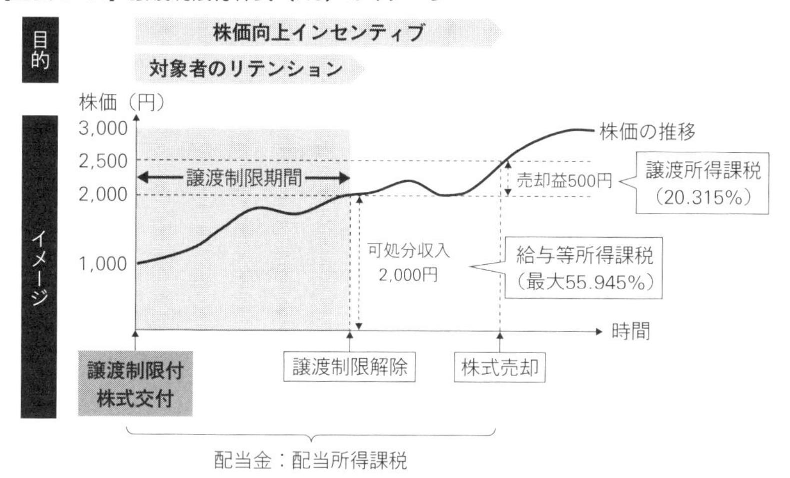

2. 譲渡制限付株式（リストリクテッド・ストック：RS）

譲渡制限付株式は、その名のとおり、一定期間の譲渡制限期間を付した現物株を役員・従業員に付与する、いわゆる「フルバリュー型」（対象者が享受する利益が、株式の時価とイコールとなる）スキームである。2016年の税制改正および、経済産業省による「『攻めの経営』を促す役員報酬～新たな株式報酬（いわゆる『リストリクテッド・ストック』）の導入等の手引～」の公開以降、導入企業数が増加している。2021年6月時点のデータにおいても、約1,000社以上が導入するなど近年の株式報酬の導入スキームとしては最も多い。選択される理由としては、役員に直接株式を付与することができるという、シンプルさやわかりやすさが挙げられる。

譲渡制限期間は、企業の中期経営計画のサイクルと合わせた3～5年もしくは付与対象者が退職するまでの期間とするケースが多い**【図表 2-41】**。なお、株式に譲渡制限をつけるにあたっては、種類株式を発行するケースと、普通株式を発行するケースがある。通常は簡便的なやり方である普通株式を発行した上で、会社と役員との間で譲渡制限契約を締結する形となる。役員は株主総会における議決権や配当受領権を有することができ、また有価証券報告書上での役員の持ち株数にも反映できるようになるため、リストリクテッド・ストック（RS）のメリットを最大

【図表 2-42】譲渡制限付株式ユニット（RSU）のイメージ

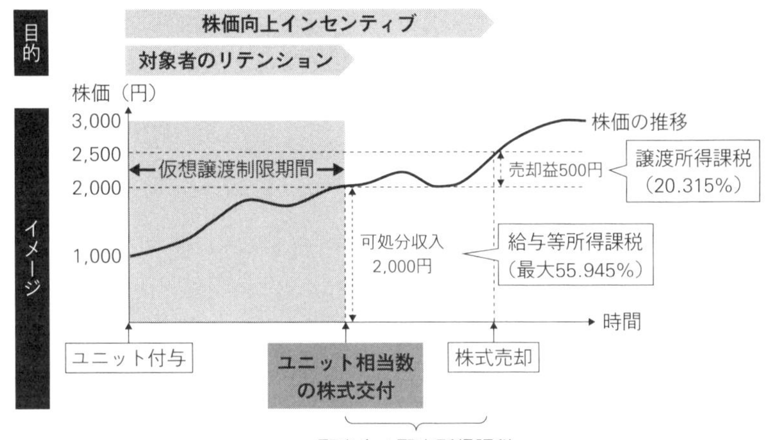

限享受できる。

課税関係として、譲渡制限期間を3～5年とするケースにおいては、譲渡制限解除時の株価に応じて、給与所得として課税される。これに対して、付与対象者が退職するまでの期間と設定した場合には、対象者の退職が譲渡制限の解除要件となり、制限解除時の株価に応じて、退職所得として課税されることとなる。実際に売却した際の売却益については、譲渡制限期間にかかわらず、売却時の株価と制限解除時の株価の差分が譲渡所得として課税される。

株式の無償取得条項に抵触しない限りにおいては、譲渡制限期間中の勤務および株価の増減が、対象者の利益に反映される。すなわち、譲渡制限付株式は、勤務期間及び株価に対するインセンティブとしての効果を発揮しやすいスキームといえる。

この派生形として、リストリクテッド・ストック・ユニット（RSU）が挙げられる**【図表 2-42】**。

これは将来のあらかじめ定めた時期に、報酬として役員に自社株式を交付することを取り決めたものである。株式の交付にあたっては、まず一定の譲渡制限付株式をユニット（いわゆる、ポイント）と呼ばれる一定の単位で付与する。そのユニットには、一定の仮想的な譲渡制限期間を設定し、その譲渡制限期間終了後に自社株式を交付するというスキームである。

こちらも、先ほどのリストリクテッド・ストック（RS）同様、2016年に解禁されたスキームとなる。RSと比較して、RSUは現物株式を取り扱わない分、設計の自由度が高いというメリットがある。すなわち、仮想譲渡制限期間解除後において、ユニットの一定割合を株式ではなく金銭で支給することにより、役員が給与等所得課税される部分に対する納税資金に充当することも可能という点だ。

一方で、RSUは直接株式を保有するわけではないため、議決権や配当受領権についてはRSよりもやや劣る点には留意が必要である。

RSUに関する課税は、仮想譲渡制限期間終了後、ユニット（ポイント）に相当する株式の交付時の株式時価相当額に対して、給与等所得課税がなされる。またその後、実際に株式を売却した際の売却益については、その後の値上がり益（売却時の株価と制限解除時の株価の差分）が譲渡所得として課税されることとなる。

3. パフォーマンス・シェア・ユニット

パフォーマンス・シェア・ユニットとは、ある一定の期間（中期経営計画の期間と連動させることが多い）の業績に応じて、付与する株数を変動させるスキームである。株式の交付が、ある一定期間の経過後となるため、「事後交付型」の株式報酬といえる。これに対して、ある一定期間の開始時に交付する、パフォーマンス・シェアは「事前交付型」となる。事後交付型においても、株式ではなく、金銭で報酬を付与するものが、パフォーマンス・キャッシュである**【図表2-43、44、45】**。

【図表2-43】パフォーマンスベースの株式報酬制度の類型

類型	交付 タイミング	付与	説明
パフォーマンス・ シェア・ユニット（PSU）	事後交付	株式／金銭	一定期間の業績の評価結果に応じて、株式を交付
パフォーマンス・シェア （PS）	事前交付	株式	一定期間の開始時に譲渡制限付株式を交付し、当該期間の業績の評価結果に応じて、譲渡制限を解除
パフォーマンス・ キャッシュ	事後交付	金銭	一定期間の業績の評価結果に応じて、金銭を交付

【図表 2-44】パフォーマンス・シェア・ユニット（PSU）のイメージ

目的
株価向上インセンティブ
対象者のリテンション
業績向上インセンティブ

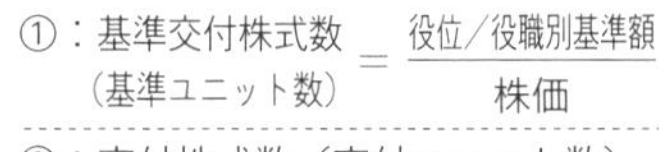

②：交付株式数（交付ユニット数）
＝基準交付株式数 × 業績評価係数
（0～200%）

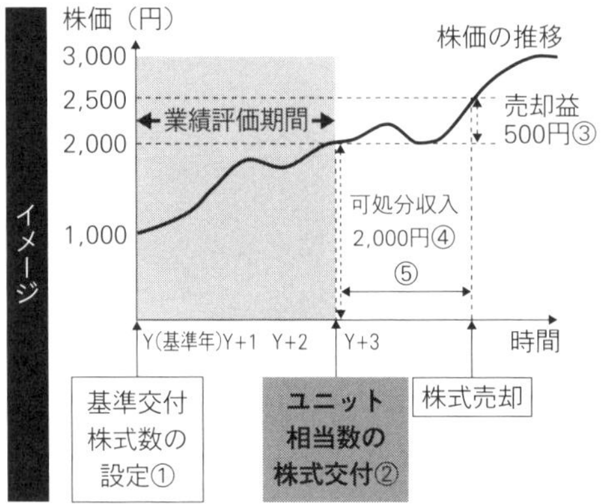

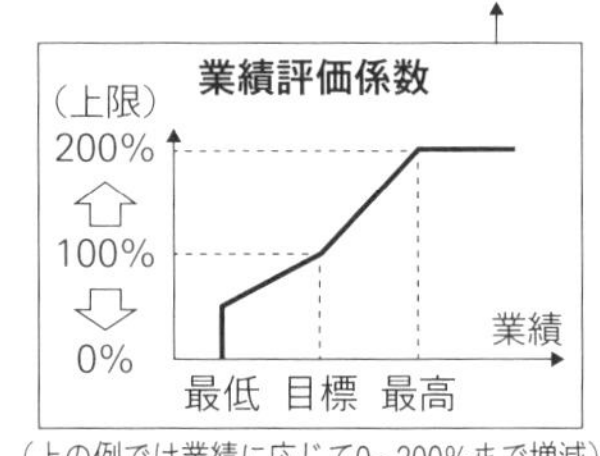

（上の例では業績に応じて0～200%まで増減）

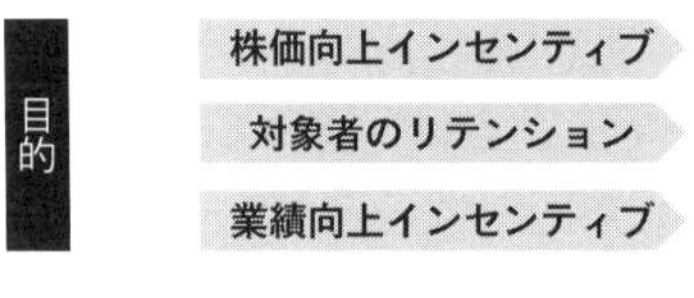

③：譲渡所得課税（20.315%）
④：給与等所得課税（最大55.945%）
⑤：この期間に支払われる配当金に対しては配当所得課税

【図表 2-45】パフォーマンス・キャッシュのイメージ

目的
株価向上インセンティブ
対象者のリテンション
業績向上インセンティブ

①：基準交付株式数 ＝ 役位／役職別基準額／株価

②：「ユニット相当数の金銭」
＝ 基準交付株式数 × 業績評価係数
（0～100%）

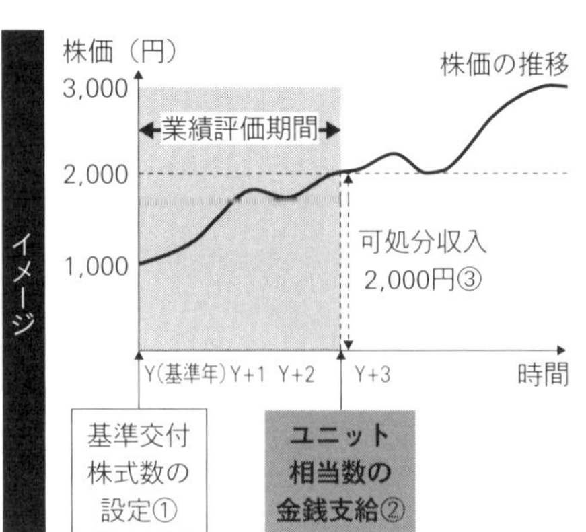

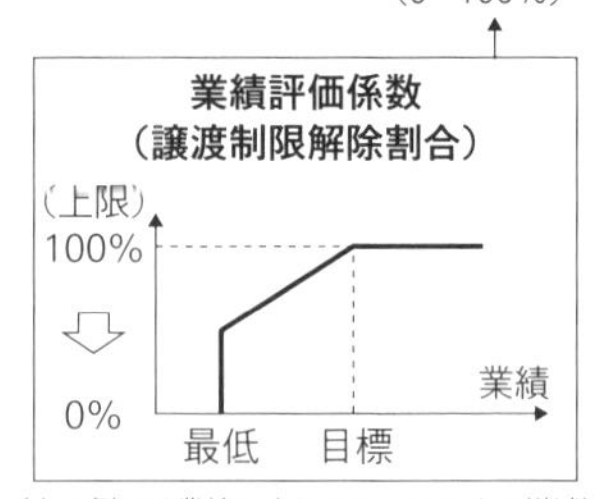

（上の例では業績に応じて0～100%まで増減）

③：給与等所得課税（最大55.945%）

譲渡制限付株式（RS）同様、2016年以降に導入が増加してきたスキームである。

また書物や開示事例によっては、事前型・事後型や金銭を付与するこれらのスキームを一律に「パフォーマンス・シェア」と称するケースもあるが、本書においては上記のように区別を行っている。

リストリクテッド・ストック（RS）とは異なり、ある期間の業績の評価結果に応じて、交付する株数を決定するスキームであることから、株価以外の業績指標（例：売上高・ROE等の財務指標）の達成や上昇に対するインセンティブとして効果を発揮する。

4. 株式交付信託

株式交付信託とは、信託を通じて役員に株式交付することができるスキームである。日本においては、平成28・29年度（2016・2017年度）の税制改正で、リストリクテッド・ストック・ユニット（RSU）やパフォーマンス・シェア・ユニット（PSU）等が導入解禁される以前から、それらと同様の効果を得られる仕組みとして考案・活用されてきたという経緯があり、大手信託銀行（三井住友・みずほ・三菱UFJ）を中心にサービスが提供されている**【図表2-46】**。

【図表2-46】株式交付信託のイメージ

株式交付信託

概要

- 信託期間（3～5年程度）において株式の原資となる金銭の総額をあらかじめ企業が拠出して受託者に信託する
- 受託者は、①自己株式の引き受けや②市場での株式取得等の方法により、企業の株式を取得する
- 受託者は会社が定めた基準に基づいて適格要件を満たした役員に対して株式（または株式を換価処分した現金）を給付する

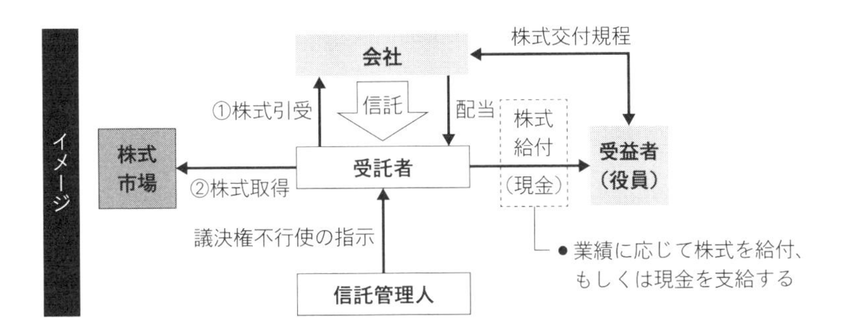

業績達成条件の有無によって、パフォーマンス・シェア・ユニット（PSU）もしくは、リストリクテッド・ストック・ユニット（RSU）のどちらの仕組みと近いものとするかが決まるため、以下の二つの場合に分けて整理した。

① 業績達成条件を付与した株式交付信託

役員に対して一定期間における業績目標の達成を条件として、信託（受託者）から自社株式を交付することを取り決めたものであり、PSUの仕組みを信託という形を通じて、実現するものといえよう。会社は、信託（受託者）に自社株式を購入するための資金を拠出し、信託（受託者）が市場や会社から株式を調達する。その上で、会社が定めた基準に基づく株式交付規程にしたがって、ポイントを算出し、そのポイント数に応じて役員に株式を交付することとなる。PSUと同じように、一定のポイントを株式と金銭に分けて支給することも可能である。

② 業績達成条件のない株式交付信託

役員に対して、将来の予め定めた時期に信託から自社株式を交付することを取り決めたものである。①と同様に、会社は、信託（受託者）に自社株式を購入するための資金を拠出し、信託（受託者）が市場や会社から株式を調達する。その上で、会社が定めた基準に基づく株式交付規程にしたがって、ポイントを算出し、そのポイント数に応じて役員に株式を交付することとなる。RSUと同じように、一定のポイントを株式と金銭に分けて支給することも可能である。

いずれの場合も、株式交付信託は、株式交付に関する実務運用担当者のオペレーション負担を（信託に移行できる分）軽減できる点がメリットである。その分、一定の費用を信託銀行に支払う必要はあるが、株式交付の対象となる役員数が多い企業や、複数の国内外子会社を持つ企業であれば、その費用を支払ったとしても、十分にメリットを享受できるだろう。

5. ファントム・ストック

ファントム・ストックとは、評価対象期間を複数年度とする、金銭による業績連動報酬である。役員に対して、仮想的に株式を付与したものとみなし、付与対象者である役員が権利行使した時点での株価相当の現金が付与されるというものである。考え方としては、リストリクテッド・ストック・ユニット（RSU）や株式交付信託のスキームを用いて、自社株式ではなく金銭を用いて支給することと、同等のものととらえるとよいだろう。

ファントム・ストックのメリットとしては、自社株式・新株予約権等を用いない分、「株式の希薄化がない」「（有価証券の募集・発行といった株式報酬実務の手続きが不要であるため）手続きが容易」「現金報酬であるため、インセンティブ機能を発揮しやすい」といったことが挙げられる。他方、デメリットとして「（株式を保有しないため）株主との利害関係共有を明示的に示すことが難しい」「役員の株式保有が進まない」「一定額のキャッシュアウトが伴う」といったことが挙げられる。

日本においては、導入事例は必ずしも多くはない。海外駐在役員、もしくは海外子会社等に在籍する外国人経営幹部に対して、本社株式を付与することが難しい場合に、疑似的に株式を付与することを目的に導入されているケースが多い。典型的には外為法の制限が厳しい中国に居住する役員向けに用いられる。なお、ファントム・ストックは金銭支給時に給与等所得課税がなされる。

6. SAR（Stock Appreciation Rights）

SAR（ストック・アプリシエーション・ライト）は、評価対象期間を複数年度とする、金銭による業績連動報酬である。役員に対して、仮想的にストック・オプションを付与したものとみなし、付与対象者である役員が権利行使した時点での株価上昇分相当額を報酬として現金で受け取ることができる。前項のファントム・ストックが株式を付与したものとみなすのに対して、SARはストック・オプションを付与したものとみなす。

この意味では、メリット・デメリットも先ほどのファントム・ストックと類似している。SARのメリットとしては、ストック・オプションと異なり、新株予約権等を用いない分、「株式の希薄化がない」「（有価証券の募集・発行といった株式報酬実務の手続きが不要であるため）手続きが容易」「現金報酬であるため、インセンティブ機能を発揮しやすい」といったことが挙げられる。他方、デメリットとして「(株式を保有しないため) 株主との利害関係共有を明示的に示すことが難しい」「役員の株式保有が進まない」「一定額のキャッシュアウトを伴う」といったことが挙げられる。

日本においては、日産自動車などで導入されているが、事例は必ずしも多くはない。通常型ストック・オプションを導入している企業が、海外駐在役員、もしくは海外子会社等に在籍する外国人経営幹部に対して、本社ストック・オプションを付与することが難しい場合に、代替手段として利用されるケースが多い。なお、SARは金銭支給時に給与等所得課税がなされる。

(4) どの長期インセンティブスキームを採用するか

ここまで代表的な長期インセンティブのスキームの仕組み・効果を概観してきた。次に自社にとって最適な長期インセンティブスキームを決定する観点について説明したい。結局のところ、多くの読者にとっての疑問は「当社にとっては、どのスキームが最も適しているのか」という点であろう。このため、非常にハイレベルであるが、この答えを出すにあたり、ヒントをご提供したい。

比較検討の対象となりやすい、株式報酬型ストックオプション、株式交付信託、スキームの決定にあたって、考慮すべき点は大きく分けて下記①～④の四つある。

①インセンティブ効果	中長期的な企業業績の向上やリテンションに効果があるか
②税務	法人税（会社側）の観点では、長期インセンティブの付与にあたって計上した費用を損金算入できるかどうか。所得税（役員側）の観点では、給与所得となるか退職所得となるか
③オペレーション	導入時および運用時の事務負担やその費用はどうか
④その他	議決権の有無、インサイダー規制をどの程度考慮すべきか

① インセンティブ効果

役員に対して長期インセンティブを導入する第一の目的は、このインセンティブ効果にある。すなわち、長期インセンティブを報酬として設定することにより、企業として目指すべき中長期のミッションや、業績達成に向けてモチベーションが向上するかが重要である。

インセンティブと同様に重要なのは、役員が企業に留まるためのインセンティブにつながるか、つまりリテンションに資するかどうかである。これらを長期インセンティブで実現するためには、株主と利益共有を図るために、株価と連動した株式報酬制度の導入や、一定の期間勤続しない場合、長期インセンティブが交付されないといった仕組みを入れることが必要となる。

このため、インセンティブ効果を重視する企業においては、パフォーマンス・シェア・ユニット（PSU）、リテンション効果を期待する場合には、譲渡制限付株式（RS）、これらの双方の機能を持たせたい場合には、株式交付信託等が活用されるケースが多い。

② 税務

次に税務面での効果である。2016・2017年の税制改正によって、損金算入可能な株式報酬スキームは大幅に整理が進んだ。特に会社側における法人税の損金算入の可否については、いずれのスキームにおいても、事前確定届出給与または業績連動給与という形で一定の整理が行われたといえよう。

また退職所得を取ることができるスキームは、**【図表2-47】**に掲げられた株式報酬型ストック・オプション（非適格型）、株式交付信託、譲渡制限付株式（事前交付型RS）および譲渡制限付株式ユニット（RSU）に整理がなされた。このため、退職所得を取ることを重視する企業では、これらのスキームを活用するケースが多い。

③ オペレーション

株式報酬実務を行う上では、オペレーションの負荷は避けては通れない議論となる。導入時もさることながら、忘れずに重視すべきなのは運用面での負荷である。特に、株式報酬型を含むストック・オプションに関しては、公正価格の算定や権利行使状況の管理等を行う必要があり、その他のスキームと比較してもやや手間がかかる。

一方で、株式交付信託は、基本的なオペレーションについて信託銀行に任せることができるため、特に子会社を含めて、多くの役員に対して株式を交付する企業にとっては、実務的にも利便性が高い。もちろん、それに伴って、信託報酬として一定額を支払うこととなるが、社員の人

【図表2-47】比較検討の対象になりやすい株式報酬スキーム

<table>
<tr><th colspan="2">項目</th><th>株式報酬型
ストック・オプション</th><th>株式交付信託</th></tr>
<tr><td colspan="2">主な交付形式</td><td>株式</td><td>株式／金銭</td></tr>
<tr><td rowspan="2">①インセンティブ効果</td><td>支給の安定性</td><td>設計によって、業績連動性の低い固定的な支給とすることも、業績連動性のある変動性の高い支給とすることも可能</td><td>設計によって、業績連動性の低い固定的な支給とすることも、業績連動性のある変動性の高い支給とすることも可能</td></tr>
<tr><td>中長期の業績達成のインセンティブ</td><td>業績要件または長期の行使制限期間の設定により、中長期の業績達成のインセンティブとすることが可能</td><td>業績要件または長期の行使制限期間の設定により、中長期の業績達成のインセンティブとすることが可能</td></tr>
<tr><td rowspan="2">②税務</td><td>法人における損金算入の可否</td><td>事前確定届出給与もしくは業績連動給与の要件を満たせば算入可</td><td>事前確定届出給与もしくは業績連動給与の要件を満たせば算入可</td></tr>
<tr><td>役員の課税関係</td><td>権利行使時の時価－1円（スプレッド）に対して、給与所得として課税される
ただし、設計により退職所得として課税される</td><td>（在任型）株式交付時の株式の時価を基準に給与所得として課税される
（退任型）退職所得として課税される</td></tr>
<tr><td rowspan="2">③オペレーション</td><td>事務負担</td><td>公正価格の算定、権利行使状況の管理等を行う必要があり、相対的に大きい</td><td>株式交付規程の制定などのオペレーションが発生するなどの負担が一定程度発生するが、ストック・オプションより小さくなる可能性がある</td></tr>
<tr><td>コスト</td><td>導入費用、運営費用が安い</td><td>導入費用、運営費用は他のスキームよりも要する</td></tr>
<tr><td rowspan="3">④その他</td><td>議決権・配当受領権</td><td>権利行使までは、株主としての権利はない</td><td>信託銀行名義のため、原則として本人には議決権・配当受領権はない</td></tr>
<tr><td>会計上の費用計上単価</td><td>予約権発行時時価×80～90％程度</td><td>毎年の費用計上額が信託設定時の時価で固定</td></tr>
<tr><td>インサイダー規制の影響</td><td>【法人】新株予約権の付与はインサイダー規制の対象外である
【役員】インサイダー規制により、権利行使後すぐに売却することができないケースが多い</td><td>【法人】原則として信託設定時（＝信託銀行等との契約締結時）に未公表の重要事実がない状態である必要がある
【役員】株式交付時に信託内で換価する場合は、インサイダー規制の影響を受けずに現金で受け取ることが可能</td></tr>
<tr><td colspan="2">選択される際の主な理由</td><td>退職慰労金の代替として活用したい（2002年以降）。ただし2021年会社法改正で取締役・執行役に対して0円SOが発行可能となったため必要性低下</td><td>オペレーション負担を抑えたい
譲渡制限付株式（RS）やパフォーマンス・シェア・ユニット（PSU）の両方の要素を含めたい</td></tr>
</table>

譲渡制限付株式 （事前交付型RS）	パフォーマンス・ シェア・ユニット （事後交付型PSU）
株式	株式／金銭
株式付与数は業績に連動しないため、比較的、固定性の高い支給となる	株式付与数が業績に連動するため、変動性が高い
PS／PSUと比して、業績との連動性が相対的に低い	中長期の業績とリンクさせて付与個数を決定することで、在任期間を通じた業績向上のインセンティブとすることができる
事前確定届出給与の要件を満たす場合は、算入可	業績連動給与の要件を満たす場合には算入可
譲渡制限解除時の株式の時価を基準に給与所得として課税される ただし、制限解除が退職に起因すると認められる等の一定の要件を満たす場合は退職所得として課税される	株式交付時の時価を基準に給与所得として課税される 退職所得となるかどうかは、税理士に要確認
金銭報酬債権付与と、株式付与の取締役会決議の準備等のオペレーションが発生するなどの負担が一定程度発生するが、ストック・オプションより小さくなる可能性がある	金銭報酬債権付与と、株式付与の取締役会決議の準備等のオペレーションが発生するなどの負担が一定程度発生するが、ストック・オプションより小さくなる可能性がある
導入費用、運営費用が安い	導入費用、運営費用が安い
本人名義のため、議決権・配当受領権いずれもあり	株式交付までは、株主としての権利はない
現物出資型：報酬債権相当額（取締役会決議日の前取引日の終値等の株価） 無償発行型：役務提供のサービス費用	現物出資型：報酬債権相当額（取締役会決議日の前取引日の終値等の株価） 無償発行型：役務提供のサービス費用
【法人】原則として自己株を割り当てる場合は、未公表の重要事実がない状態である必要がある。未公表の重要事実がある場合は、新株の発行のみ可能 【役員】インサイダー規制により、制限解除後すぐに売却することができないケースが多い	【法人】原則として自己株を割り当てる場合は、未公表の重要事実がない状態である必要がある。未公表の重要事実がある場合は、新株の発行のみ可能 【役員】インサイダー規制により、株式交付後すぐに売却することができないケースが多い
役員に直接株式を交付し、有価証券報告書への反映を行いたい	中長期的な業績達成に向けたインセンティブ向上を役員に対して、より強く求めたい

件費や、株式報酬実務に関する専門性の高さを考慮すると、任せてしまうということも、コストとの見合いで十分にペイするものと考えられる。

④ その他

最後に、議決権や配当受領権、インサイダー規制への対応である。

まず議決権という観点では、譲渡制限付株式（RS）は、直接現株を交付することができ、対象者が議決権や配当受領権を持つことができる上に、有価証券報告書への反映もされる。譲渡制限付株式（RS）以外は、議決権や配当受領権を原則持ち合わせない形となるが、株式交付信託については、配当受領権があるものと想定して、その相当額見合いを加味した報酬設計にすることも実務上は可能である。

またインサイダー規制に関しては、各スキームにおいて原則として一定の制約を受ける形となるが、株式交付信託においては、受託者が信託で保有する株式を信託内で換価し、その換価した金銭を交付する場合にはインサイダー規制の影響を受けることなく現金化することも可能となる。

以上を総合的に整理したものが**【図表 2-47】**である。長期インセンティブには数多くのスキームが存在するが、検討の際に現実的な選択肢としてあがるのはこの 4 つのスキームであることが多い。私たちのようなコンサルタントの立場では、特定のスキームではなく、各企業の要望に基づいて、企業として何を実現したいのか、そのためにはどのスキームを選択するべきかをアドバイスさせていただいている。

しかし、経営トップや社外取締役等の考えも含めると、実は企業として重視すべきことは何なのかというすり合わせ自体も、かなりの時間を要するのが実際のところだ。上記で述べた①～④の観点をふまえ、スキーム検討の参考としていただきたい。

第 9 項　相談役・顧問の報酬

(1) 相談役・顧問を取り巻く環境

相談役・顧問に対する世間の風当たりが強くなっている。この背景には、退任した自社の元社長・CEO が経営に対して口をはさんだり、経営への影響力を及ぼしたりすること、企業の不祥事の温床となっていることへの批判が強まっているためである。そもそも、相談役・顧問は会社法上で定められているものではなく、あくまでも任意の役職である。それにもかかわらず、株主総会で選任された役員・経営陣に対して、経営上の意思決定に影響力を行使する、もしくはその可能性に対して経産省等から懸念が出ていたものである。

経済産業省の2016年の調査では、874社中、約6割の企業で、相談役・顧問を設置していた。また当社の「役員報酬サーベイ（2018年度版）」による最新の調査でも、659社中340社（52%）で何らかの相談役・顧問を置いていることが明らかになっている。しかしながらその実態は各社によってさまざまであろう。本項では補論的に、これら相談役・顧問の報酬のあり方にも言及をしておきたい。

(2) コーポレート・ガバナンスで求められる相談役・顧問制度

近年のコーポレート・ガバナンスに対する関心の高まりを受け、経済産業省では、2017年3月に発行された「コーポレート・ガバナンス・システムに関する実務指針（CGSガイドライン）」の中で、「社長・CEO経験者を相談役・顧問とすることが一律に良い・悪いということではない」としながらも、「社長・CEO経験者が会社に相談役・顧問として残る場合、会社経営についての不当な影響力の行使や（中略）、誰が実質的に経営のトップを担っているのかがわからない」とも指摘している。また「現役の経営陣が相談役・顧問の意向を慮って、事業ポートフォリオの見直しなど果断な意思決定を躊躇する要因になり得る」と指摘している。さらに「相談役・顧問の役割・処遇は、不透明さがあることは否定できず、（中略）社内ですら相談役・顧問の実態が広く把握されていないケースもある」とした。このような状況において、2018年8月に、東京証券取引所は「コーポレート・ガバナンスに関する報告書（以下、CG報告書）」の様式及び記載要領の一部を改訂し、CG報告書において「代表取締役社長等を退任した者の状況」として相談役・顧問等についての情報を開示する制度を開始したのである。

このインパクトは非常に大きく、2018年以降で、資生堂や伊藤忠商事・日本たばこ産業（JT）、パナソニック等の大企業が相談役制度の取りやめを決めている[16]。とはいえ、現実的には元社長・CEO経験者が有する経験や人脈を活用することは、企業の事業運営上、有益であることも一理ある。またそもそも相談役・顧問の中には、外部から登用するアドバイザーをこのように呼んでいる企業もあり、その呼称に伴う役割・位置づけが曖昧であることも事実といえよう。

これらをふまえ、相談役・顧問には以下の四つのステップを通じた明確化が必要になる。

〈顧問・相談役に求められる明確化〉
①期待役割の明確化
②経営への関与に関する明確化
③選任・報酬決定手続きの客観化・透明化
④報酬等の待遇の明確化（報酬・秘書・個室・その他福利厚生）

まず重要となるのが、「①期待役割の明確化」である。当社の2020年度調査（N＝954社）でも相談役・顧問がいる企業は465社となっている。このうち、相談役・顧問に最も期待するのは、「業界団体や財界での活動（236社：51%）」であった。また「社会貢献活動や委員等の公益的な活動の実施（102社：22%）」も、多忙な現役の社長・CEOには難しいが、企業の社会的認知度を高めたり、CSRの観点でも視野広く企業活動をとらえる意味では有用であると考えられる。一方で問題は、「経営陣への指示・指導（207社：45%）」や、各種助言である。とりわけ「本社役員の人事案件についての助言（13社：3%）について、その程度の差はあれ現役の社長にとっては無視できない影響力であろう。

また合わせて、「②経営への関与に関する明確化」も重要だ。特に経営に対して関与を行う場合には、取締役への選任を行う、あるいはCG報告書上でその関与の有無を明確にすることが求められる。さらに「③選任・報酬決定手続きの客観化・透明化」は、今後の相談役・顧問を検討する上で必須となるであろう。とりわけ、今後も社長やCEOといった経営トップを務めた役員を、相談役・顧問として処遇する場合、その選任や報酬決定については、指名委員会・報酬委員会で議論されるべき

16　日本経済新聞「顧問・相談役の廃止相次ぐ」（2018年3月5日付）

である。社外取締役を中心とした外部の目にさらすことで、その任用に関する妥当性を担保するとともに、ガバナンス上も適切に処理されていることを対外的に開示することで、透明性を担保する必要がある。

最後に、「④報酬等の待遇の明確化」である。企業によっては、報酬だけでなく、秘書や社有車、個室を提供したりするケースがある。これらは必要に応じて提供されるべきであるが、それは企業活動に資するものであれば、という前提がつくことはいうまでもないだろう。

(3) 相談役・顧問の報酬のあり方

それでは、相談役・顧問の報酬はどのように決定されるべきであろうか。初めに確認するべきは、自社の相談役・顧問がどのような位置づけにあるかである。多くの企業において、相談役・顧問とは、経営トップを退任後に相談役・顧問に就くことで慣習的に報酬の後払い的な要素があった。このような企業の場合、現役時の報酬額を適正な形にすることで、相談役・顧問を廃止したり、その報酬額を減額したりすることが考えられる。

次に、相談役・顧問の報酬構成は、その職務上の性質を鑑みると、業績に連動するものではなく、固定報酬であることが望ましい。また株式報酬についても、現役の役員・経営陣ではないため、特段付与する必要性は低いだろう。

相談役・顧問報酬の報酬水準はどの程度とすべきであろうか。相談役・顧問は、その職務の性質上、個別性が非常に高く、各社・各人によって担っている役割や職責が大きく異なる。また公的な役職は「無報酬」で行われることが多い。しかし、会社の名前を背負って（あるいは代表して）、当該ポストに就く以上、一定の報酬額を会社から提供されることは合理的であると考えられる。またその金額決定にあたって具体的な水準感を把握するためには、外部のサーベイを活用することが有用である。

当社の「役員報酬サーベイ（2020年度版）」の調査では、上場企業における相談役・顧問の報酬額の中央値（N＝219）は、1,080万円であった。ただしこれは、企業規模によって、大きく異なる。役員報酬データベース「DEX-i（デックスアイ）」では、企業規模別（売上・時価総額・従業員）や業種別といった形で、それぞれの区分に応じた相談役・顧問の報酬水準のデータを取得することができる（コラム「役員報酬データベース DEX-i」を参照）。

相談役・顧問については、ガバナンス上の観点からも、今後より高い透明性が求められることとなる。多くの企業では、今後報酬委員会において、その報酬額の妥当性検証や、社外取締役等への説明を行う場面も出てくるであろう。サーベイ等を活用し、その際のよりどころを持っておくことは、各実務担当者にとって心強いのではないだろうか。

第 10 項　マルス・クローバック

(1) マルス・クローバック条項導入が求められる背景

マルス・クローバックとは、重大な法令・社内規程違反や過年度に開示した財務情報の修正、自社の評価・企業価値を著しく毀損させる行為等に対して、インセンティブ報酬（例：賞与や中長期の株式報酬）の全部または一部について、減額・没収・返還を求める取り決めを指す**【図表 2-48】**。

日本において、2015年のコーポレートガバナンス・コードの適用開始以降、役員報酬制度の整備が進展している。しかし、これまでは報酬構成における変動報酬比率の向上や株式報酬制度の導入等、企業価値向上のために役員をインセンティブ付けする仕組みの導入に主眼が置かれていたといえよう。他方で、日本のインセンティブ報酬に関するリスク管理についてはまだまだ取り組みが未成熟な状況にあるのが実態だ。弊社の 2020 年度調査でも、マルス・クローバック条項を制度として導入している企業は、わずか 8 %（954 社中 79 社）であった。また現時点で導入の予定はないとする企業が 85%（954 社中 806 社）という結果であった。米英や欧州各国をはじめとするガバナンス先進国では、その成り立ちが多少異なるものの共通していえることは、財務報告に関する不正開示や不正行為、2008 年の金融危機で発生したような過度なリスクテイクの抑制を目的とする点である。ここでは、各国におけるマルス・クローバック条項の成り立ちを見た上で、日本においてマルス・クローバック条項を検討する際の論点と留意点についてみていこう。

【図表 2-48】マルス・クローバック条項

	内容
概要	●重大な法令・社内規程違反や過年度に開示した財務情報の修正、自社の評価・企業価値を著しく毀損させる行為等に対して、インセンティブ報酬（例：賞与や中長期の株式報酬）の全部または一部について、減額・没収・返還を求める取り決めを指す

マルス条項	●権利確定前（権利付与後、権利が確定していないベスティング期間中）のインセンティブ報酬について、その金額の全部または一部を減額・没収する取り決め ●支払済みの報酬の返還までは求めない
クローバック条項	●権利確定後のインセンティブ報酬について、その金額の全部または一部の返還を求める取り決め

出所：デロイト トーマツ グループ

1. 米国

米国においてクローバック条項が設定される直接的なきっかけとなったのは、2000年代初期のエンロン事件およびワールドコム事件である。当該企業による役員の不正や粉飾決算事件を受けて、SOX法が2002年に制定された。このSOX法のうち、304条（a）においてCEO／CFOが対象としてクローバックが設定されている。「証券法に基づく財務報告義務に関して、不正行為の結果生じた重大な違反により、財務諸表の修正が発生した場合、その企業のCEO及びCFOは、修正が必要とされる財務報告の公表後、12カ月以内に発行体から受領したすべてのボーナス（年次賞与）・インセンティブ報酬および当該12カ月において発行体の有価証券の売却によって実現したすべての利益を返還」することが求められる。

また2008年の金融危機（いわゆるリーマン・ショック）の再発防止を目的に、2010年オバマ政権下でドッド＝フランク法が制定された。これは金融危機の再発防止を意図したものであり、この中に、インセンティブ報酬を回収するクローバックに関する方針が盛り込まれた。その後の検討をふまえ、2015年7月にSECがドッド＝フランク法954条を基に1934年証券取引所法10D条を追加。これにより、SEC上場企業は、クローバック条項の採用および開示が求められることとなったが、詳細のSEC規則案は未整備という状況にある。1934年証券取引所法では「証券法に基づいた財務報告義務に関する重大な違反によって、企業が会計上の修正を行う必要が生じた、その修正が必要とされる日から3年間遡り、誤ったデータに基づいて支払われたインセンティブ報酬のうち、正しいデータに基づいて支払われた報酬額を超過する分について、企業は対象役員に対して報酬を返還請求する」とされており、すべての役員に対して返還請求が行われる。

ドッド＝フランク法第954条は、SOX法304条と比較してより厳格なルールである。すなわち、(a) 不正行為があったかどうかにかかわらずクローバックが義務付けられる。(b) 遡及期間が12カ月ではなく3年間遡る。(c) CEO・CFOだけでなくすべての役員（現職・退任済みを問わない）(d) SECではなく、当該企業自身が実行する必要がある、という特徴がある。

SEC規則としての正式なクローバック条項は未整備という状況が続いているものの、ISSやグラス・ルイスといった議決権行使助言会社やブラックロックやカルパースといった有力な機関投資家は、米国の大企業に対してクローバック条項の導入を要請している。これを受けて、米国の大企業（Fortune100）では、90%以上の企業がクローバック条項を導入済みとなっている。米国において、クローバックは既に一般的なプラクティスとして確立しているといえる。

2. 英国

英国は欧州における金融の中心地ロンドンを抱えており、伝統的に金融セクターが強い。それゆえに金融危機の再発防止、一般市民からの金融機関の経営幹部に対する高額の役員報酬に対する批判を払拭する必要性を抱えていた。このため、英国におけるマルス・クローバック条項は、世界全体のルールと比較して、より厳格な英国流のルールを設定している。具体的な経緯は以下の通りである。

① G20における原則（FSB原則・実施基準）

英国のマルス・クローバック条項は、2008年の金融危機を受けて発足したG20を金融安定理事会（FSB：Financial Stability Board）に端を発している。金融危機の拡大は、インセンティブ報酬の拡大によるものという反省をふまえ、FSBがG20各国に適用される枠組みとして、2009年に「健全な報酬慣行に関する原則」および実施基準を公表した。これを受けて、欧州議会では2014年に資本要求指令Ⅳ（CRD Ⅳ：Credit Requirement Directive Ⅳ）を可決。欧州各国における報酬慣行の原則を示した。

② 欧州域内のガイドライン（EBA ガイドライン）

次いで、欧州銀行監督機構（欧州域内における各国の監督の上位機関。通称EBA：European Banking Authority）が、欧州各国の銀行監督当局に対して、2015年に「健全な報酬ポリシーのガイドライン（通称EBA ガイドライン）」を公表。EBA ガイドラインでは、「変動報酬総額の100％に対してマルス・クローバックを適用されるべきである。またその期間は少なくとも繰延期間（Deferral periods）及びリテンション期間はカバーされる必要がある。対象となる期間は銀行の持つ資産規模等により変わるものの、大規模な金融機関（Significant institutions）における上級管理者（Management function and senior management）の場合、繰延期間は少なくとも5年、リテンション期間は少なくとも1年が適用される」として、マルス・クローバックの考え方を示した。

③ 英国内でのルール制定（FCA ハンドブック／PRA ルールブック）

さらに欧州での考え方をふまえ、2015年英国独自のルールが制定された。英国の銀行監督当局である金融行為規制機構（FCA：Financial Conduct Authority）および健全性監督機構（PRA：Prudential Regulation Authority）が、報酬の考え方を示すに至ったのである。

金融機関は「適用対象：上級管理機能（SMFs）を担うマテリアルリスクテイカー（MRTs）、期間：すべての変動報酬は、付与された日から最低7年間クローバックの適用対象となる。監督当局による調査中の場合には、最低10年間に延長される」こととなった。

また2018年には、適用範囲を一般上場企業にも拡大。英国のコーポレートガバナンス・コード（UK Corporate governance code Provision 37／Guidance on Board Effectiveness 2018 Provision 142）

において、インセンティブ報酬スキームに参加するものを対象とするマルス・クローバック制度の導入が求められるようになった。

Deloitte UKの調査によると2020年時点において、英国の大手上場企業（FTSE100）ではすべての企業がマルス・クローバック条項を導入しており、米国と同様に一般的なプラクティスとして確立している。

3. 日本

日本においては、すでに述べたようにマルス・クローバック条項を導入している企業は約８％（弊社調査）となっており、まだ黎明期といえる。他方、グローバル金融規制の影響を受けた日本の金融機関や、武田薬品や日産自動車等、一部のグローバル企業において、マルス・クローバック条項の導入が始まっている。投資家の観点からは、高額な役員報酬制度の導入と合わせた不正時のインセンティブ報酬に関する没収・返還を促すマルス・クローバック条項の導入を反対する明確な理由がない。今後株主との対話が進むにつれて、企業に対する積極的な導入の要求が進むと想定される。

(2) マルス・クローバック条項の主要検討項目

マルス・クローバックに関する主要検討項目について、**【図表2-49】**で示している。全部で９つの項目について検討を行う必要がある。

まず「1. 導入タイミング」については、定款変更を行うケースや社内規則として整備するケースがあると考えられるため、導入までのスケジュールを考慮した検討が必要となる。次に「2. 適用事由（トリガーイベント）」である。典型的には、重大な不正行為（法律・社内規定違反）、財務諸表の修正、企業の評判・企業価値を著しい毀損などがあげられるが、どういった項目をマルス・クローバックの適用対象とするか、また当該役員自身が行っていない事由でも、責任管掌の範囲であればマルス・クローバックを適用するかどうか等が論点となる。「3. 適用対象となる報酬」については、マルス・クローバックの適用対象をSTIおよびLTIの両方とするか、LTIのみとするか。マルス・クローバックで適用報酬を変更するかを検討する。STI／LTIやその中でも複数のインセンティブプランを導入している場合には、すべてに適用させることが望ましい。

【図表 2-49】マルス・クローバックに関する主要検討項目

項目		決定すべき内容
1	導入タイミング	✓どのタイミングから、マルス・クローバック条項の導入を開始するか
2	適用事由（トリガーイベント）	✓どのような条件が発生した場合に、マルス・クローバック条項を適用するか
3	適用対象となる報酬	✓マルス・クローバックの適用対象をSTIおよびLTIの両方とするか、LTIのみとするか。マルス・クローバックで適用報酬を変更するか
4	適用対象者	✓対象となる役員をどの範囲までとするか ✓もしくは役位・役職に関わらず、適用対象となる報酬を付与される全員を対象とするか
5	適用期間	✓適用する期間を定めるか。定める場合には何年とするか
6	適用対象金額	✓減額適用する金額は、グロスとするか税額を考慮したネットとするか
7	適用手続き	✓どのような手続きをもって、実際にマルス・クローバック条項を適用できるようにするか。検討主体やそのための実務運用をどのように行うか
8	導入手続き	✓どのような手続きをもって、マルス・クローバック条項を導入するか
9	開示	✓どのような方法で、どのようなメッセージを株主や投資家に伝えるか

出所：デロイト トーマツ グループ

「4. 適用対象者」については、社内取締役／社外取締役、執行役員を含む経営陣幹部、その他の管理職まで、等さまざまな設定区分が考えられる。ただし雇用型の執行役員や従業員層まで適用させる場合には、各種労働法をあらかじめ考慮した上での検討・設定が求められる。

「5. 適用期間」では、米英の事例では、一般企業で 3〜5 年程度、金融機関では規制当局の要請に対応して、職位や状況により 7〜10 年で設定されている。他方、日本においてはまだプラクティスが確立されておらず 3 年程度で設定されるケースが多い。

「6. 適用対象金額」については、日本国内のみならず、昨今の役員報酬のグローバル化をふまえた場合、グローバルで適用各国における税制等の考慮が難しい。このため、一般的には、付与金額の総額（グロス）での金額を適用対象とすることが多い。

【図表 2-50】マルス・クローバック条項の適用事例
（三井住友フィナンシャルグループ）

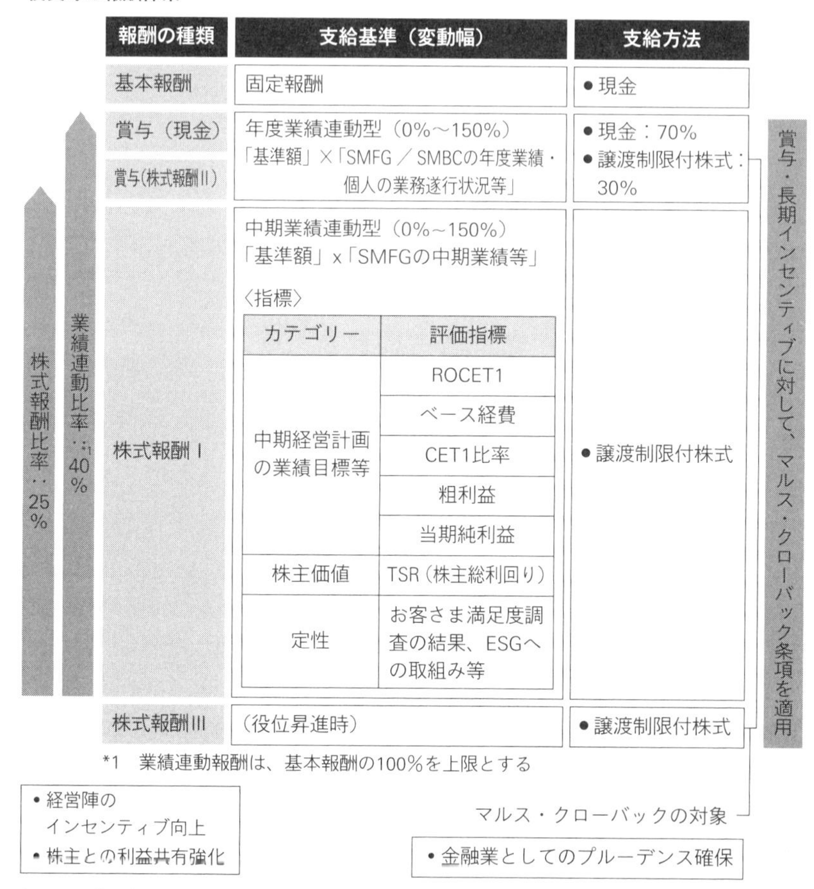

出所：三井住友フィナンシャルグループWebサイト

「7. 適用手続き」は、どのような手続きをもって、実際にマルス・クローバックを適用するかを検討する。皆様の会社において現時点で、マルス・クローバックが適用されるような事由を想定しづらいと思われる。しかし、いざそのような事態が発生したときに慌てることがないように、リスク管理という視点からは事前に検討しておくべき事項である。マルス・クローバック適用に至るプロセスや報酬委員会・監査役会

(監査委員会)、取締役会等の関与・権限を明確にした規程を作成しておくことが重要となる。

「8. 導入手続き」では、定款変更を行うか、社内規則として整備するかにより異なるものの、社内規定をふまえ準備が必要となる。

最後に「9. 開示」では、有価証券報告書、統合報告書等での開示メッセージを準備し、報酬に対するリスク管理の考え方をどのように示すかを記載する。日本企業におけるマルス・クローバックに関する開示レベルは低いのが実情であるが、今後投資家等の目線が厳しくなるにしたがって、より開示度合いは充実されるものと思われる。日本でも先進的な事例として三井住友フィナンシャルグループの事例**【図表 2-50】**を掲載する。当該企業では、マルス・クローバック条項は、賞与や長期インセンティブに対して適用されている。

(4) マルス・クローバック条項検討における留意点

ここでは、マルス・クローバックを検討する際の留意点四つを簡潔に示す。社内体制・権限・運用プロセスの整備や、それらを明文化した文書化が必要となるため、十分な検討が必要だ。

① 社内の関係各所との連携：マルス・クローバック条項を検討する場合、報酬委員会に関連する部門だけではなく、リスク／コンプライアンスや内部監査部門、人事・法務・会計・税務・広報部門など、さまざまな関係者との連携を予め想定しておくことが必要となる

② トリガーイベントを把握する仕組み：リスク管理や内部監査部門において、マルス・クローバックのトリガーとなるイベントが発見された場合、適切に報酬委員会や取締役会に通知されるプロセスを確立する必要がある

③ コミュニケーション：対象となる役員、またはグループに対して、マルス・クローバックの適用対象となるに至った事由や理由について書面による通知を行う必要がある。また適用対象者には、反論や説明機会の担保を行い、一方的な適用が行われないようにする必要がある

④ 明文化された文書：日本国内の法令に照らしてマルス・クローバックを適切に運用するためのポリシーと運用手続きを記載した文書が求められる。また各社の権限・プロセスに応じて変更し、実効性

の高い運用手続きを確立する必要がある

第11項　ESG評価と役員報酬

2006年に国連が責任投資原則を提唱して以降、持続可能性を重視するESG（Environment: 環境、Society：社会、Governance：ガバナンス）投資が急速に拡大している。2015年の国連サミットにおいて、グローバルな社会課題を解決し、持続可能な世界を実現するための国際目標としてSDGs（持続可能な開発目標：Sustainable Development Goals）が採択されたのは記憶に新しい。

いまやESGに関して、そのニュースを聞かない日はないといってよいだろう。では、ここで皆さんにお聞きしたいことがある。それは「なぜ企業がSDGsやESG[17]に取り組む必要があるのか」である。なんとなく頭の中ではわかっていても、きちんと言語化されていない方も多いのではないだろうか。そこで本項では、まずこの点から深堀りしていきたい。

話を戻して、企業がSDGsやESGに取り組むべき理由は何か。その最も根源的かつ本質的な理由は「私たち一人ひとりが、地球社会の一員として存在する以上、誰しもが公私の両面から社会を支え、社会に寄与する責務を負っているから」である。もちろん、このような道義的な考え方に対しては、否定的な見解を持つ方もいるだろう。またさまざまな事情から社会を支え、社会に寄与することが難しい方もいることも事実である。

しかし実利の目線でみても、企業にとっては有益なことが多い。なぜなら企業がESGを重視することで、2つのメリットを得ることができるからである。1つめは、環境規制の順守や、従業員のエンゲージメントを高め、人材の離職を防ぐといったことが、企業のダウンサイドリス

17　SDGsとESGは近い概念であるため、混同されやすい。あえていうのであればSDGsは「ゴール」、ESGはそれを達成するための「手段」であり「視点」である。例えば「SDGs: No.5のジェンダー平等を実現しよう」というゴールに対して、それを達成するための手段として、ESGのSにおける「女性管理職比率」という視点を活用するといった具合である。また「SDGs: No.13の気候変動に具体的な対策を」というゴールに対して、それを達成するための手段として、ESGのEにおける「CO_2排出量の削減」でもイメージが湧くのではないだろうか。投資家は優れたESGへの取り組みを行っている企業に対して積極的に投資を行うことで、企業のESGへの取り組みの後押しや、SDGsに関連するさまざまなビジネスチャンスの果実（＝リターン）を得ようとしている。

【図表 2-51】ESG 評価指標を採用する企業

役員報酬決定における、ESG指標の活用の有無

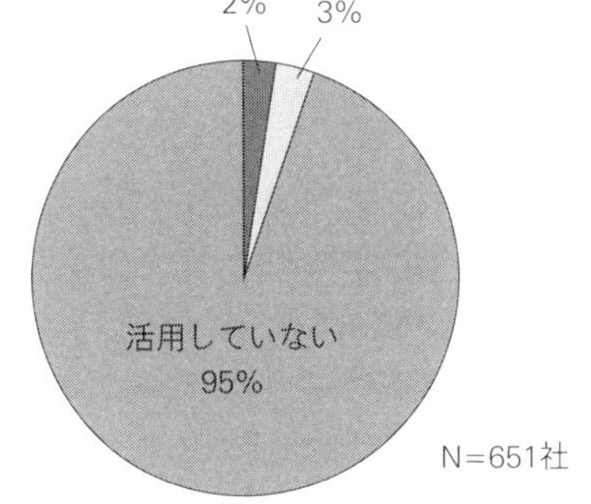

出所：「役員報酬サーベイ（2020年度版）」

ク・資本コストを引き下げ、リスクプレミアムを低減できる点である。2つめは、サステナビリティ課題に対するさまざまなビジネス機会をとらえることで、売上・キャッシュフローが増加する等、企業の中長期的なリターンを向上させることができる点である36頁**【図表 1-12 参照】**。さらに投資家は、そのような高いパフォーマンスを上げる企業に対して積極的に投資することを好む。結果として、企業がESGに取り組むことは株価を引き上げ、企業価値を向上させることに繋がるのである。他方でESGへの取り組みを行わない企業からは、投資家は資金を引き揚げてしまうため、企業の立場からは必然的にESGを重視した経営に取り組まざるを得ない。

「持続可能な社会を実現する」という大義名分のもと、さまざまなESGに関する取り組みが世界各地で繰り広げられている。この新しい世界観に対して抵抗することは、もはや難しい状況にあるといえよう。

それでは、企業およびその経営陣がSDGs／ESGへの取り組みを促進するために必要なことは何だろうか。さまざまな方法[18]の一つが本項でご紹介するインセンティブ報酬とESGを紐づけることである。ESGへ

18 ESGに関する強制開示や、企業と投資家とのESGに関する対話を通じた投資の拡大／縮小などさまざまな方法がある

の取り組みで成果を出せば、経営陣の報酬が増える。達成できなければ報酬は減る。このわかりやすい仕組みこそが、企業のESGを強力に推進する、一つの起爆剤となると考えられる。しかしながら、日本では、ESG指標を役員報酬に反映させている企業はわずか5%しかないのが実情だ**【図表2-51】**。8割以上がESG指標を評価に反映している英国や米国（同5割以上）と比較すると大きく見劣りする状況にある。

ただし、日本ではまだESG評価と役員報酬の反映について、ようやく検討が始まったところである。そこで本稿では、企業がESGを役員報酬に反映するために検討すべきステップについて述べていきたい。

(1) ESGと役員報酬の関係性

ESGと役員報酬の関係性を示したものが**【図表2-52】**である。日本企業では、欧米と比較して1周遅れでSDGs／ESGへの取り組みが進んでおり、2021年の執筆時点で、大手上場企業を除くとPhase1の「ESGに関する戦略策定／目標設定」を行っている最中である、という企業が多い。ここでは、ESGを役員報酬に結びつけるためのプロセスや考慮すべきポイントについて、解説を行う。

まずPhase1では、機関投資家、社会、各国政府の動向など、多様なステークホルダーからの要求をふまえて、まず自社にとって特に重要となるSDGs／ESG項目（マテリアリティ）を特定する必要がある。SDGsは大きく17の目標、169個のターゲットが定義されているが、自社が当然すべての項目に対して貢献できるわけではない。自社の事業特性、経営環境をふまえ、持続可能な社会の実現に向けて取り組むべき課題を、「自社にとっての影響度」と「ステークホルダーにとっての影響度」の2軸から、マテリアリティという形で絞り込みを行う。絞り込みの際には、将来的な開示を念頭において、ESG開示に関する国際フレームワークの一つであるGRIスタンダード（本拠地：オランダ）が示すトピックリスト等をふまえて検討することが一般的だ。その上で、特定されたマテリアリティをふまえ、具体的な目標（KPI: Key Performance Indicator）に落とし込んでいくというプロセスとなる。

Phase1は、通常、サステナビリティ部門や経営企画部門が中心に行うため、一般に報酬委員会を所管する人事・総務部門は関与していないことが多い。結果として、ESGを所管する部門と役員報酬・報酬委員

【図表 2-52】ESG と役員報酬の関係性

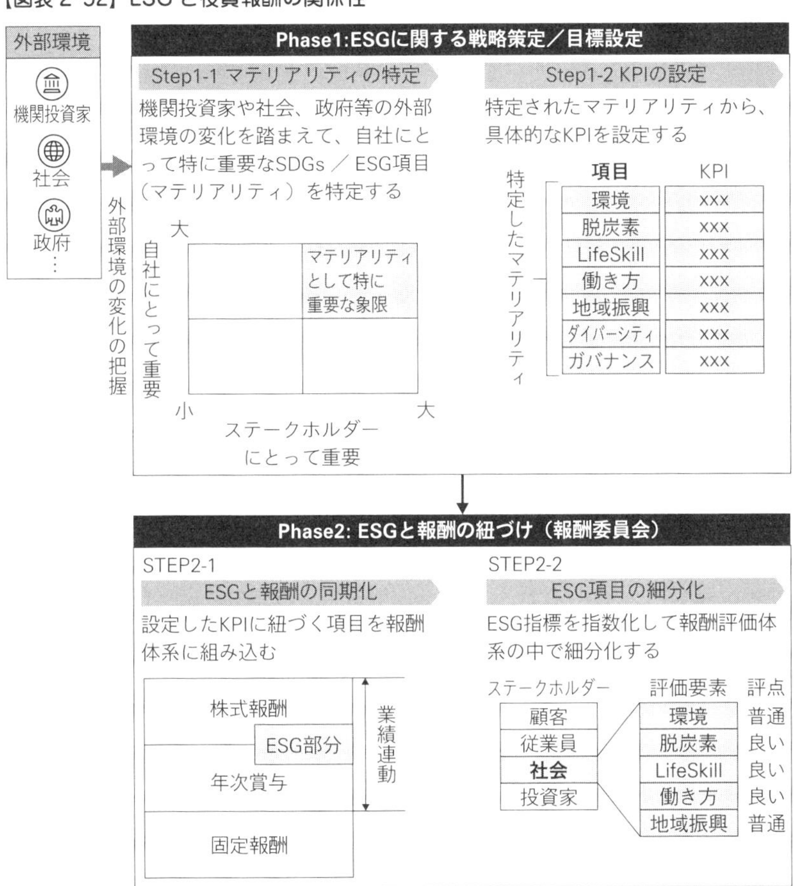

出所：デロイト トーマツ グループ

会を所管する部門との間には断絶があることが課題となっている。すなわち、サステナビリティ部門から報酬委員会に対して「役員報酬とESG を連携すべきだ」という声が届きにくいのである。したがって、本書の中心読者と想定される報酬委員会所管部門（人事・総務部門等）から「ESG 課題を達成するために、役員報酬にも連携すべきだ」ということをESG 所管部門と積極的に意見交換すべきである（サステナビリティ部門は、役員報酬に対して意見を具申することに対して消極的で、意外にもこの連携が取れていない企業が多い）。

次に、Phase2として、ESGと報酬の紐づけを行う。Step2-1では、設定したKPIを紐づく項目と報酬体系への組み込みを行う。年次賞与（STI）もしくは株式報酬（LTI）に紐づけることが多い。Deloitte UKの調査によると、ESGと役員報酬の紐づけが進んでいる英国では、FTSE100企業において、66%の企業が年次賞与（STI）に、27%の企業が株式報酬等のLTIに紐づけている。またその割合はおおむねSTI、LTIそれぞれの15〜20%程度が多いが、30%を超えて紐づけを行っている企業も増加している。

Step2-2においては、2-1で設定したESG評価の割合をふまえ、どのようにE／S／Gのそれぞれで細分化して評価を行うかを決定する。企業の置かれた状況によって、Eを重点的に評価していく企業もあれば、Sを重視するという企業もあるだろう。例えば、STIのうち20%をESG評価により、役員報酬に反映しようと考えている物流企業があるとする。このような企業では、GHG（グリーン・ハウス・ガス）の排出削減が最も重要なマテリアリティと認識しているとした場合、現在は気候変動に注力するため、STIの20%のうち、10%はEを評価し、残り5%ずつをSとGで評価する、といった具合である。また一般的にESG指標としては**【図表2-53】**のようなものがよく採用されている。

大半の企業では重視するESG指標は複数あることが一般的だ。では、数あるESG指標の中で役員報酬に紐づける場合、どのように指標選定を行うべきだろうか。ESG指標選定のポイントは、大きく2点ある。それは①経営戦略で特に重視するKPIか、②アクションと結果のいずれにフォーカスするか、という点である。

まず①については、会社としてすでに戦略的に掲げているESG目標から、役員報酬指標を設計する。ESG目標は複数であることが想定されるが、以下のような視点で役員報酬と紐づけるべき指標を検討することが望ましい。

a）　我々が環境または社会に最も影響を及ぼすものは？

b）　自社のビジネスにとって鍵となるステークホルダーは？

c）　我々が最も積極的に貢献できる領域は？

次に②については、ESG指標のKPIを「Input型」にするか、「Output型」にするかがポイントになる。一般に、ESGに関する取り組みは、必ずしも短期的に成果がでるとは限らない。このため、KPIと

【図表 2-53】ESG 指標の具体的内容の例

E	環境マネジメント	• GHG排出量（Green House Gas：スコープ1／2／3） • 水使用量 • 廃棄物発生量 • エネルギー使用量
S	人的資本マネジメント	• 女性管理職比率 • 従業員満足度調査 • 障害者雇用率 • 労働災害発生数
G	コーポレートガバナンス	• 取締役会・各委員会における女性比率 • 取締役会における独立社外取締役の比率 • CSRの推進状況
	企業倫理	• 重大なコンプライアンス、法令違反、不祥事、不正、事故の件数 • コンプライアンスの研修の受講率 • 取締役会実効性評価の結果
	リスククライシスマネジメント	• 経営に重大な影響を与えるリスクの発生件数 • 内部統制に関する評価 • BCPの整備（自然災害・疫病の感染症等の非常時計画）
その他	ESG外部指標	• 外部評価（Dow Jones Sustainability Indices等） • ESG専門機関による評価

出所：「役員報酬サーベイ（2020年度版）」

してどのような活動を行ったかに重点を置く「Input 型」と、取り組みの結果どのような成果が出たのかに着目する「Output 型」を組み合わせて評価することが一般的だ。特に STI においては、1 年で取り組みを評価する必要があるため、Input 型の方が活用しやすい。ただし、機関投資家の目線からは当然 Output 型に基づく指標がより求められる傾向にある点は留意いただきたい。なお ESG について評価手法の実現性や役員報酬評価等で活用できるレベルでの開示内容が取れるか、実務運用上の観点から、サステナビリティ／IR 部門との確認・連携が重要だ。報酬委員会単体で ESG 目標や KPI 指標を定めたとしても、それが現実性のないものであれば、画に描いた餅となってしまう。

日本企業での具体的な企業事例として、丸井グループや資生堂が挙げられる。**【図表 2-54、55】**。他方、先進的な英国での取り組み事例を見ると、測定可能な指標をベースにしたインセンティブ設計が多い。特に環境（E）の分野においては、客観的な指標として Science Based Targets

【図表2-54】日系企業事例（1／2）――丸井グループ

対象	開示内容詳細
業績連動型株式報酬	●概要：2020年3月期に役員報酬制度を見直し、短期および中長期のインセンティブ報酬の割合を高めた。特に、中長期的な会社業績に基づく業績連動型株式報酬で、共創サステナビリティ経営と連動させるべく、**サステナビリティ目標**を新たに設定 ●報酬構成：基本報酬（60%）：業績連動賞与（10%）：**業績連動型株式報酬**（30%） ●評価指標：重視する3つのKPI（ROE、ROIC、EPS）、および**ESG評価指標（Dow Jones Sustainability World Index）** ●報酬額算出式：各取締役の役位に応じてポイントを毎年一定の時期に付与し、上記の評価指標の達成度に応じて、0～110%の範囲で業績連動係数を決定し、これを累積ポイント数に乗じて各取締役に交付する株式数を決定

目標とする業績指標と業績連動係数

	目標とする指標		目標値	実績	業績連動係数
2021年3月期	財務指標	EPS	130円以上	－	3項目達成100% 2項目達成70% 1項目達成30% すべて未達成0%
		ROE	10.0%以上		
		ROIC	4.0%以上		
	非財務指標	ESG評価指標	DJSI World*の構成銘柄への選定の有無		0%または10%

* Dow Jones Sustainability World Index：長期的な株主価値向上への観点から、企業を経済・環境・社会の3つの側面で統合的に評価・選定するESGインデックス

出所：丸井グループWebサイト

（SBT）[19]によるネットゼロ目標を導入するケースが増加している。ネットゼロ目標では、自社からの排出量削減だけでなく、事業活動に関係するあらゆる排出＝サプライチェーン排出量の削減が求められる**【図表2-56】**。SBTでの認定により、企業は役員報酬に連動させる指標の客観性を担保させ、報酬との連動においても透明性を確保させている。例えば、英製薬大手のアストラゼネカでは、2021年から、長期インセンティブの10%を、再生可能エネルギーへの移行、電気自動車使用等により、自社からのCO2排出量を削減することでSBT（スコープ1、2）の成果指標に連動させる、といった具合である。

19　パリ協定が求める水準と整合した、5-15年先を目標年として企業が設定する温室効果ガス削減目標。CDP、世界資源研究所（WRI）、世界自然保護基金（WWF）、国連グローバルコンパクトが共同設立した機関などの国際機関Science Based Targetsイニシアチブ（SBTi）が科学的に適正な目標であることを検証し、認定する。

【図表 2-55】日系企業事例（2／2）――資生堂

ESG評価を反映する報酬	開示内容詳細
パフォーマンス・シェア・ユニット	●報酬構成：基本報酬（33～64%）：年次賞与（18%～33%）：**長期インセンティブ型報酬**（18%～33%）※役位ごとに割合が異なる ●評価指標： ・経済価値指標：連結売上高の年平均成長率（CAGR）、連結営業利益率、連結ROE ・社会価値指標：人々への支援を通じてビューティーイノベーションの実現を目指す「エンパワービューティー」の領域を中心とした**環境・社会・企業統治（ESG）に関する社内外の複数指標**

評価項目	評価指標	評価ウエイト	
経済価値指標	連結売上高年平均成長率（CAGR）	30%	100%
	評価対象期間の最終事業年度における連結営業利益率	60%	
社会価値指標	“エンパワービューティー”の領域を中心とした環境・社会・企業統治（ESG）に関する社内外の複数の指標	10%	
経済価値指標	連結ROE（自己資本当期純利益率）	予め定めた一定水準以下となった場合、役員報酬諮問委員会において、業績連動部分の支給率引き下げを検討する。	

出所：資生堂Webサイト

以上、ESG評価の役員報酬への反映について説明を進めてきた。世界的なESG投資の流れを受け、今後ESGへの取り組みはますます活発となっていくことが予想される。経営者とインセンティブを高めるためのツールとして役員報酬との紐づけがさらに進展することを期待したい。

【図表 2-56】企業の気候対策における排出量削減目標には、スコープ1、2、3の3種類がある

Science Based Targets（SBT）によるネットゼロ目標の定義

- 国際機関Science Based Targetsイニシアチブ（SBTi）が定義するネットゼロ目標では、自社からの排出量削減だけでなく、事業活動に関係するあらゆる排出＝サプライチェーン排出量の削減が求められる
- サプライチェーン排出量＝**Scope1排出量＋Scope2排出量＋Scope3排出量**

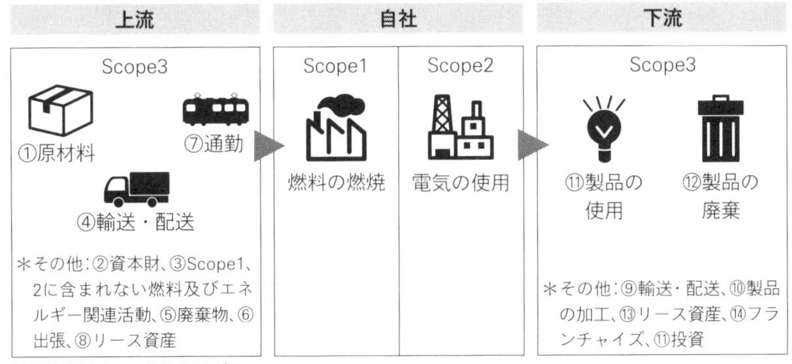

○の数字はScope3 のカテゴリ

Scope1：事業者自らによる温室効果ガスの直接排出（燃料の燃焼、工業プロセス）
Scope2：他社から供給された電気、熱・蒸気の使用に伴う間接排出
Scope3：Scope1、Scope2以外の間接排出（事業者の活動に関連する他社の排出）

✓Science Based Targets（SBT）とは：
パリ協定が求める水準と整合した、5～15年先を目標年として企業が設定する温室効果ガス削減目標。国際機関Science Based Targetsイニシアチブ*（SBTi）が科学的に適正な目標であることを検証し、認定する。
＊　CDP、世界資源研究所（WRI）、世界自然保護基金（WWF）、国連グローバルコンパクトが共同設立した機関

出所：環境省調査2021年「SBT（Science Based Targets）について」よりデロイトトーマツグループ抜粋・加工

コラム　改正会社法の影響は？　—役員報酬開示から見える日本の現状

2019年の改正内閣府令、2021年の改正会社法等、日本の役員報酬に関する透明性向上のため、有価証券報告書等における開示要請が拡大している。各社の皆様からも「どこまでを開示すべきか」という内容のお問い合わせを

頂戴するケースが非常に多い。そこでデロイト トーマツグループでは、日本における実情を把握するために、役員報酬に関する法令への対応状況に関する調査・分析を行った[20]。この結果、コーポレート・ガバナンス体制（機関設計）と情報開示レベルに関係性があるという、非常に興味深い調査結果が得られた。今回の調査を通じて、日本を代表する企業であるTOPIX100構成銘柄であっても、米英と比較して低い開示レベルであるという状況が改めて垣間見えた。今後も役員報酬の透明性確保に向けて、さまざまな取り組みが浸透していくことを期待したい。

【役員報酬に関する法令への対応状況】

改正内閣府令および改正会社法に定められた開示事項は、大きく①制度・方針に関する開示項目、②決定手続きに関する開示項目、③実績に関する開示項目の三つに分けることができる。これらの項目に関して、有価証券報告書における開示状況をまとめた。各々先進的な開示もされる一方で、開示要件に対応していない企業も多く見られた点が、特徴的であった**【図表 2-57】**。

① 制度・方針に関する開示項目

まず、役員報酬の基本方針、報酬体系、ならびに株主総会の決議内容に関してはほぼすべての企業が開示要件に対応している。特に、役員報酬に関する基本方針では、自社の経営戦略・企業価値と一貫させ、ストーリー性を持って示す事例など先進的な事例が見られた（三菱ケミカルホールディングス等）。また、報酬体系においても報酬の算定方法の詳細を明示し、かつイメージ図を用いて投資家に伝わりやすく工夫された開示が行われていた。

一方、報酬プログラムの具体的な設計内容に関する項目では、TOPIX100という、日本を代表する企業群であるにもかかわらず、依然

20　TOPIX100構成銘柄企業のうち3月期決算の計82社について、「企業内容等の開示に関する内閣府令等の一部を改正する内閣府令（2019年1月施行、『改正内閣府令』）」および「会社法の一部を改正する法律（2021年3月施行、『改正会社法』）」に定められた開示要件への2021年3月期の有価証券報告書における対応状況等を、デロイト トーマツ グループにて調査・分析

【図表2-57】役員報酬に関する企業の開示状況（TOPIX100）

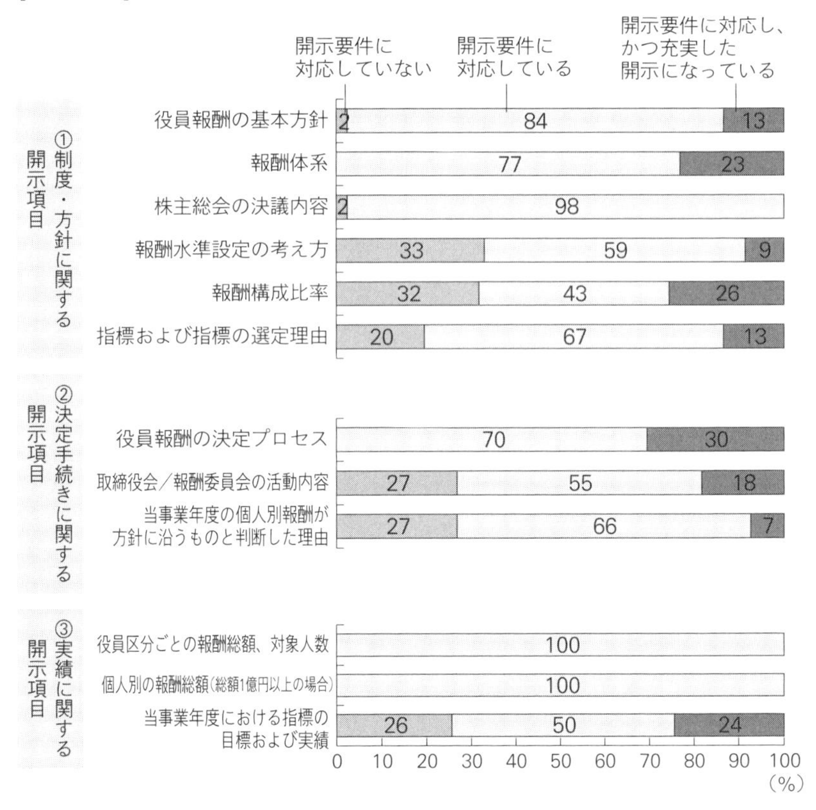

出所：デロイト トーマツ グループ「役員報酬に関する開示状況調査（2021年）」

として、2～3割の企業が開示自体をしていないという状況であった（「報酬水準：33%」「報酬構成比率：32%」「指標および指標の選定理由：20%」）。

② 決定手続きに関する項目

次に項目「役員報酬の決定プロセス」については、すべての企業が決定に関与する会議体（取締役会や法定／任意の報酬委員会）や権限者を記載しており、法令要件に対応した開示を行っていた。しかし、具体的な活動内容や判断の理由については開示をしていない企業が3割弱存在した（「取締役会や報酬委員会の活動内容：27%」、「（取締役会／報酬委

【図表 2-58】三菱ケミカルホールディングス：「役員報酬の基本方針」「指標及び指標の選定理由」に関する充実した開示

(i) 報酬原則

取締役と執行役の報酬は別体系とし、以下の考え方に基づき、報酬委員会が決定しております。

■取締役の報酬等の決定に関する基本方針

- 独立かつ客観的な立場から当社の経営を監督・監査するという役割に鑑みて、基本報酬（固定報酬）のみとする。
- 指名委員会等設置会社における取締役の責務を果たすに相応しい人材を確保するため、報酬水準は他社動向や期待する役割・機能並びに職務遂行に係る時間等を勘案して決定する。

■執行役の報酬等の決定に関する基本方針

- 当社グループのビジョンであるKAITEKI実現に向けたKAITEKI経営の3つの基軸（MOS・MOT・MOE）の一体的実践を意識づける報酬制度とする。
- 短期及び中長期の実績と、サステナブルな企業価値・株主価値の向上を促進するインセンティブとして有効に機能する報酬制度とする。
- 当社グループの持続的な成長を牽引する優秀な経営人材の保持・獲得につながる競争力のある報酬水準とする。
- 株主、顧客、従業員をはじめとする全てのステークホルダーへの説明責任を果たすことのできる公正かつ合理的な報酬決定プロセスをもって運用する。

■外部から採用する役員の報酬等の決定に関する基本方針

- 外部から採用する役員の報酬等については、上記基本方針のもとで、出身地・居住地等に鑑みて想定される人材市場における報酬水準・報酬慣行等を考慮し、個別に決定することとする。

2019年度のKAITEKI価値評価に係る主要な指標、選定理由、評価結果等は以下のとおりです。

主要な指標		選定理由	評価割合
MOS	温室効果ガス等の環境負荷削減	地球温暖化の防止につながる省エネルギー活動を積極的に推進するため	10%
	医薬品提供貢献指数	アンメットメディカルニーズへの対応や、適応症及び販売国数の拡大により、人々の生命と健康に貢献するため	
	従業員ウェルネス指数	多様な人材がいきいきと活力高く働ける社会・職場づくりを推進するため	

MOT	新商品化率	研究開発の効率性を高めるため	10%
	特許審査請求率	技術の優位性を高めるため	
	コア技術進化度	先端技術やデジタルトランスフォーメーションへの取組みによる新規コア技術獲得計画を推進するため	
MOE	コア営業利益	本業による稼ぐ力を高めるため	80%
	ROE	企業価値の持続的向上を目指すため	
	フリー・キャッシュ・フロー	次世代への資源配分を賄い、安定的な株主還元と財務健全化のためのキャッシュ・フロー創出力を高めるため	

【参考となる点】

役員報酬の基本方針

- 報酬原則として自社のビジョン（KAITEKI*）を示し、それを意識づける制度とすることを明記している
- 役員の区分ごとに方針を分けて明示している

指標及び指標の選定理由

- 基本方針で示されたビジョンに紐づく指標が業績連動報酬の基礎として選定され、中長期的な企業価値と一貫した報酬プログラムを実現している
- ESG 指標は具体的な内容を明示し、ビジョンと紐づけた納得性のある選定理由を提示している

＊KAITEKI　「人、社会、そして地球の心地よさがずっと続いていくこと」を目指す同社のビジョンを指す。サステナビリティの向上を通して社会的価値向上を追求する経営（MOS）、経済的価値と社会的価値向上に資するイノベーション創出を追求する経営（MOT）、資本の効率化を重視しながら経済的価値向上を追求する経営（MOE）という3つの基軸から推進される。

出所：デロイト トーマツ グループ「役員報酬に関する開示状況調査（2021年）」

員会が）当事業年度における個人別報酬が方針に沿うものであると取締役会／報酬委員会が判断した理由：27%」）。さらには、報酬決定のプロセス自体は開示していたとしても、55%の企業が代表取締役社長等に個人別報酬に関する決定権限を委任しており、そのほとんどが報酬額そのものの決定を一任している**【図表 2-60】**。TOPIX100 という日本を代表する企業群においても、代表取締役への一任の割合は依然多いことがうかがえる。決定プロセスの客観性・透明性向上、報酬ガバナンスの観

【図表 2-59】個人別報酬額の決定権限の委任状況＊

【図表 2-60】代表取締役等へ委任した権限の範囲

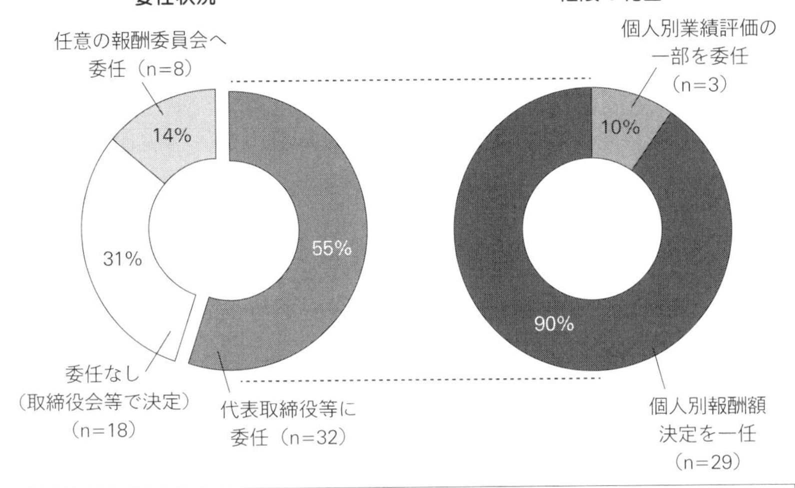

✓ TOPIX100という日本を代表する企業群においても、代表取締役への一任の割合は依然多い。
✓ 決定プロセスの客観性・透明性向上に向けて今後株主との対話が進む中で、代表取締役への一任は廃止の方向となるか、業績評価のみ担うなど権限範囲を縮小することが求められていくと考えられる。

出所：デロイト トーマツ グループ「役員報酬に関する開示状況調査（2021年）」
＊　法定報酬委員会を設置する24社を除いた計58社を集計

点からは、今後株主との対話が進む中で、代表取締役への一任は廃止の方向となるか、業績評価のみ担う等権限範囲を縮小することが求められていくのではないだろうか。

また、報酬委員会の設置そのものは進んでいる状況であるが、具体的な運営がそこまで充実したものとなっていない企業も多い。このため、開示にするだけの十分な内容がないことも背景にあるのではないかと想定される。今後は、今回の開示要請に対応できるよう、各社で報酬委員会に関する取り組みがさらに充実するものと期待したい。

③ 実績に関する項目

開示項目「（業績連動報酬の根拠となる）当事業年度における指標の目標および実績」については、情報開示レベルにばらつきが見られた。先進的な開示の事例では、目標・実績に加え、各指標の目標達成率や重

【図表 2-61】開示要件に対応していない企業の割合（代表取締役への委任有無別）

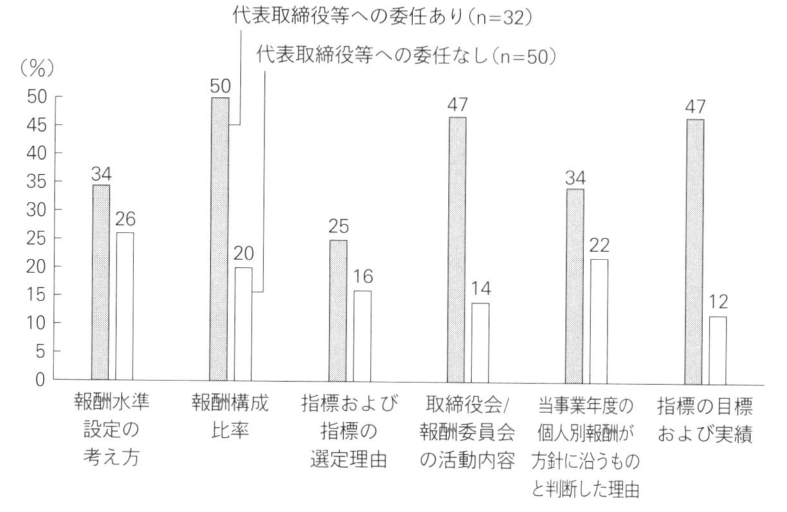

✓ 決定権限を代表取締役等に一任する企業の場合、**報酬プログラムの設計内容がそもそも明文化されない、決定プロセスがブラックボックス化しやすい等のリスク**があり、情報開示レベルの低下につながっているものと推察される。

出所：デロイト トーマツ グループ「役員報酬に関する開示状況調査（2021年）」

みづけ、換算スコアも明示し、インセンティブが機能していることをよりわかりやすく説明する取り組みが見られた（オリンパス等）。一方、目標・実績を記載していない企業は26%であった。ペイ・フォー・パフォーマンス（企業業績と報酬との紐づけ）の前提となる、基本的な開示事項であるにもかかわらず、これだけ多くの企業で開示ができていない状況は非常に興味深い。

【コーポレート・ガバナンス体制と情報開示レベルの関連性】

各項目の開示をしていない企業について、役員報酬に関するコーポレート・ガバナンス体制（機関設計）との関連を分析した。個人別の報酬額の決定権限を代表取締役等に委任している企業は、委任していない企業よりも、開示をしていない割合が多い結果となった**【図表 2-61】**。

また決定権限を代表取締役等に一任する企業の場合、報酬プログラム

【図表 2-62】開示要件に対応していない企業の割合（機関設計別）

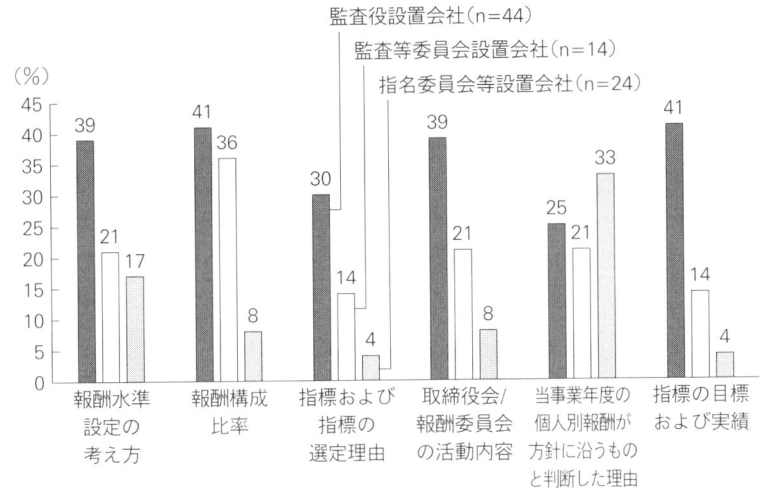

✓ 指名委員会等設置会社（次いで監査等委員会設置会社）では、**執行と監督を分離したコーポレート・ガバナンス体制により、客観性・公平性のある報酬プログラムの設計や透明性のある決定プロセスが担保**され、結果的に情報開示レベルを高く維持できていると考えられる。

出所：デロイト トーマツ グループ「役員報酬に関する開示状況調査（2021年）」

の設計内容がそもそも明文化されない、決定プロセスがブラックボックス化しやすい等のリスクがあり、情報開示レベルの低下につながっているものと推察される**【図表 2-61】**。

注目すべき点としては、機関設計別に見た場合、監査役会設置会社は法令を満たした開示をしていない割合が最も多かった、ということである。指名委員会設置会社、次いで監査等委員会設置会社の順に開示の不足は少なくなる傾向が見られた**【図表 2-62】**。

指名委員会等設置会社（次いで監査等委員会設置会社）では、執行と監督を分離したコーポレート・ガバナンス体制により、客観性・公平性のある報酬プログラムの設計や透明性のある決定プロセスが担保され、結果的に情報開示レベルを高く維持できているものと考えられる**【図表 2-62】**。

以上のことから、日本における役員報酬開示は、我が国を代表する企業であっても、まだまだ法令要件に対応できていない、不十分なレベルにあることがうかがえる。

日本において先進的な取り組みを行っている企業も多々あることが今回の調査でも改めて判明したが、それでもなお米国・英国の開示レベルと比較すると、不十分であるといわざるを得ない。長年の間、そして現在も「日本の役員報酬は諸外国と比較して低い」といわれてきたが、TOPIX100の企業においては、欧米並みの3億～10億円といった報酬を受け取る経営者も多く存在する。そうであるならば、ステークホルダーに対しても客観性・透明性高い開示を行っていくべきではないだろうか。社会格差が拡大していく中、役員報酬に対する批判は年々高まっていくことが想定される。日本においても、報酬開示がさらに進展していくことを期待したい。

【図表2-63】オリンパス：「当事業年度における指標の目標及び実績」に関する充実した開示の例

（3）業績連動報酬の目標・実績

①短期インセンティブ報酬（STI）

執行役に対する2021年3月期を評価対象とする業績連動報酬等である短期インセンティブ報酬（STI）について、各業績評価指標の目標値および実績値は次のとおりです。

業績評価指標	目標値	実績値	達成率	支給率
売上高（20%）	6,695億円	7,154億円	107%	21.4%
一般管理費（20%）	3,842億円	3,589億円	120%	24%
戦略目標（60%）	—	—	111%	66.6%

（注）1. 業績評価指標の戦略目標に関する内容および目標値は前項3-(2)-④のとおり、2020年6月に開示した「2021年3月期に取り組む予定の施策」を中心に設定しています。

2. 売上高：為替調整後、かつ期中に事業譲渡した映像事業分を除く。

3. 一般管理費：為替調整後、かつ期中に事業譲渡した映像事業分およびその他の損益を除く。

1. 支給上限は、前事業年度（2020年3月期）および当事業年度（2021年3月期）の最終30営業日の平均株価により算出したTSRに基づき、131.5%となりました。
2. 以上より支給率は各業績評価指標の支給率の合計112%となりました。そしてこの支給率を実績連動報酬（STI）標準額に乗じ支給額を決定しました。

②長期インセンティブ報酬（LTI）：非金銭報酬等である業績連動型株式報酬（PSU）

2019年3月期までの業務執行取締役、および指名委員会等設置会社に移行した以降2021年3月期までの執行役に対する、2021年3月期を評価対象期間終了事業年度とする非金銭報酬等である業績連動型株式報酬（18PSU）について記します。

1. 18PSUは、中長期の成長性と収益性を高める意欲を刺激しその結果に報いることを目的に、対象期間は3事業年度とし、業績指標として、①売上高成長率の対象期間平均、②親会社の所有者に帰属する当期利益（以下、当期利益）の対象期間合計額としています。対象期間終了時における目標達成度に応じて、0〜150%の範囲で調整した金額に相当する数の当社の普通株式を交付します。
2. 18PSUの各事業評価指標の目標値および実績値は次のとおりです。

業績評価指標	目標値	下限値	実績値	支給率
当期利益の対象期間合計額	2,919億円	1,459億円	727億円	0%
売上高成長率の対象期間平均	6.4%	3.2%	0.2%	0%

（注）1. 当期利益の合計額は、2019年3月期および2020年3月期の映像事業分を含み、2021年3月期は映像事業分を含みません。
2. 売上高成長率の実績値には、全期間を通して映像事業分を含みません。
3. 実績値は目標値の下限を下回るため、支給率は0%となりました。

【参考となる点】

当事業年度における指標の目標及び実績

- 業績評価指標の目標値・実績値とともに達成率・支給率を併記するこ

とで、最終的な支給額がどのように算定されたのか伝わりやすい開示内容になっている

出所：オリンパス 有価証券報告書より抜粋

コラム　役員報酬水準の決定要因―役員報酬の水準は何によって影響を受けるか

筆者らが役員報酬コンサルティングの現場でよく直面するのが、「他社とのベンチマークを行う際に、どのような指標をもとにして比較をするのが正しいのか」という質問である。このような問いに対して、多くの専門家が、「売上規模」「従業員人数」「時価総額」、はたまた「ROE」や「当期利益」といった指標をもとにして決定される、という回答を提供してきたものと考えられるが、確たる自信を持った答えかといえば、必ずしもそうではない、というのが実態ではなかろうかと思われる。

当社は、2002年から継続的に役員報酬サーベイを実施している。2017年度は514社が参加、その後も継続的に増加し2020年度は954社の企業が参加。日系企業の役員報酬データとしては、日本で最多の情報を有している。本コラムでは、これらのデータに統計的な処理を施しながら、個別の報酬情報が特定されない様式で活用することにより、役員報酬の決定要因に関する初期的なアプローチを試みた。

英米とは異なり、経営者報酬に関する個別開示が進んでいない我が国においては、本分野に関する研究は、あくまでも有価証券報告書等に開示された限定的なデータに基づく分析が主であった。このため、役員報酬に関連する統計的な研究について、その実像に迫ることは難しかったというのが実態ではないだろうか。今後当社では、政府・有識者との研究を共同で進めていくことにより、我が国における本分野での研究の発展に寄与したいと考えている。

1. 分析の前提

本コラムで扱っている報酬データは、「役員報酬サーベイ（2017年度版）」に参加する514社のサーベイデータ**【図表2-64、上場企業が97%を占める】**のうち、社長の報酬総額・固定報酬額等をもととしたものである。これらに

ついてクロス集計分析・重回帰分析を通じて、初期的なデータ分析の一部を示している。その上で、**【図表 2-65】**の切り口で分析を行っている。

2. 報酬水準

(1) 相関性の高い指標に関する分析

外国人株主比率・従業員最高年収額・売上高との相関が高い

役員報酬の決定要因を検討するにあたり、まず筆者らは役員報酬水準について、関連性の高い指標（変数）はどのようなものがあるかについて、抽出を試みた。具体的には、社長の報酬額に対して、50 超のさまざまな経営指標や役員報酬サーベイで回答された定性指標との間に、どのような関係性があるかを分析している。この中では、単相関分析、クロス集計分析、重回帰分析といったアプローチを実施した。

この結果、他社との報酬ベンチマークの際に利用する代表的な指標である**「売上高」**の他に、**「従業員の最高年収額」**や**「外国人株主比率」**が、社長の報酬総額との間に正の相関があることがわかった（＝片方の数値が増えると他方の数値も増える）。

まず、役員報酬水準と関連があると考えられる変数である「売上高」「従業員最高年収額」「外国人株主比率」について、報酬総額および固定報酬との相関分析をした**【図表 2-66】**。

このデータから、特に外国人株主比率と固定報酬・報酬総額、従業員最高年収額と固定報酬の相関が高いことが見て取れよう。もう少し全体的な傾向を見るという意味で、固定報酬と外国人株主比率、固定報酬と従業員最高年収額の関係については、散布図にも示している**【図表 2-67、図表 2-68】**。

これらの散布図から、どのようなことが読み取れるであろうか。まず、外国人株主比率の高い企業であればあるほど、固定報酬、ならびに報酬総額が高くなっている。物言う株主の代表ともいえる外国人投資家によって、高い保有比率となっている場合、経営成績に対するプレッシャーは日系機関投資家のそれと比較しても、よりシビアになると考えられる。この結果、社長はそのプレッシャーに打ち勝つべく、高い経営成績をあげ、それに伴う報酬を得ているものと推測される。

別の言い方をすれば、そのような高い経営成績をあげており、高い報酬を得ている経営者のいる企業であるからこそ、外国人投資家が投資を行っているともいえよう。

【図表 2-64】役員報酬サーベイ 2017：参加企業の概要

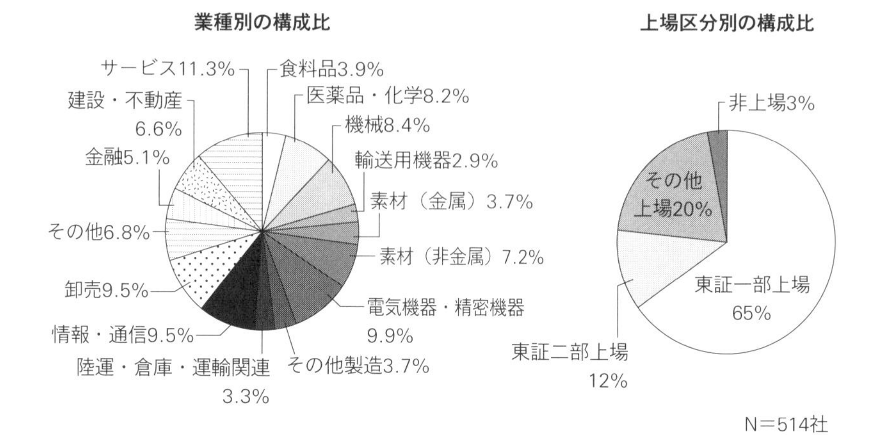

【図表 2-65】分析の手法と観点

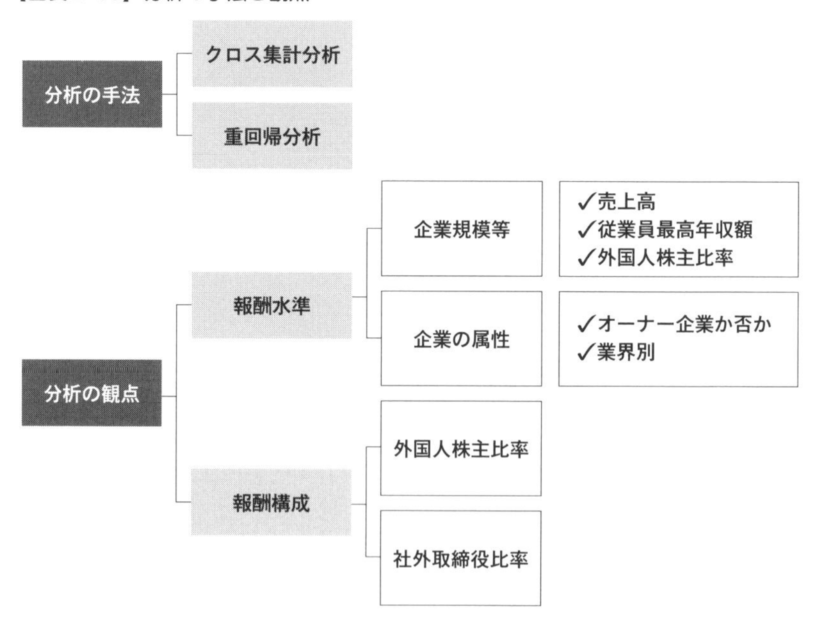

【図表 2-66】社長の固定報酬・報酬総額と各変数の相関係数（全業界）

	売上高	従業員最高年収額	外国人株主比率
社長の固定報酬	0.285	0.475	0.513
社長の報酬総額	0.200	0.379	0.517

【図表 2-67】社長の固定報酬と外国人株主比率の関係性

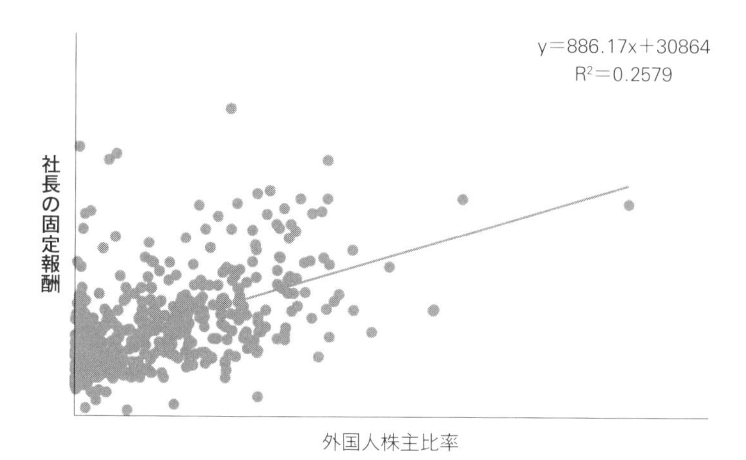

【図表 2-68】社長の固定報酬と従業員最高年収額の関係性

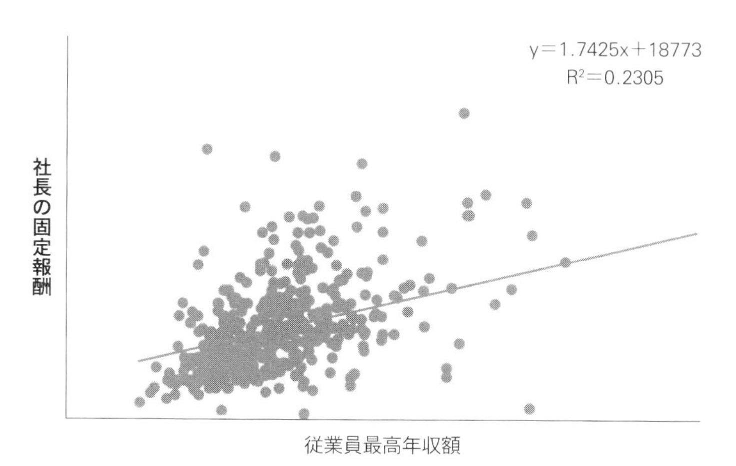

次に、従業員最高年収額と社長の固定報酬が正の相関関係にあるのは、先に説明したとおり、役員報酬の水準を決定する際には、従業員の報酬水準との均衡（内部公平性）が要素として考慮されていることが多いからと考えられる。つまり社員の報酬水準が低い業界であれば、その報酬額を加味した上で、社長の報酬水準が決定されており、報酬水準額の高い業界であれば、それを反映してより高い報酬が提供されているというわけである。

それぞれの指標の分析をさらに後段で深掘りしている。

(2) 企業規模別の分析

規模等の指標の大きさに応じて報酬額が増加

企業規模に応じて、社長の報酬額がどのように変化するのかを分析するために、企業規模を表す指標となる、売上規模別、時価総額別、従業員規模別に社長の報酬総額について、クロス集計した。この結果、企業規模（売上規模、時価総額、従業員規模）が高い企業ほど、社長の報酬総額の平均値、中央値がともに高くなる傾向が見られた。まず**【図表2-69】**の売上高別の社長報酬総額を見ると、縦軸に社長の報酬総額（平均値、中央値、上下10パーセンタイル値、上下25パーセンタイル値を算出）、横軸に売上高を取って、箱ひげグラフを作成している。このグラフから、横軸の変数（売上高）が大きくなるほど社長の報酬総額の中央値が高くなる傾向が見られた。

具体的に見てみよう。売上高100億円未満の社長報酬総額の中央値は、2,400万円となっているが、売上高の規模が大きくなるにしたがって、その報酬額は増加していき、売上高1兆円以上の社長報酬総額の中央値は、9,387万円となっている。これは、社長が担う役割や職務の重要性が加味されたものと考えられるため、納得感のある水準となっている。

次に、**【図表2-70】**の従業員の最高年収額別の社長報酬総額のグラフをご覧いただきたい。従業員の最高年収額とは、いわゆる部長級等で、役員ではない社員の最高年収額を指す。ここには、基本給の他に賞与や1年間当たりの退職金相当の支給額も含まれている。日本企業においては、執行役員を含む役員の地位には、従業員からの内部昇進が前提となっている企業が多い。このため、従業員制度との延長線上に役員報酬が存在していた。役員の報酬額についても内部公平性が重視され、社長であっても、従業員との比較の中で、過度な報酬額が支給されてきたわけではない。従業員報酬の低い企業においては、社長および役員の報酬額も低い傾向にある。具体的に見てみよ

【図表 2-69】売上高別社長報酬総額

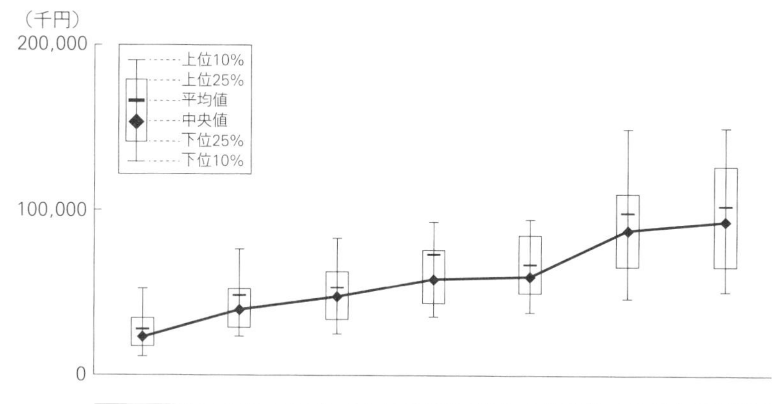

(千円)	売上高 100億円未満	売上高 100億円以上 500億円未満	売上高 500億円以上 1,000億円未満	売上高 1,000億円以上 2,500億円未満	売上高 2,500億円以上 5,000億円未満	売上高 5,000億円以上 1兆円未満	売上高 1兆円以上
中央値	24,000	40,499	48,576	59,150	60,420	88,740	93,870

【図表 2-70】従業員の最高年収額別社長報酬総額

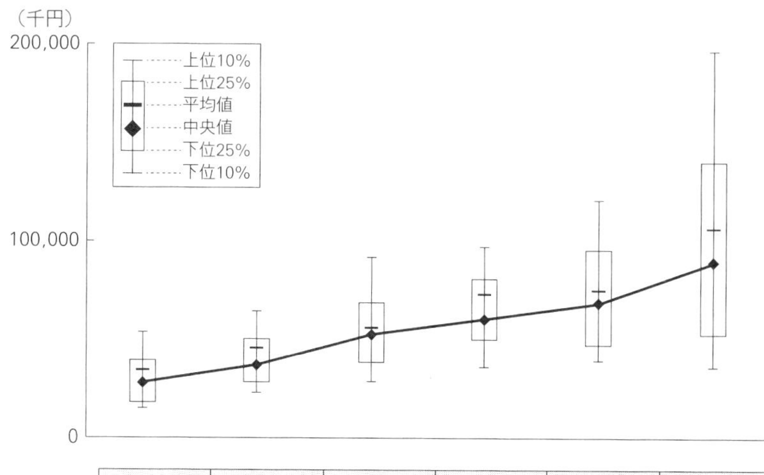

(千円)	従業員 最高年収額 1,000万円未満	従業員 最高年収額 1,000万円以上 1,250万円未満	従業員 最高年収額 1250万円以上 1,500万円未満	従業員 最高年収額 1,500万円以上 1,750万円未満	従業員 最高年収額 1,750万円以上 2,000万円未満	従業員 最高年収額 2,000万円以上
中央値	27,996	37,120	52,900	60,570	68,332	89,161

う。従業員の最高年収額が1,000万円未満の企業であれば、社長の報酬総額の中央値は、2,800万円となっている。一方で、従業員最高年収額が、2,000万円以上の企業においては、社長の報酬総額の中央値は、8,916万円となっている。グラフからも見て取れるように、従業員最高年収額が上がるにつれて、社長の報酬総額も右肩上がりの傾向にある。

過去の役員報酬サーベイの社長報酬総額と従業員の最高年収額との格差はおおむね3〜3.5倍となっており、これらの結果とも整合的である。

日本の一部上場企業のうち、大企業における部長級の報酬額は、企業にもよるがおおむね1,300万〜2,000万円の範囲に収斂する。従業員最高額は、企業の売上や収益水準とも関連する部分もあるが、大企業の経営者であれば、6,000万円以上の水準感になるということが見て取れるであろう。

さらに、**【図表2-71】**の外国人株主比率別社長報酬総額のグラフをご覧いただきたい。外国人株主比率が5%未満の企業では3,240万円となっている一方で、外国人株主比率が30%以上の企業においては7,270万円という水準となっている。

東京証券取引所[21]によると、2017年度の外国人株主比率の平均値は、30.3%となっている。外国人株主比率が平均値以上にある企業は、海外投資家の投資基準に合致した企業であり、それなりの売上規模や収益性、ビジネスモデル等の特徴があると考えられる。

なお、外国人株主比率が高い企業は、総じて企業規模が大きい企業や有名企業が多く、そのため社長の報酬額が高いのではないかとイメージされがちである。しかし、外国人株主比率と売上規模の間には、少なくとも本サーベイに参加した企業の間では相関関係はなく、業界別に見ても、外国人株主比率の中央値が高い業界が、必ずしも売上高の業界中央値が高いわけではない。このことは我々も改めて分析を行った結果、非常に興味深い結果であった。これを示しているのが**【図表2-72】**である。企業の売上高と外国人株主比率に関しては、必ずしも関連性が高いわけではないということが見て取れるであろう。

21　東京証券取引所「2017年度株式分布状況調査の調査結果について」（2018）

【図表 2-71】外国人株主比率別社長報酬総額

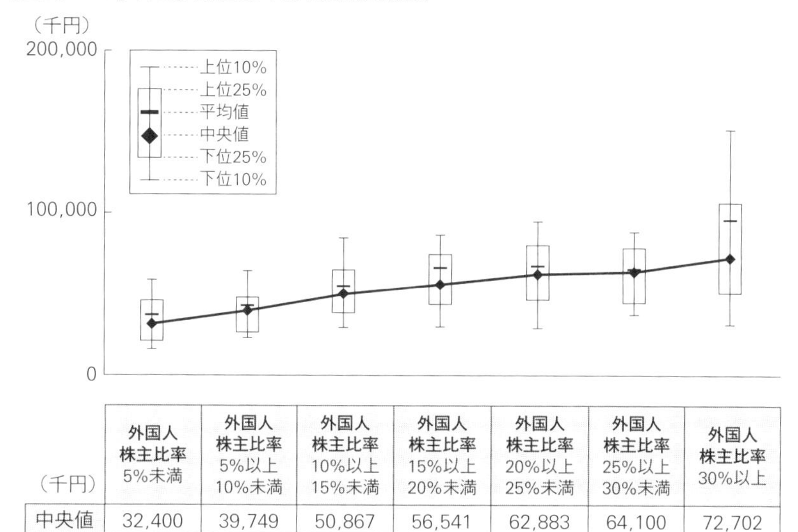

（千円）	外国人株主比率 5%未満	外国人株主比率 5%以上 10%未満	外国人株主比率 10%以上 15%未満	外国人株主比率 15%以上 20%未満	外国人株主比率 20%以上 25%未満	外国人株主比率 25%以上 30%未満	外国人株主比率 30%以上
中央値	32,400	39,749	50,867	56,541	62,883	64,100	72,702

【図表 2-72】売上高と外国人株主比率の関係性

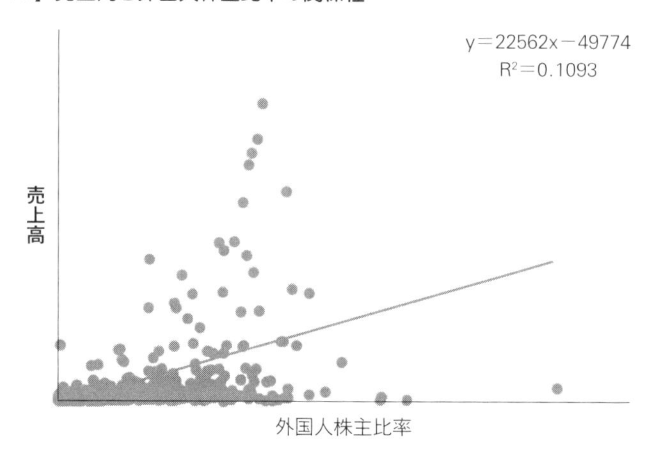

(3) 重回帰分析

外国人株主比率が1%増えると、社長の報酬は173万円増加

ここまでの単回帰分析、クロス集計分析に加えて、さらなる深掘りを行うために重回帰分析を用いて統計的な分析を行った。この結果、前述した三つの変数（売上高、従業員最高年収額、外国人株主比率）に加え、**「明文化された役員評価制度が存在すること」**および**「オーナー企業であること**[22]**」**も、社長の報酬水準に正の影響を及ぼしていることが新たにわかった。

アプローチについて説明する。社長の報酬総額および固定報酬を目的変数、外国人株主比率、従業員の最高年収額、売上高、オーナー企業か否か、明文化された役員評価制度の有無を説明変数として置いた。これら5個の変数は、実務的な観点および統計手法の双方のアプローチから抽出したものであり、50を超えるさまざまな定量・定性的な指標をもとに検討を重ねたものである。

まず**【図表2-73】**の重回帰分析の結果を見ていただきたい。この結果によれば、他の条件を一定とした場合、**外国人株主比率が1%増えると社長の報酬総額は173万円、固定報酬は57万円増加するという結果となった。**

また、同じく他の条件を一定とした場合、オーナー企業であれば、報酬総額は1,444万円、固定報酬は557万円が増加、明文化された役員評価制度があれば、報酬総額は621万円、固定報酬は300万円増加する結果となっている。

役員評価制度が明文化されている会社では、社長の業績が報酬に反映される仕組みが存在するのが通常である。ここ数年は、好調な景気動向から業績が拡大している企業が多く、役員評価制度が明文化されている企業ではそうした状況が報酬にタイムリーに反映された結果、金額にプラスの影響を与えているものと考えられ、これらの内容は役員報酬コンサルティングの実務を行っている筆者らの実感とも合致する。

また、「オーナー企業か否か」が経営者の報酬決定に影響を与えるという観点は、従来あまり意識されてこなかったのではないだろうか。こちらの関係性については、もう少し考察を深めてみたい。

22　本分析においては、上場企業のうち、「代表者（社長）」「会長」の名字（もしくは氏名）が、有価証券報告書（半期報告書含む）中の大株主情報に含まれるケースを「オーナー企業」として定義し、定量的な株式保有割合によらず実質的なオーナー企業であるかどうかを見て判断を行った。

【図表 2-73】重回帰分析の結果

目的変数	社長の報酬総額			社長の固定報酬		
説明変数	非標準化係数	標準化係数	t値	非標準化係数	標準化係数	t値
• 切片	−5052.593	—	−0.749	12215.297	–	4.712***
• 売上高	0.004	0.067	1.632*	0.004	0.172	4.492***
• 従業員の年収最高額	1.652	0.190	4.497***	1.062	0.298	7.525***
• 外国人株主比率	1734.694	0.414	9.251***	568.373	0.331	7.888***
• 明文化された役員評価制度の有無	6209.408	0.087	2.220**	3009.698	0.103	2.800***
• オーナー企業フラグ	14439.483	0.128	3.280***	5566.438	0.121	3.290***
調整済みR2	0.311			0.392		

＊＊＊:1%水準で有意、＊＊:5%水準で有意、＊:10%水準で有意

まず前提として、オーナー企業においては、当該オーナーが役員報酬の決定プロセスに深く関与していることが多いと想定される。社外取締役や報酬委員会の有無は、各社によって「外形的には」さまざまな状況にある。しかし実務上、役員報酬決定がどのように行われているかということを鑑みると、（各社の考え方によって差異は大きいものの）一般には、オーナー自身にメリットのある形で報酬決定が行われるケースが多い。ある意味では、社外取締役たちが、オーナー経営者に対して忖度するという事象が存在しているともいえよう。この結果から、オーナー企業の方が、創業者やその一族が報酬決定に対しても大きな影響力を持ち、自身や関係者にとってメリットがあるように報酬を高い水準に設定しているのではないかということが推察される。また、規模の小さな企業ほど、経営に対する創業者の影響力が強いため、報酬をより高めに設定しやすいのではないかと推察されよう。

さらに深掘りするため、企業規模別にオーナー企業と非オーナー企業の社長報酬総額を比較したのが、**【図表 2-74】**である。

この結果、売上高 1,000 億円未満の企業では、**オーナー企業の報酬総額の中央値は 4,005 万円となっており、非オーナー企業の 3,420 万円よりも高い水準となっている。**また売上高 1,000 億円以上の企業では、オーナー企業の中央値は 6,433 万円と、非オーナー企業の 6,563 万円よりも若干低いもの

【図表 2-74】売上規模別オーナー企業・非オーナー企業社長報酬総額

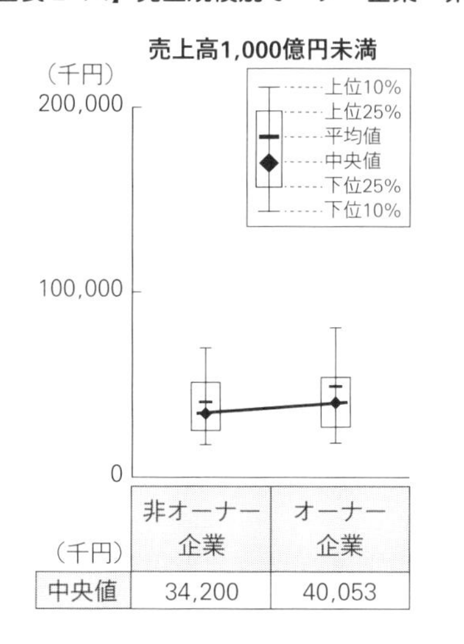

（千円）	非オーナー企業	オーナー企業
中央値	34,200	40,053

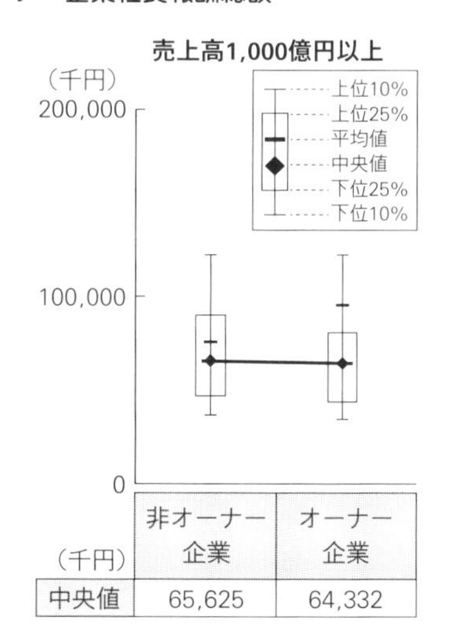

（千円）	非オーナー企業	オーナー企業
中央値	65,625	64,332

の、平均値はオーナー企業が非オーナー企業を大きく上回る結果となった。平均値が中央値を上回っているのは、一部の企業の数値が突出して高いことが原因と考えられる（つまり、極端に高い報酬額を受け取るオーナー企業が存在していることを意味する）。さらに別の観点からの分析として、平の取締役を１とした場合の社長の報酬水準を算出したところ、オーナー企業の社長の報酬水準の方が非オーナー企業と比べて20%高いという結果が出た。こうした役位間の格差からも、オーナー企業における報酬決定のバイアスの一部が垣間見えるのではないだろうか。

(4) 業界別分析

社長の報酬水準は、業界別に異なる

続いて、業界別の報酬水準という観点で、社長の報酬総額を見ていきたい。まず縦軸に社長の報酬総額、横軸に各業界を取って箱ひげグラフを作成し、中央値が高い業界が左、低い業界が右に並ぶように配置した。上位３業界は上から順に金融、医薬品・化学、輸送用機器、下位３業界は下から順に建設・不動産、情報・通信、小売であった【図表 2-75】。もちろん、ここまで見たとおり、役員報酬サーベイに参加している企業の規模感によって影響されるということはあるだろう。しかし、以下のグラフは各業界における平

【図表 2-75】業界別社長報酬総額

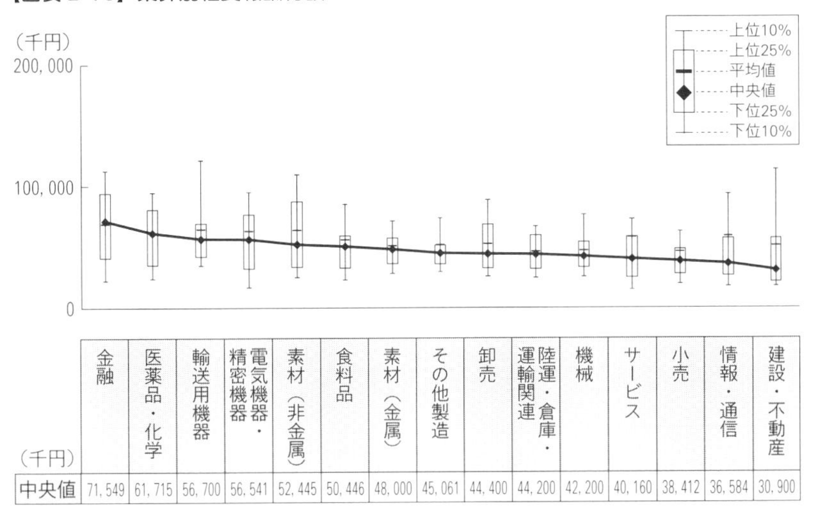

（千円）	金融	医薬品・化学	輸送用機器	電気機器・精密機器	素材（非金属）	食料品	素材（金属）	その他製造	卸売	陸運・倉庫・運輸関連	機械	サービス	小売	情報・通信	建設・不動産
中央値	71,549	61,715	56,700	56,541	52,445	50,446	48,000	45,061	44,400	44,200	42,200	40,160	38,412	36,584	30,900

均報酬額の多寡ともほぼ整合しており、金融や医薬品・化学、輸送用機器といった企業についてはやはり社長報酬額は高くなっている。

さらに、役員報酬との関連が高い指標について、業界ごとに、社長の報酬総額および固定報酬と、外国人株主比率、従業員の最高年収額、売上高の相関係数を算出している**【図表 2-76】**。

全業界のデータで分析すると外国人株主比率のみ相関係数が 0.5 を超える状況であった（固定報酬が 0.513、報酬総額が 0.517）が業界別のデータで分析した場合は、報酬総額との相関係数を見た場合、全 15 業界中、従業員最高年収額および外国人株主比率は 9 業界、売上高は 7 業界において相関係数が 0.5 を超えた。また、そのうち従業員最高年収額および外国人株主比率は 3 業界、売上高は 4 業界において相関係数が 0.7 を超えた。

これらから読み取れることは、**業界によっても、役員報酬に影響を与える変数が異なる**ということである。すなわち、本サーベイであれば、「食料品」「輸送用機器」「陸運・倉庫・運輸関連」業界のように売上高や従業員最高年収額、外国人株主比率の影響を受けやすく、それに応じて社長の報酬額が変わる業界もあれば、一方で「金融」業界はこれらの変数の影響を受けにくく、社長の報酬額は、金融業界内で、横並びであるということが理解できる。

【図表 2-76】社長の固定報酬・報酬総額と各変数の相関係数（業界別）

業界	区分	売上高	従業員最高年収額	外国人株主比率
食料品	社長の固定報酬	0.838	0.682	0.755
	社長の報酬総額	0.867	0.743	0.682
医薬品・化学	社長の固定報酬	0.542	0.476	0.623
	社長の報酬総額	0.698	0.650	0.738
機械	社長の固定報酬	0.425	0.586	0.457
	社長の報酬総額	0.413	0.484	0.587
輸送用機器	社長の固定報酬	0.773	0.894	0.543
	社長の報酬総額	0.781	0.784	0.717
素材（金属）	社長の固定報酬	0.646	0.393	0.333
	社長の報酬総額	0.587	0.447	0.433
素材（非金属）	社長の固定報酬	0.477	0.708	0.734
	社長の報酬総額	0.543	0.749	0.688
電機・精密	社長の固定報酬	0.293	0.436	0.435
	社長の報酬総額	0.305	0.604	0.448
その他製造	社長の固定報酬	0.033	0.393	0.222
	社長の報酬総額	−0.087	0.248	0.041
陸運・倉庫・運輸関連	社長の固定報酬	0.705	0.525	0.618
	社長の報酬総額	0.714	0.608	0.653
情報・通信	社長の固定報酬	0.258	0.470	0.535
	社長の報酬総額	0.164	0.170	0.829
卸売	社長の固定報酬	0.550	0.053	0.478
	社長の報酬総額	0.449	0.247	0.536
小売	社長の固定報酬	0.222	0.731	0.663
	社長の報酬総額	0.217	0.666	0.644
金融	社長の固定報酬	0.274	−0.050	0.108
	社長の報酬総額	0.494	0.056	0.185
建設・不動産	社長の固定報酬	0.403	0.808	0.330
	社長の報酬総額	0.799	0.556	0.454
サービス	社長の固定報酬	−0.010	0.430	0.335
	社長の報酬総額	−0.014	0.567	0.339
全業界（参考）	社長の固定報酬	0.285	0.475	0.513
	社長の報酬総額	0.200	0.379	0.517

0.7を超える　　0.5を超える

3. 報酬構成

外国人株主比率・社外取締役比率が高いほど、変動報酬比率が高い

次に、社長の報酬構成割合についても、対象企業によってどのような差異があるのか分析を行った。本分析の前提として、サーベイの参加企業のうち、短期インセンティブと長期インセンティブの制度の双方を有し、調査年度においていずれも1円以上の支給実績が存在した企業のみを対象に集計している。

その上で、いくつかの指標で特徴が見られた、外国人株主比率、社外取締役比率、報酬委員会の年間開催回数別に固定報酬、短期インセンティブ、長期インセンティブの割合を示している。

まず、社長の報酬構成割合を外国人株主比率別に比較すると、外国人株主比率が40%以上と最も高いグループにおける固定報酬比率は、60%となっている。これは最も低いグループ（0%以上20%未満）の固定報酬比率66%よりも低く、外国人株主比率の高い企業群の方が、変動報酬（短期インセンティブ＋長期インセンティブ）の割合が大きい**【図表2-77】**。

同様に、社外取締役比率が最も高いグループ（50%超）では、固定報酬比率は61%となっている。一方最も低いグループ（0%超33%以下）では、固定報酬比率が63%となっており、わずかではあるが、変動報酬の割合がガバナンスの進展度に応じて異なっている結果となった**【図表2-78】**。

役員の立場からすると、リスクの高い報酬要素（変動報酬部分）の比率は、できれば低く抑えたいと考えるだろう。このため、社外取締役や外国人株主の比率が低く、外部の目があまり入らない場合は、役員のリスク回避意識が報酬構成にも反映され、変動報酬比率が低くなっているものと考えられる。

一方で、社外取締役や外国人株主の比率が高く、外部の目がより多く入ってくる場合は、あるべき報酬構成にすべきという意識や要請がより強く働いており、結果として変動報酬比率が上がるのではないかと考えられる。

報酬委員会を年４回以上実施する企業では、変動報酬比率が高い

また報酬委員会の開催回数により、報酬構成に差があるかどうかについても比較を行っている。

報酬委員会の実施回数が年４回以上のグループの固定報酬比率は62〜63%、最も実施回数が少ないグループ（年１回）では、65%という結果とな

【図表 2-77】外国人株主比率別の社長報酬構成

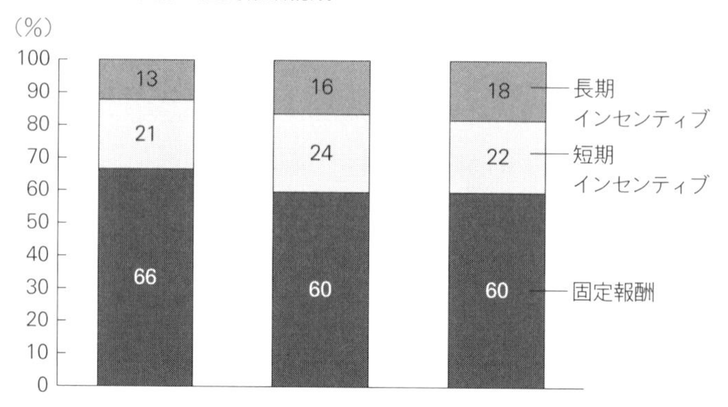

	0%以上 20%未満	20%以上 40%未満	40%以上
固定報酬	66%	60%	60%
短期インセンティブ	21%	24%	22%
長期インセンティブ	13%	16%	18%

【図表 2-78】社外取締役比率別の社長報酬構成

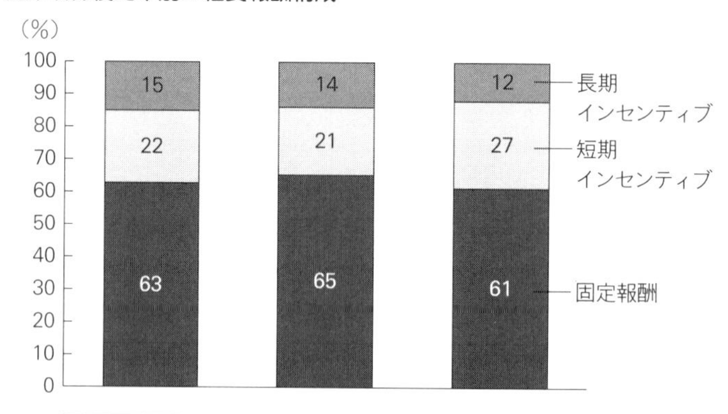

	0%超 33%以下	33%超 50%以下	50%超
固定報酬	63%	65%	61%
短期インセンティブ	22%	21%	27%
長期インセンティブ	15%	14%	12%

【図表 2-79】報酬委員会の開催回数別の社長報酬構成

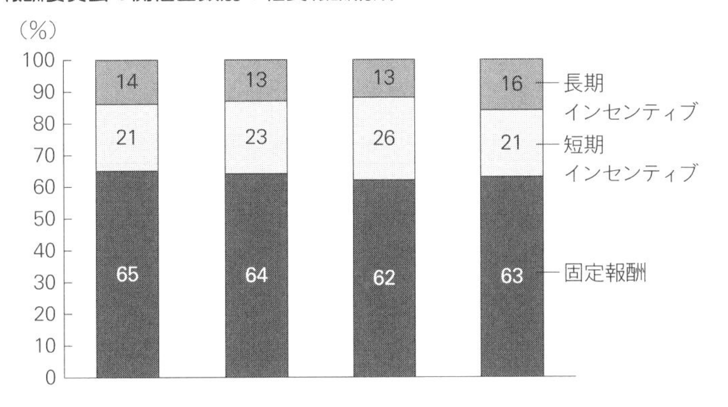

	1回	2〜3回	4〜5回	6回以上
固定報酬	65%	64%	62%	63%
短期インセンティブ	21%	23%	26%	21%
長期インセンティブ	14%	13%	13%	16%

った。報酬委員会の実施は、企業全体でもまだ約 40%しか設置されていないため、この差異がどのような意味を持つかを結論付けることは時期尚早であるように思われる。しかし一般に、社外取締役比率や報酬委員会の開催回数が多い企業はガバナンス強化に積極的な姿勢を取っていると考えられよう。このため、役員報酬の構成においても固定報酬比率を抑え、中長期的な変動報酬の割合を高めていくという方向に向かっていくものと考えられる**【図表 2-79】**。

以上、役員報酬に関する実データを用いて、初期的な分析結果についてここまで見てきた。今回の分析結果をまとめると以下のとおりである。今後さらなる詳細な分析・研究を進めることで本分野における統計的・学術的な研究がさらに進展することを期待したい。

〈ポイント〉

- 社長の報酬総額は、売上高・従業員の最高年収額・外国人株主比率によって大きく影響を受けている
  - 企業規模が拡大するにつれて、報酬額は増加する傾向にある

- 外国人株主比率が1%上昇すると、173万円増加する
- 明文化された役員評価制度がある企業とない企業とでは621万円の差異がある
- オーナー企業の場合、そうでない企業と比較して1,444万円の差異がある

- 社長の報酬構成についても、外国人株主比率、社外取締役の比率、報酬委員会の実施回数に応じて、変動報酬比率が異なる
  - 外国人株主比率・社外取締役比率が高い企業ほど、変動報酬比率が高くなる傾向にある
  - 報酬委員会を年間4回以上実施する企業では、変動報酬比率が高くなる傾向にある

第3章

役員指名

第1節　本章の意義

本章では、2018年以降大きく注目を浴びている役員の指名制度[1]に関連して、特に後継者計画（以降、サクセッションプラン）の策定および選解任基準に関して、その考え方や設計の方法について説明する。2015年にコーポレートガバナンス・コードが適用開始されて以降、役員報酬の見直しや、その手続きとしての指名・報酬委員会の設置といった取り組みが、各社において進められてきた。

その後の各社の取り組みの進展は、日本企業のコーポレート・ガバナンスのあり方に大きな変化をもたらしたといえよう。一方で、企業価値の中長期的な向上を実現する上で特に重要となる、社長・CEOのサクセッションプランや、社長・CEO及びその他経営陣幹部の選解任基準の整備については、各社の取り組みが非常に鈍い状況にあり、経済産業省を中心とするコーポレートガバナンス・コード改訂検討の過程では、この状況を打破する必要があるとの指摘がなされた。

これらをふまえ、2018年6月のコーポレートガバナンス・コード改訂においては、主要変更点の一つとしてCEOのサクセッションプランおよび選解任基準等に関する取り組みが強く要請されることとなった。

欧米の上場企業においては、CEOを含むサクセッションプランの作成は、投資家に対する説明責任の一環として、当たり前のものとして実

1　2016年にセコムや大戸屋等、さまざまな企業において社長の後継者をめぐる手続きに関して、公平性・透明性を確保することの必要性が改めて浮き彫りとなった。2019年にはLIXILでの社長交代に関して株主からの質問が相次ぐなど、選任をめぐるガバナンスに関して、高い注目が集まっている。

施されている。一方、日本においてサクセッションプランといった場合、その多くは「次世代リーダーの育成」という名のもと、役員候補や部課長層の育成に留まるケースが多い。そこで本章では、これまで当社が行ってきたサクセッションプランの策定や選解任基準等、役員指名に関する支援から得た知見やノウハウをもとに、同プランの策定に向けた考え方とその流れについて、紹介していく。

また2021年のCGコード改訂をふまえた、役員指名におけるスキル・マトリックスについては、第5章にて説明する。

第2節　日本における役員指名の現状と課題

第1項　社長・CEOの選任に関する実情

少し思い浮かべていただきたいが、皆さんの会社では、社長の後継者はどのようにして選ばれているだろうか。明確に決まっている企業もあれば、そうでない企業も多いだろう。

従来、日本企業における社長の選任プロセスは、現社長が自分自身の後継者を選任する、という半ば暗黙的な専権事項とみなされていた。このため、次期社長の選任に際しては、現社長から会長や相談役等のOBへ事前相談を行い決定するということが一般的であったといえよう。また、社長に問題がある場合でも、解任が適切に行われないというガバナンス面での課題もあった。実際に、2018年に行われた経済産業省による調査の結果では、「社長・CEOの後継者の計画（サクセッションプラン）」について、「何らかの文書として存在している」企業はわずか11%にとどまることが明らかになっている**【図表3–1】**。

つまり、日本においては、現役のCEOが後継者を指名する形式が従来は一般的であり、明確な選任基準は存在しなかったといえよう。このため、CEOに必要な資質を持つ人材が、現役のCEOの後継者として選任されているかが不透明であるという指摘がなされていたのである。

同様に、解任に関しても、解任基準を整備していない企業が大半であったため、業績の不調等、仮にCEOに問題があると認められる場合においても、必ずしもCEOの交代が何らかの基準にしたがって行われて

【図表3-1】CEOのサクセッションプランが存在していない企業が約9割となっている

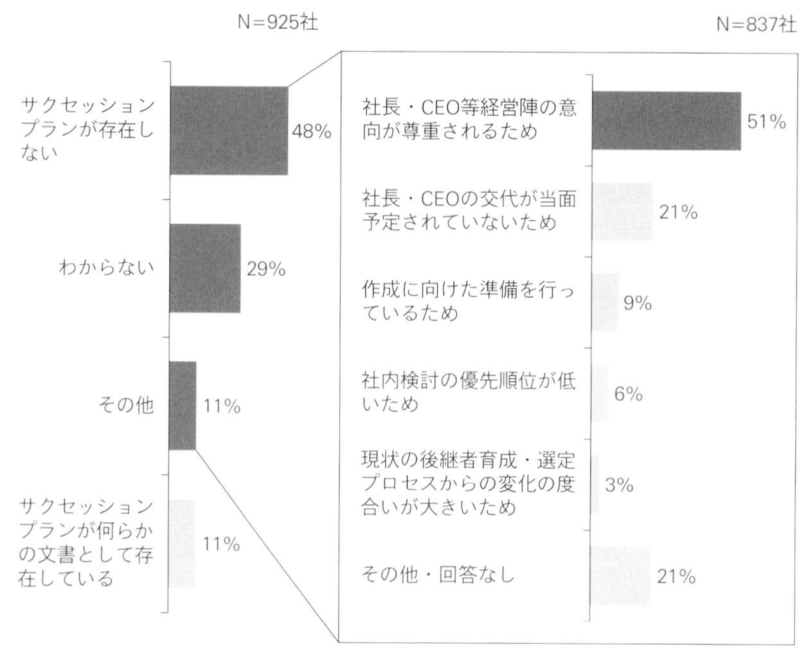

出所：経済産業省「平成29年度コーポレートガバナンスに関するアンケート調査」(2018)

いたわけでなかった。

併せて、サクセッションプランを作成していない理由を尋ねた結果では、「後継者については、社長・CEO等経営陣の意向が尊重されるため」が51%と過半数を占めている。これはまさに、「経営トップの後継者を選ぶのは、自分たち自身であり、外野に口出しされるべきものではない」という企業経営者の本音を、反映したものと考えられる。

さらに同調査結果を見ると、任期満了時に、社長・CEO自身の再任を決定するのは、「社長・CEO自身」(39%) が最も多くなっており、適切な判断のもとで再任が実施されているのかも不透明な状況にある。加えて、社長・CEOの任期途中での解任に関して「基準がない」と答えた割合は82%に上っていた**【図表3-2】**。

一方、社長・CEOの選出や評価を議論するための会議体として、指

【図表3-2】任期満了時に再任するかどうかを決める主体

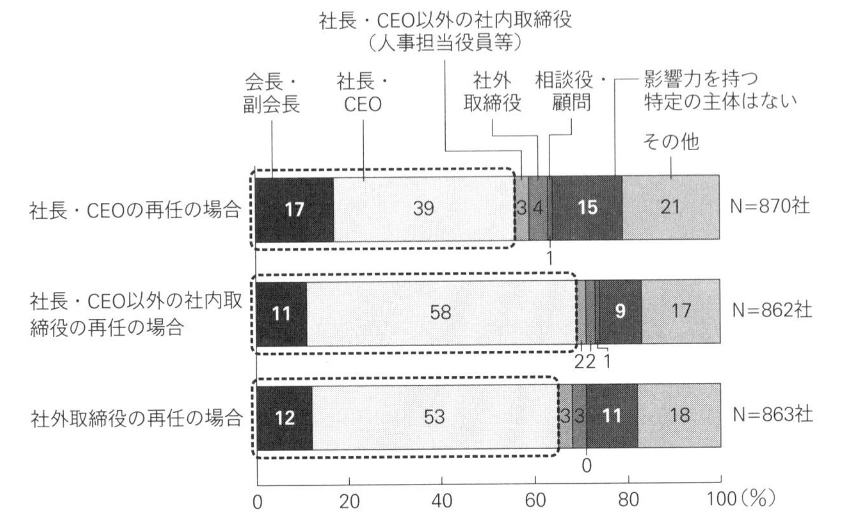

出所：経済産業省「平成29年度コーポレートガバナンスに関するアンケート調査」（2018）

名または報酬委員会を活用する企業も多いが、東証の調査によれば、これら委員会の設置率は2021年8月現在でも、約7割という現状にある。また、指名委員会の開催頻度は、当社の調査（「役員報酬サーベイ（2020年度版）」）によると、「年間1～2回開催」の企業が約5割を占めており、まだまだ形式的な議論に留まっているのが実態である。

第2項　社長・CEO後継候補者の育成をめぐる指摘

CEOの後継者育成には、一般に10年以上の長い期間を要する。そもそも日本のCEO就任年齢は、米国ストラテジー・アンド（Strategy &）の調査によれば平均61歳となっており、世界平均の53歳と比べて8歳も高い（この年齢は調査対象国の中で最高齢である）。またグローバルでは、CEO在任期間は平均6～7年程度である一方、日本企業のCEO在任期間は平均4～5年と比較的短い。

真に企業価値を向上させる経営を行うためには、経営トップを担い得る優秀な人材が、体力・気力・能力の充実している時期にCEOのポジションに就き、中長期的な目線で企業経営に取り組む必要がある。しかしながら日本企業では、そもそもCEO就任年齢が高すぎる（就任が遅すぎる）上に、選抜・育成の対象が部課長であることから、その開始時期が遅い（40代がボリュームゾーン）ことに問題があった。

以上のことから、日本企業ではCEOポジションへの就任年齢を早めると同時に、選抜・育成の取り組みも30代あるいは20代後半から始めるべきではないか、という点が指摘されている。

こうした背景をふまえた上で、2018年および2021年に実施されたコーポレートガバナンス・コード改訂のうち、CEOのサクセッションプランおよび選解任に関連する部分の要旨を確認してみよう。ポイントは次の3点である。

まず1点目は、取締役会が「CEOの後継者計画の策定・運用に主体的に関与するとともに、後継者候補の育成について、十分な時間と資源をかけて計画的に行われていくよう監督すること」（補充原則4-1③）である。

2点目は、取締役会が「CEOの選解任に関して、客観性・適時性・透明性ある手続きを確立し、その資質を十分に持つ人材が選任されるようにすべき」（補充原則4-3②および③）という点である。

そして、3点目は、「独立社外取締役が過半数に達していない場合には、経営陣幹部・取締役の指名（後継者計画を含む）・報酬などにかかる取締役会の機能の独立性・客観性と説明責任を強化するため、（中略）独立した委員会を設置することにより、（中略）ジェンダー等の多様性やスキルの観点を含め、これらの委員会の適切な関与を得るべきである」（補充原則4-10①）として、指名委員会・報酬委員会等の活用が明記された点である。以上の改訂に基づき、指名に関して、各企業が今後検討すべきポイントは、以下3点に集約される。

①CEO（および役員）のサクセッションプランの策定→第3章
②CEO（および役員）の選解任基準の策定→第3章
③指名委員会等の設置・活用を通じた指名・報酬に関する独立社外取締役の関与→第4章、5章

これまで述べてきたとおり、日本企業では、CEO・役員のサクセッションプランや選解任基準の作成は、なおざりとされてきたのが実態であった。2018年のコーポレートガバナンス・コード改訂では、この点

に対してメスを入れることが特に意識されていたことが理解いただけるだろう。

さらに2021年の改訂では、ジェンダー等の多様性やスキルの観点を含め、より多様な価値観を反映した選任が行われることが期待されている点も注目すべきポイントである。

第3項　サクセッションプラン設計の考え方

ここでは、サクセッションプランの具体的な設計方法を説明する前に、①全体像、②用語の定義、③サクセッションのタイプ、④検討ステップという四つについて説明したい。なお本項の前提として、多くの企業においてサクセッションプランや選解任基準が存在しない、もしくは今後さらにブラッシュアップが必要と考えている企業向けの説明を記載している。またCEOという記載は経営トップという位置づけであることを指す。したがって多くの企業においては社長職に該当するであろうし、場合によっては会長職がそれに該当する企業もある。

(1) 指名制度・後継者計画の設計に関する全体像

まず、役員指名の全体像および導入後のサクセッションプランのライフサイクルを通じて、サクセッションプランの全体像を把握していただきたい。**【図表3-3】**にあるとおり、最初のポイントとなるのは、指名・後継者計画の検討にあたっての「①方針」である。特に指名に関する考え方や、その前提となる運用体制として、指名委員会等をどのように活用するかの検討等が必要となる。その上で具体的な「②手続き」として、求めるCEO・役員像の検討や後継候補者を選ぶにあたっての人材プールのあり方、選解任基準・方法や、その具体的な手続きのプロセス（指名委員会や取締役会の関与）といった一連の進め方について検討することとなる。そして、最後に「③情報開示」として、これまでに検討・整備した内容に関して情報をどの程度開示していくかを検討する。この一連の流れを理解することが重要だ。

これらを検討した結果、サクセッションプランや選解任基準がどのように実務として動いていくのだろうか。先に全体のイメージをつかむために、社長・CEOを含めた役員のサクセッションプラン導入後、具体

【図表 3-3】役員の指名に関する全体像

項目	具体的に検討すべき内容	対応する コーポレートガバナンス・コード
①方針	1-1. 運営体制の検討 1-2. 指名・育成方針の検討	• 原則3-1：経営陣幹部の選解任・取締役・監査役候補指名に関する方針・手続き • 補充原則4-10①：指名・報酬委員会の活用 • 補充原則4-11①：スキル・マトリックスの活用 • 補充原則4-14②：取締役・監査役に対するトレーニング方針 • 補充原則2-4①：中核人材の登用等における多様性の確保
②手続き	2-1. 求めるCEO・役員像の検討 2-2. サクセッションプランのプロセス検討 2-3. 後継候補に関する人材プールの検討 2-4. 後継者育成の考え方・計画の検討 2-5. 選解任基準・プロセスの検討 2-6. 選抜方法の検討	• 補充原則4-1③：CEOの後継者計画策定・運用 • 補充原則4-3①：経営陣幹部の選解任 • 補充原則4-3②：CEOの選解任 • 補充原則4-3③：CEOの解任手続き
③情報開示	3-1. 開示方針の検討 3-2. 開示内容の検討	• 原則3-1：経営陣幹部の選解任・取締役・監査役候補に関する指名の際の個々の選解任・指名に関する説明 • 補充原則4-14②：取締役・監査役に対するトレーニング方針

的に期初・期中・期末で、どのようなプロセスを行うのかを示したものが**【図表 3-4】**である。

サクセッションプランを設計後、まず、期初で「後継候補者の特定」を実施する。すでに作成済みの役員人材要件をふまえ、人材プールの候補者を見直した上で、社内・社外の候補者を抽出する。その上で、候補人材を確定する。次に、期中では「後継人材の育成」を行う。候補者育成計画の立案を行った上で、個人別のプロファイルをアップデートする。個別の育成計画に基づいて、毎年育成を行い、それらについてモニタリングを行う。その後、期末において、次年度の体制をふまえ、後継人材候補者の評価・指名を行っていく。こういった一連の流れを毎年き

【図表 3-4】サクセッションプラン導入後の運用プロセス（ベストプラクティス）

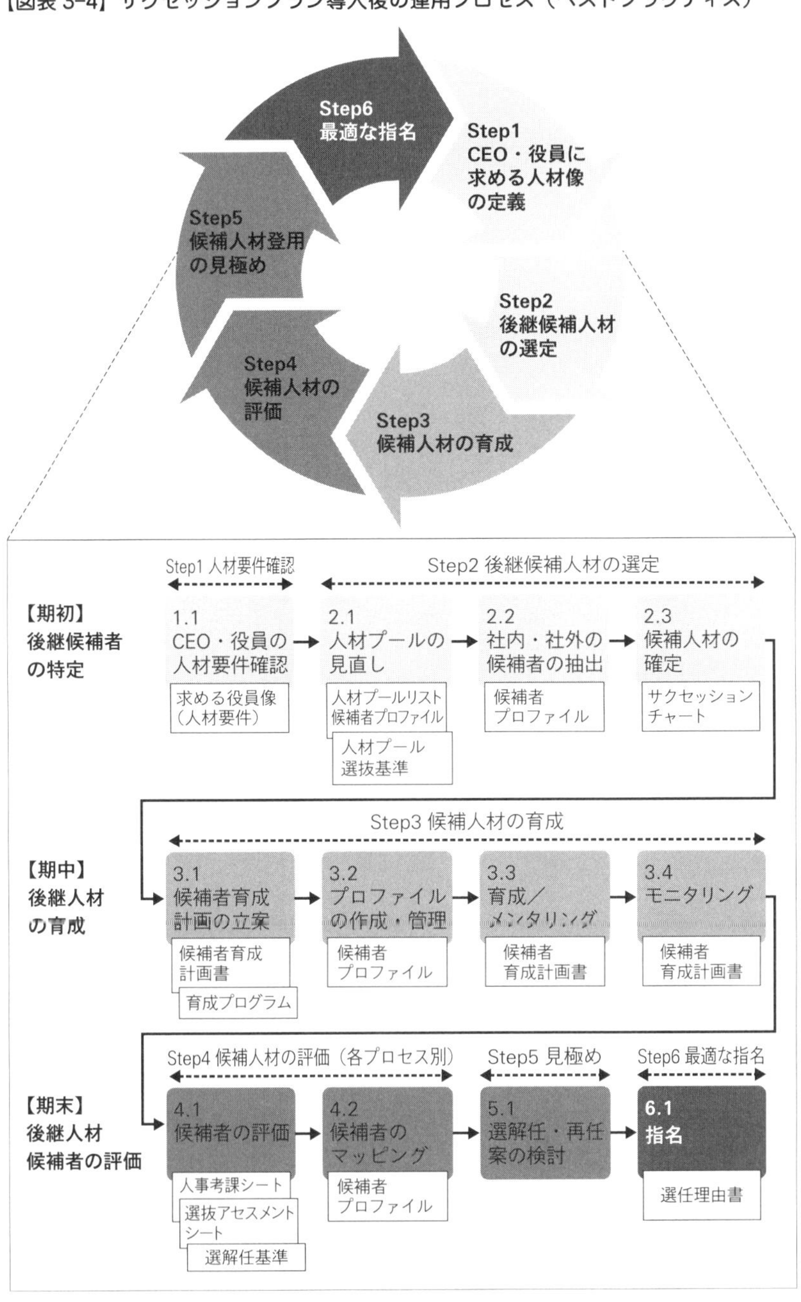

っちりと運用していくことで、後継者人材を十分に確保していくのである。

とはいえ、最終的にはこのような形がゴールであるとしても、スムーズな運営は一足飛びには実現できない。なぜなら、CEOをはじめとする役員のサクセッションプランは、単年度で終わるものではなく、5〜10年の長期にわたる取り組みだからである。このため継続的に運営を行うための方針と、その手続きとなるプロセスおよび育成計画・育成状況の文書化といった一連の仕組みが必要となる。サクセッションプランでは検討項目が膨大となる上に、それぞれの関与者が非常に多い。このため、全体像や最終的にどのようなことを実施するかをイメージした上で、以降で説明するような設計を進めていく必要がある。

(2) 用語の定義

次に、役員指名の際によく使用される用語の定義について確認をしておきたい**【図表3-5】**。

まず選抜であるが、サクセッションの文脈では、二つの意味合いで用いられる。一つめは「人材プールへの選抜」で、「一定の候補者層から、後継候補者として人材プールに入れること」を指す。二つめは、「選任に向けた選抜」で、「一定の候補者層から、特定のポジションに対する候補者としてさらに絞り込みを行うこと」を指す。

次に、選任とは「ある一定の人材層から、対象となるポスト・役位」に就任する人物として選ばれ、実際に任用されることを指す。さらに再任とは、「一度対象となるポストに就いた人物が、所定の任期を経た後、次の任期においても継続して、当該ポストに任用されること」を指す。重任という言葉もあるが、これは登記上の記載で、「退任と就任を時間的間隔を置かず（同日に）行うこと」を指す。

最後に、解任とは「対象となる任務・職務を辞めさせること」を指す。こちらは周囲から当該人物を辞めさせるという点で、自らの意思で当該役位・職位を辞する、辞任とは異なっている。

また会社法上、取締役の解任は、株主総会の普通決議（会社339条）をもって、解任が必要となる。このため現実論として、法的な要件に則る形ではなく「再任しない」、もしくは「辞任」という形をもって、実質的な解任という意味合いで用いているケースもある。

【図表 3-5】選抜・選任・再任・解任

項目	定義	根拠条文
選抜	• 人材プールへの選抜：一定の候補者層から、後継候補者として人材プールに入れること • 選任に向けた選抜：一定の候補者層から、特定のポジションに対する候補者としてさらに絞り込みを行うこと	—
選任	• ある一定の人材層から、対象となるポスト・役位に選ばれ、任用されること ▶「社長」「取締役」「執行役員」のポスト・役位に新たに就任させること ※選定…ある種類の役職に就いている人の中から選ぶこと（例：代表取締役は取締役の中から選ぶ）	• 取締役の選任 会社329条1項 • 代表取締役の選定 会社362条2項3号、3項 • 重要な使用人（執行役員）の選任 会社362条4項
再任	• 一度対象となるポストに就いた人物が、所定の任期を経た後、次の任期においても継続して、当該ポストに任用されること ▶現任の「社長」「取締役」「執行役員」の実績等（再任基準）から判断し、当該ポストへの在任を継続させること ※重任…退任と就任を時間的間隔を置かず（同日に）行うこと。登記上の記載	※選任と同様
解任	• 不祥事・懲戒等の理由から、対象となる任務・職務を辞めさせること ▶現任の社長の実績から判断し、社長在任が困難であるとして社長の職から解くこと ※辞任…自らの意思により、当該職位または役位を退くこと ※解職…当該職位から解かれてもなお、他の職位が残る場合に用いる（例：代表取締役の職位から解き、取締役としては残る）	• 取締役の解任 会社339条1項、341条 • 代表取締役の解職 会社362条2項3号 • 重要な使用人（執行役員）の解任 会社362条4項

なお、解任と類似の用語として、解職がある。会社法 362 条 2 項 3 号で、「代表取締役の選定及び解職」という定めがあるように、選定・解職の意味合いは、取締役としての地位を得た上で、付加的な役職を付与したり取り除いたりするといった意味で使用されている。したがって、「代表取締役を解職する」といった使い方をする場合、付加された代表権の地位を解くという意味で、取締役としての地位は残る場合に使用する。

これらの文言については、それぞれ異なる定義であるが、混同して用いられやすい。したがって、改めてその意味を確認しておくとよいだろう。

(3) サクセッションプランのタイプ（平常時・緊急時）

サクセッションプランのうち、特にCEOのサクセッションプランは、大きく①平常時と②緊急時に分けられる**【図表 3-6】**。

というのも、CEOの交代は毎年発生するものではなく、数年に1回ということが通常だからである。このことから、平常時の中でも、CEO候補者を選抜し、育成する「選抜・育成期（1-1）」と、実際に選任するタイミング（「選任直前期（1-2）」）に大きく分けることができる。

まず①平常時のうち、「選抜・育成期」とは、CEOが就任後から、次期CEOを選任する直前までの期間である。この期間では、後継候補者を特定し、次期経営トップを選定するために、育成を行っていく。

次に、「選任直前期」とは、CEOが退任する前年等に実施するもので、複数いる候補者のリストもしくは人材プールから、具体的に選任を行う時期である。この時期において、できるだけ多くの有力な後継候補者を持つことができているかが、企業の競争力を左右する。

②の緊急時とは、事故や病気等、CEOに万一があった場合に選任を行うことを指す。欧米と異なり、日本企業では、株主総会議長職の代行順位をそのまま適用している企業が多い。すなわち、社長に万一のこと

【図表 3-6】社長・CEO サクセッションのタイプ（平常時・緊急時）

社長・CEOサクセッション	区分	状況	時期	内容
	1 平常時	選任まで時間的余裕がある	1-1 選抜・育成期（選任2年以上前）	後継候補者を特定し、育成計画を策定・実施（タフアサインメント・研修等）
		選任が近い	1-2 選任直前期（選任1年前等）	候補者リスト・人材プールから社長を選任
	2 緊急時		事故・病気等、差し迫った選任	代行順位をあらかじめ決定し、社長・CEOの緊急時に交代を実施（※次期株主総会までの暫定等）

があった場合には、株主総会の議長職の代行順位、もしくは取締役会規程等で定める取締役会議長職の代行順位で第1位の者を、次の暫定CEOとして置く形となる（例えば、副社長や専務の筆頭者が就任するイメージ）。もちろんこの場合、そのCEO職へ就任した者が、必ずCEOにベストマッチした人物とは限らない。

例えば、副社長が暫定CEOに就いたとする。しかし、当該副社長が今後の中長期的なビジネスを牽引していくという観点からベストな人材とは限らない。なぜならその副社長は、社長の後継者的な存在であるかもしれない一方、純粋な右腕として社長補佐を担う役割で企業全体をリードすることは難しいかもしれないし、長老のような存在で、年齢的にも今後数年間、企業を率いていくことは難しいかもしれないからである。このため、翌年の株主総会までの暫定的な位置づけとしておくことで、その間、指名委員会等を通じて次のCEOを選任していくことが望ましい。

また別の方法として、臨時の指名委員会を開いて、その場で従来の後継候補人材の中から選ぶこともあり得る。このあたりは、各社の考え方次第ではあるものの、ポイントは、適切な後継人材をその場で選抜できるかどうかにある。つまり、適任者がいればよいが、そうではない場合には、やはりもともと決定している暫定者から選ぶ方がスムーズな移行となり、現実的ではないだろうか。

いわゆるCEOのサクセッションプランという観点では、①の平常時について、どのように設計を行うかが重要である。このため、本章では①を中心に説明を行う。

(4) サクセッションプラン・選解任基準設計のステップ

CEOを含む経営陣幹部のサクセッションプランや選解任基準の策定を行うにあたり、どのように検討を進めていくべきかを示したものが**【図表3-7】**である。

まず、Step1で全体構想の検討を行う。具体的には、現在の役員指名・役員育成施策の状況について整理・確認を行った上で、サクセッションプラン全体の方針を検討する。どのような体制で運営するか、対象となるポジションはどこか、どのような人材プールを設定するのか、その上で、指名や育成についてどのような方針とするのかに関するマスタ

【図表 3-7】サクセッションプラン・選解任基準の設計ステップ

Step1 全体構想の検討

- 現状ヒアリング
  - ▶現状の役員指名の状況、育成施策の状況確認
- サクセッションプランの全体方針の検討
  - ▶運営体制
  - ▶対象ポジション
  - ▶人材プール
  - ▶指名方針
  - ▶育成方針

Step2 求める役員像の策定

- 中長期的なビジネスの方向性・自社の企業理念・価値観の確認
- CEO・役員に関する求める役員像（人材要件）の明確化
  - ▶マネジメント・社外取締役等へのインタビュー実施

Step3 選抜・選解任プロセス／基準の策定

- 後継候補者リスト・人材プールの詳細検討
- 選抜プロセス検討
  - ▶全体像の検討
    - ○取締役会・指名委員会・人材育成委員会等の関与
  - ▶選抜・選解任基準の検討
  - ▶評価方法検討
    - ○評価指標、基準、評定計算等の検討
- 緊急時におけるCEO代行順位決定の手順策定

Step4 育成計画の策定

- 育成施策の検討
  - ▶育成プログラムの設計
    - ○対象者ごとの個別育成計画の作成プロセスの策定
    - ○研修プログラムの検討（個別・集合）

ープランを検討する。

Step2として、求める役員像の策定を行う。CEOや社外取締役へのインタビューを通じて、CEO・役員に求める人材要件を明確化する。

Step3では、選抜・選解任プロセス／基準の策定を行う。求める役員像に照らして、具体的にそれらの人材をどのように選抜したり、選任・再任・解任を行うのか、その具体的なプロセスと基準・評価方法について検討する。また同時に、緊急時におけるCEOの代行順位の決定手順を策定しておく。

Step4では、一連のサクセッションプランの検討において、重要となる育成計画の策定を行う。役員育成には、研修のようなプログラムだけではなく、配置・異動や内省を通じて成長を促すことが必要となる。

先ほど示した**【図表 3-4】**をイメージした上で、この実現に必要となる要素を検討していくことがポイントである。次項では、それぞれの設計について具体的に見ていこう。

第４項　サクセッションプラン・選解任基準の設計

Step1　全体構想の検討

(1) 現状ヒアリング

サクセッションプラン・選解任基準の策定にあたり、まず現状の把握を行う**【図表 3-8】**。特にポイントとなるのが、役員の指名が現在どのようなプロセスで実施されているかを詳細に把握した上で、現状の課題を洗い出すことが重要となる。役員の指名は、そのプロセスや基準がブラックボックスとなっていることが多い。このため、誰が、何を、どのような形で実施しているのかを確認・整理していくことが重要である。

【図表 3-8】現状分析の観点

項目	現状分析の観点
1. 指名方針	• CEO・役員について、どのような指名方針に基づいて選任が行われているか？ • 役員の育成方針はどういったものか？
2. 運営体制	• どのような体制で、指名・育成を行っているか？ • 現状に課題があるとすれば、それはどういったものか？
3. 求める役員像	• 求める役員像はあるか？　それは、現在の事業戦略・時代の要請に照らして適切であるか？
4. 人材プール	• 後継対象者は、どのような人材層から選抜されているか？質・量・多様性の観点で問題はないか？
5. 選抜・選解任プロセス	• 各選抜・選解任プロセスで、サクセッション候補者となり得る優秀な人材が量・質の観点から十分に選抜・選任されているか？　またそうでない場合、それはなぜか？
6. 選抜基準・評価方法	• どのような基準によって、選抜がされているか。その選抜基準や評価方法は妥当なものか？
7. 選解任基準の妥当性	• 役員の選任・再任・解任基準は、現在の事業戦略・ガバナンスの観点から妥当な内容であるか？
8. 役員育成の方針	• 役員育成の方針は、事業戦略・時代の要請に照らして適切か？
9. 役員育成プログラム	• 各役員の育成プログラムは、方針に照らして適切なものか？
10. その他	• サクセッションプラン全体において、他に課題と認識している点はあるか？

(2) サクセッションプランの全体方針の検討

1. 運営体制の検討

サクセッションプラン検討の初期時点では、役割・体制は詳細なものでなくてもよいが、誰が何をするのか、大枠の体制が決まらないことには検討を始められない。典型的には、**【図表 3-9】**のように、取締役会、指名委員会、人材育成委員会、事務局等が役割を分担する形となる。

この中でポイントとなるのは、各会議体が、どのプロセスに、どこまで関与するのかという点である。それぞれの会議体における役割について見ていきたい。

① 取締役会

取締役会では、コーポレートガバナンス・コードにも記載のあるとおり、「サクセッションプランの策定や運用へ主体的な関与を行う」とともに、「後継候補者の育成が十分な時間と資源をかけて計画的に行われているかや、資質を備えたCEOが選任される状況にあるかを監督する」必要がある。また、会社法では、株主総会で選任された取締役会に、執行部門のトップとなる代表取締役の選解任を委ねていることから、取締役会の本質的な役割は執行部門の監督、すなわちモニタリングにあると

【図表 3-9】サクセッションプランを担う会議体

	会議体	メンバー（例）	役割（例）
①	**取締役会**	取締役会（社内・社外）	• 執行部門の選解任の実施 • CEOサクセッションプランの監督
②	**指名委員会**[*1]	社外取締役・社長等[*2]	• 取締役・経営陣幹部の選解任案の提示 • サクセッションプランの運用（選抜・育成）
③	**人材育成委員会**[*3]	社長・副社長 人事担当役員（CHRO）等	• サクセッションプランの運用 人材プールの入れ替え、後継候補者の事前スクリーニング、育成のための研修・配置の実施等
④	**事務局**	人事部門等	• 上記活動のサポート（実務対応）

*1 法の定めによらない任意の委員会を含む。また報酬委員会と合わせて、指名・報酬委員会として実施するケースもある。
*2 社長・CEOが後継者選定に関与しない場合はメンバーに含まれない。
*3 人材育成委員会は、「人材開発委員会」「タレントマネジメント委員会」等と呼ぶケースもある。

いえよう。

このような観点からすると、取締役会は、サクセッションプランの執行面については、ある程度、指名委員会等の他の会議体に委ね、プロセス全体が適切に機能しているかを監督するという体制になることが望ましい。

② 指名委員会

指名委員会は、日本の上場企業の98%以上を占める監査役会設置会社または監査等委員会設置会社を念頭に置いた場合、通常は取締役会からの諮問に答申を行うことが主な役割となる。つまり、取締役会に提示する、CEOを含む経営陣幹部の選解任案やサクセッションプランの運用（選抜・育成）について検討を行う会議体となる。

一般的には、CEOのサクセッションだけではなく、経営陣幹部、例えば執行役員やグループ企業の役員人事等まで含めて指名委員会の中で検討をすることが多い。このため、③の人材育成委員会等との役割分担を明確にしておく必要がある。またオムロンや資生堂のように、社長指名諮問委員会と他の取締役・監査役・執行役員の指名を分けるケースもある。なお指名委員会については、業績評価との一貫性や現実的な社外取締役数、運用面の負荷を総合的に考慮して、報酬決定機能を合わせ持つ指名・報酬委員会として運用を行うケースもある。この点は、各社の状況に合わせて検討するとよい。

③ 人材育成委員会

人材育成委員会は、通常、社長・副社長・人事担当役員等の社内メンバーで構成される。その主な役割には、サクセッションプランの具体的な運用（人材プールの入れ替え、後継候補者に関する事前スクリーニング、育成のための研修・配置の実施等）が挙げられる。

サクセッションプランを導入・運用する上で必須の会議体ではないが、社内の人材や状況を熟知しているメンバーで実際的な議論を行うという観点から、筆者らが支援を行う場合は設置を推奨するケースが多い。というのも、前述した指名委員会には、社外取締役等もメンバーに加わり、CEO以外の役員の選解任に関しても議論を行うことになる。このため、サクセッションプラン候補者の絞り込みに関する議論をすべて指名委員会で行うことは、実務的に考えても難しい。そこで、指名委員会で議論を行うにあたっての前さばきとして、人材育成委員会を使って候補者の絞り込みをある程度行ったり、個別育成プランを検討することが有効となる。

具体的には、人材育成委員会が主体となって、CEOや役員候補となる人材のスクリーニングや育成研修の実施、あるいはタフアサインメントと呼ばれる修羅場を経験させるような異動配置案を検討する形となる。ただし、社内のメンバーを知りすぎているがゆえに、大胆な人材の選任・登用の提案に踏み切りづらいなどデメリットが生じ得ることにも留意が必要となる。

④ 事務局

事務局は、サクセッションプラン等に関する実務を担う。役員等の人事情報や、その後の人材育成・配置とも密接に関係する業務に携わるため、人事部門が担うケースが多く、またその担当者も部長級など一定レベル以上の役職者が担うことが多い（詳細は、第4章「任意の諮問委員会」を参照）。

2. サクセッションプランの対象ポジションの検討

必要な体制と役割分担が固まったら、次はサクセッションプランの対象者（範囲）を決定する**【図表3-10】**。最終的には、経営陣幹部のサクセッションを進めるのだが、ステップとして大きく分けて二つの考え方がある。すなわち、「①最重要のポジションのみを対象とする」のか、あるいは「②一定以上の役位を対象とする」のかである。

まず①の場合、CEOといった、最重要のポジションのみを検討していくことによって、導入や運営の負荷が相対的に小さくなる点がメリットである。コーポレートガバナンス・コードに対応している状況をまず実現したい企業、あるいは比較的小規模の企業であれば、このやり方は適している。また「小さく生んで大きく育てる」といった形で、CEOのポストで実施した結果をふまえながら、応用展開や修正をしていくというやり方を取れるという点でもよい。

②の場合、取締役や執行役員クラスまでを含めて検討することが通常であろう。一定の企業規模以上であれば、CEOポストのみならず取締

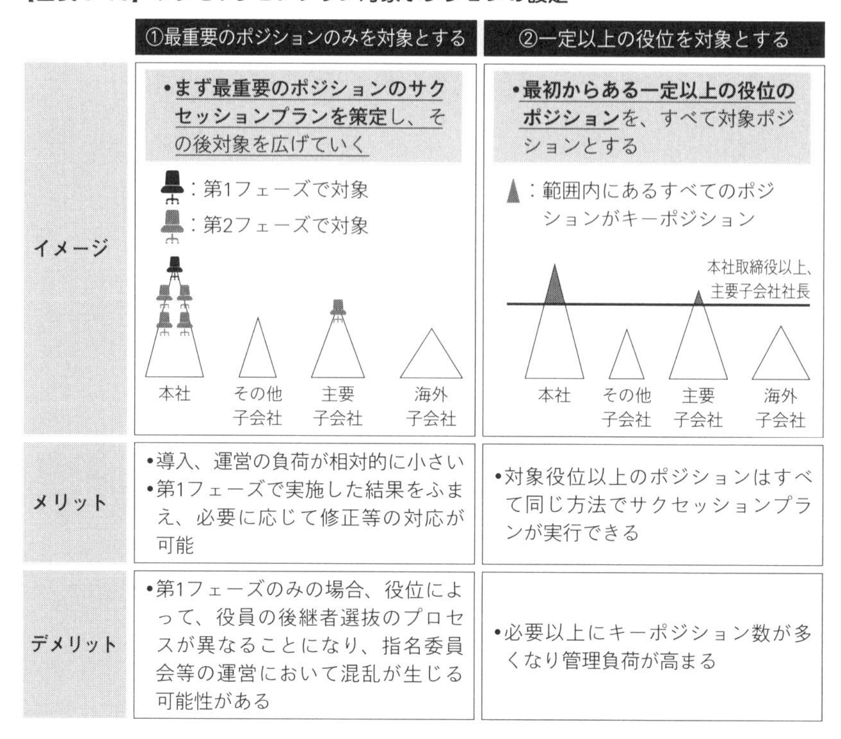

【図表 3-10】サクセッションプラン対象ポジションの設定

役や執行役員も含め、役員サクセッションは全体で検討していくことが求められるためである。この場合、事務局としての導入・運営の負荷は高まるものの、企業全体でのサクセッションプランを早期に確立していくためには必要な対応となる。

現時点でこれらのサクセッションプランをほとんど検討したことがない企業であれば、まずは①のように、対象をCEOポストのみに絞って小さく始め、その後に取締役や執行役員クラスに広げていく方が、検討も進めやすくなるだろう。

なお将来的には、後述するように、一般社員層・部課長層から役員まで一気通貫のサクセッションプランを設定していくことが望ましく、またそうするべきである。したがって現時点で、部課長層の育成として経営人材の育成をすでに行っている企業であれば、その接続や一貫性も意識しておくべきである。

3. 指名・育成方針の基本的な考え方の検討

最終的には設計を実施した後に改めて整理を行うことになるが、ここまでの検討をふまえ、役員の指名・育成に関する基本的な考え方について整理を行う。方針をまとめたものの参考として、J. フロントリテイリングと東京エレクトロンの事例を一部抜粋して【図表 3-11】に示した。

開示する情報としては、取締役会・指名委員会等の責任や、選抜・育成の指針等を示すことが多い。東京エレクトロンの事例は、後継候補者

【図表 3-11】サクセッションプランに関する方針の例

企業名	方針（一部抜粋）
J.フロントリテイリング	• 最高経営責任者の選定の位置づけ ▶最も重要な戦略的意思決定として、後継者（次期経営陣幹部）計画の策定・実施を特に重視 • 後継者候補の選定 ▶社内データをもとに第三者機関による診断をふまえて作成した各後継候補者の評価内容について、社外取締役が過半数を占める指名・報酬委員会において審議を重ねることで、選定プロセスの明確化、透明性を確保 • 後継者の決定 ▶取締役会は人事・報酬委員会からの答申内容に基づき、基本理念・グループビジョンの実現を見据え、監督の役割を果たす • 後継者に求められる資質 ▶「戦略思考」「変革のリーダーシップ」「成果を出すことへの執着心」「組織開発力」「人材育成力」の5項目を役員に求められる資質として、必要な価値観・能力・行動特性を明確化。指名委員会でこれらを共有することで、評価・育成指標の認識を一致させ、中立的育成・選抜を実施
東京エレクトロン	• 持続的成長を支える次世代の経営執行を担う人材を育成するため、CEO及び代表取締役は執行役員を中心に常に後継者候補を想定し、その育成に努める • CEO及び代表取締役は、日々の業務執行を通して、後継者候補の能力、人格、品格、見識を多面的に評価しつつ、配置転換、研修等の機会を設ける等により、候補者の研鑽を常にサポート • TELサクセッションプランを策定し、育成計画のもと、次世代経営人財の後継者群を形成し、後継者候補の能力とレディネス（準備状況）を確認 • 後継候補者群に対する育成状況を指名委員会が分析、精査。指名委員会からの報告に基づき、取締役会が後継候補者育成プランと育成状況を適切に監督 • CEOは後継候補となりうる階層の人財育成には関わるが、後継候補者群から具体的な候補者指名には関与しない

出所：各社コーポレート・ガバナンス報告書、Webサイト等

への影響力を排除する目的で、CEO は育成には関与するが指名自体は行わない旨が明記されている点が特徴的である。

Step2　求める役員像の策定

サクセッションプランとは、つまるところ「誰が」「誰を」「どのように選抜するのか」ということを明確化していく一連のプロセスである。その最も根幹となるのが、求める役員像である。これなしには、「誰を次期経営トップとすべきか」「どのような人材を役員とすべきか」という議論そのものが成立しない。また社外取締役等の外部者から見た際に、どの観点から評価するか、といった基準がなければ、アドバイスも選抜も難しい。

求める役員像の検討にあたっては、CEO をはじめとする現任の経営陣や社外取締役の意見、業界専門家の知見を取り込むことが重要となる。そのために、通常はインタビューセッションを設けて意見を吸い上げ、事務局で整理を進めながら、経営陣や社外取締役等と複数回のディスカッションを行い、今後の CEO に何が求められるのかを取りまとめて、具体的な人材要件へ落とし込んでいく。

(1) カギとなる「ビジネスの方向性」と「価値観」

経営トップや役員に求められる人材要件は、必ずしも一様ではなく、企業を取り巻く事業環境や経営のステージ、各社の経営理念等によって大きく異なる。そうした中でも、共通的に勘案すべきポイントとして挙げられるのが、「①今後のビジネスの方向性」と「②自社の企業理念・価値観（らしさ）」の二つである **【図表 3-12】**。

「①今後のビジネスの方向性」については、中長期的に重視する経営戦略や、今後優先的に取り組むべき事業課題とは何かを特定することが求められる。中期経営計画の達成に求められることも重要であるが、CEO の育成に 10 年スパンの期間を要することを考えると、長期的な視野で、どのような経営人材が求められるかを議論することが必要になるだろう。また今後の自社および関連業界における長期見通しや、国内外の経済情勢の変化、技術革新の動向もウォッチしておく必要がある。

デロイトの場合、各業界に精通した専門チームを持っており、例えば、自動車・電機・素材・小売・情報通信・不動産等といった、あらゆ

【図表 3-12】CEO・役員サクセッションプラン策定のアプローチ（イメージ）

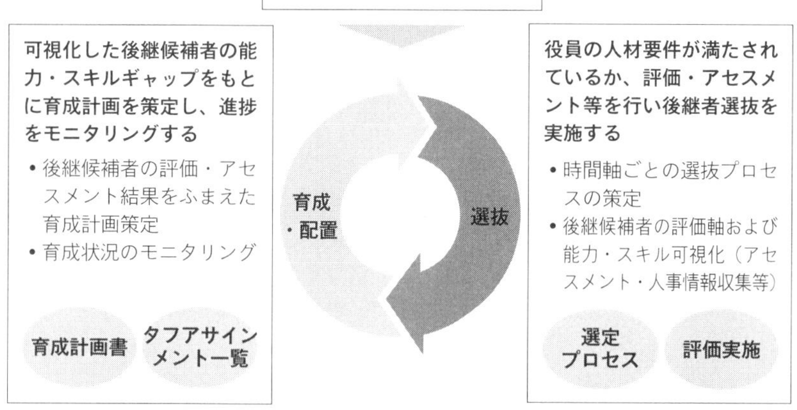

る業界に専門家を有する。これらの経営戦略コンサルティングを担うチームによる、中長期的な視座でのビジネス面でのインプットと、筆者らが所属する組織・人事コンサルティングのチームが緊密に連携することで、単に「人事屋」が作る人材要件ではなく、企業の戦略面の実情をふまえた人材要件を設計していくことが可能である。

また「②自社の企業理念・価値観（らしさ）」のように、社内・グループで大切にしている価値観も、求める役員像を設定するにあたっては重要である。経営の指針として、社是や企業理念を明文化している企業は多いが、それが各社のカルチャーを形づくっている面もあるからである。こうした企業理念の代表的な例としては、三菱グループの三綱領（所期奉公・処事光明・立業貿易）や、花王の「花王ウェイ」で提示されている価値観（よきモノづくり、絶えざる革新、正道を歩む）などが挙げられる。重視すべき度合いや優先度は各社なりの判断となるが、経営トップ候補や役員たる人材が、どの程度、企業理念を理解・体現・実践できているかは、当然考慮に入れられるべきだ。なお、求める役員像と選任基準は、同じもののように語られるケースも多いが、筆者らが支援に携わる際には、「人材要件」は文字どおりCEO・役員に求められる要件、「選任基準」はCEOや役員を実際に選考する過程で見ていくポイントとして区分している。この点も、後に述べる選抜の際に重要となるので、あらかじめ考慮に入れながら検討を進めていただきたい。

(2) インタビューの実施

求める役員像の作成にあたって、最も重要なのがインタビューである。特に重要なのが「誰にインタビューを行うか」という対象者と、「何を聞くか」というインタビューリストだ。まずインタビュー対象者という観点では、多くの場合、①社長・CEO、②社外取締役、③副社長・専務等のNo.2クラス、④創業メンバーにインタビューを行うが、どこまでを対象とするかは各社の判断による。なぜなら各社によって、その力関係や状況が大きく異なるためである。ここでは、インタビュー対象者を選定するにあたってのポイントと留意点を記載する。

まず①の経営トップである社長・CEOに対してインタビューを行うことには異論はないだろう。

次に候補となるのは②の社外取締役であるが、社外取締役全員に意見を聞く場合もあれば、そのうち元経営者であったり、後継者の選抜に関与したことがあるメンバーに絞る場合もある。

そもそも、社外取締役にインタビューを行う目的は、コーポレートガバナンス・コード等で求める後継者計画策定・運用に主体的に関与させるためである。この意味で社外取締役は非常に重要な役割を果たしているといえよう。

他方、現実的な視点では、社外取締役全員が必ずしも社内の事情や求める人材要件を理解しているわけでもない。これは各社が社外取締役に求める役割や就任以降の期間、情報付与の程度によって大きく異なっているためである。

こういった背景から、実務的には、経営トップ・役員の指名・選抜という重要な問題を過去に経験したことがない社外取締役に対するインタビューは行われないこともある。というのも求める人材像の検討にあたって、そのような経験のない社外取締役に意見を聞いたところで、本当に意味のあるインプットを得られるか疑問符がつくためだ。「社外取締役全員に意見を聞いた」という形式を重視する企業もあるが、多様な意見がかえって求める役員像の検討の妨げになるケースもある。この点は、自社の社外取締役の顔ぶれを見ながら検討していく方が実際的ではないだろうか。

さらに、③の副社長や専務クラスといった、企業経営のNo.2に対してインタビューを行う。これは社長・CEOに近い位置で経営トップを見ている立場から、異なる視座での意見を収集するためである。

最後に④の創業メンバーである。日本の上場企業においても、創業家あるいは創業メンバーが社内の経営陣、あるいは株主として存在するケースは多い。株主の立場であれ、経営陣の立場であれ、創業期の事業への想いや志が、その企業の発展に大きく影響を与えてきたことはいうまでもないだろう。しかしながら、時を経て、そのような創業当時の理念や志が、徐々に薄れていくことも事実である。このため、改めて創業メンバーから、「当社の経営トップ、あるいは役員になるにあたり、これだけは大事にしてほしい」という要件に関するインプットを得ることは重要である。

一方、こういったメリットはありつつも、創業メンバーはすでに経営の一線を退いており、時代の趨勢に合わないということも場合によってはあるだろう。このような場合には、上記①〜③のメンバーを中心にインタビューを実施することがよいと考えられる。以上から、インタビューの対象者は、3名から多くても10名未満となることが通常である。

続いて、「何を聞くか」というインタビューリストである。インタビューの時間は、1人1時間程度が多いが、その中でも経営トップは1.5時間など少し長めに設定を行う。限られた時間の中で、効率的な質問をしながら、人材要件を絞り込んでいく必要がある。**【図表3-13】**で示したとおり、質問項目そのものは極めてシンプルである。しかし、これらをどこまで深掘りしていくかは、インタビュアーの力量が試されるともいえる。

インタビューの中で特に重要なポイントは、目先の経営課題や事業課題、あるいは過去の人材要件にとらわれないことである。過去の経営環境に基づく人材要件はもちろん重要であるが、現在策定しようとしている次代の後継者の要件と同じかどうかはわからない。人間誰しも、「自分自身が選ばれたときの人材要件」という視点で、人材要件を語りがちである。大事なのは、インタビューの中で本当にそれらの要件が今後も必要になるのかをよく確認していく必要があるだろう。

【図表 3-13】インタビューで使用するインタビューリストの例

No.	質問	参考資料
1	• 今後5～10年の中長期スパンで考えた際に、特に重視する目標は何か？ • 次期社長・役員にとって想定される困難・チャレンジは何か？	• 経営理念 • 中期経営計画
2	• 次期社長・役員が、今後の経営課題を達成するために必要な経験・能力・資質は何か？	
3	• 2の中で、次期社長に特に必要な経験・能力・資質は何か？ • 上記の中で順番をつけるとしたら、どのような順番となるか？	
4	• 次期社長候補となる役員層・部長級人材が、経営を行うにあたり不足している能力・知識やスキルはあるか？	

(3) 求める役員像の整理

求める役員像の整理にあたっては、インタビューで出てきた内容をまとめていく。この際、経営トップ、社外取締役、副社長・専務クラスのNo.2、創業メンバー等の要件をどのように落とし込むかがポイントである。最も効率的かつ、関係者の顔を立てながら納得感を得られるようにするためには、ワークショップを実施することが有効である。それぞれの方からいただいたコメントを付せんにまとめた上で、それらについて、本当に必要な要件なのか、近い意見はあるか、インタビューで言いそびれたことはないか等について、ホワイトボードを用いて整理していく。ここでのポイントは、関係者をできるだけ一堂に会して実施して、平場で話をすることである。

とはいえ、現実的に、改めてメンバーを集めるのもなかなか難しかったり、あるいはさまざまなメンバーを呼んで改めて議論をすることで、かえって議論が紛糾したり、まとまらないということもある。このような場合には、経営トップである社長を中心に議論を進め、改めて指名委員会や取締役会の場で議論を行うことがよいだろう。

ワークショップや社長とのセッションを通じて、さまざまな議論が出てくるが、これらをどのように人材要件にまとめていくべきだろうか。まず、①役員共通に求められる人材要件と、②社長・CEOや個別のポストに求められる要件は異なる**【図表 3-14】**。このため、当社役員にな

【図表 3-14】求める役員像（人材要件）の例

ポスト	職務内容	能力	経験
社長・CEO	✓経営全般の意思決定 ✓… ✓…	**競争力** ✓新たな市場を発掘ないし生み出すことができる **影響力** ✓誰もがその人材の意見等に耳を傾け、社内外において幅広く賛同・支持を得ることができる **戦略的方向性** ✓社内外の賛同が得られる中長期ビジョン、戦略、ビジネスモデル等を示すことができる **業績の向上を促す力** ✓各組織のリーダーに業績責任を具体的に理解させるとともにそれにコミットさせ、成功を促すことができる **人材育成** ✓将来のリーダーに対して効果的なコーチング、メンタリングを施し、それらの人材の能力を向上させることができる **指導力** ✓リーダーシップを示すことができる	**組織運営、人材マネジメントの経験** ✓部門、サブサービスライン等の責任者として組織の戦略を策定し、組織を指揮した経験がある **専門性** ✓社内外の専門性を活用し、国内のグループ会社の経営者として適切な見解や判断を外部に示すことができる **グループでのネットワーク** ✓国内の各サービスラインのリーダーはもとより各国法人のリーダーと信頼関係を構築している **クライアントとのネットワーク** ✓グループにおける複数のプライオリティ・アカウントと密接な関係を保ち、クライアントの重要な意思決定において助言を求められる立場にある
…		✓… ✓… ✓…	✓… ✓… ✓…
役員共通		✓単一の事業のみならず、グループ全体を俯瞰して戦略・ビジョンを示せる能力 ✓会社全体に対しリーダーシップを発揮できる能力 ✓グループ内外とのネットワーク	✓複数の部門責任者としての組織運営の経験 ✓…

る人材であれば共通で必要となる定義を設定した上で、具体的に各ポストに必要となる要件を設定していくことが望ましい。ここでも、前段でサクセッションプランの対象者を社長・CEOのみに絞っている場合に

は、②だけを実施するという形でもよいだろう。

ここまで見てきたように、人材要件の設計・策定には多くの議論が必要となる。こうした議論を重ね、将来の経営を担う役員・社長・CEOの人材像を明らかにしていくプロセスを通じて、経営陣および社外取締役の間での共通認識を醸成していくことこそが、実は最も重要である。もちろん、あるべき役員・社長・CEOの人材要件を設定しても、その要件を完全に満たす人物は現実にはほとんど存在しない。それでも、次期役員やCEOになるべき人物は、設定した人材要件のうち、どの点に秀でているのか、また次期選任においては、どの項目を重視すべきか——などを議論できる土台を作ることが重要である。

(4) 社長・CEOに求められる七つの要件

社長・CEOに求められる人材要件とはどのようなものだろうか。各種資料や、過去に実施した多くのインタビューをふまえた分析結果から、筆者らは七つの要素がこれからのCEOに求められるものと考えている。具体的に挙げると、①誠実性・聡明さ、および経営者として十分な気力・体力、②チャレンジ精神・使命感、③優れたリーダーシップ、④コミュニケーション力、⑤先見性・リスク感知、⑥イノベーション経験、⑦デジタル技術への興味・理解である**【図表3-15】**。とりわけ現代においては、新たなデジタル技術の登場や外部環境の素早い変化により、自社のビジネスモデルやサービスがディスラプト（disrupt＝破壊）されやすくなっている。⑤や⑦といった要素を十分にふまえつつ、③のように迅速な意思決定を行うことができなければ、企業やサービスが市場から退出させられてしまうため、これらの要素を特に重視する企業が増えている。

Step3 選抜・選解任プロセス／基準の策定

求める役員像の策定に続いて、人材プールの形成（候補者となるメンバーリスト作成）および具体的な選抜プロセス・基準の設計を行う。

(1) 人材プールの検討

役員・CEO等の後継候補者をリストアップするために、まずやるべきことは、後継候補者の候補を指定・育成する「人材プール」を形成す

【図表 3-15】社長・CEO に求められる七つの要件（例）

No.	要件	内容
①	誠実性、聡明さ、気力・体力	• CEOの職務を担うにあたっての基本的な資質・能力がある ▶誠実かつ聡明、CEOの激務を担うだけの十分な体力・気力がある
②	チャレンジ精神・使命感	• 時代を変えるような新技術・サービスの実現に向けて、情熱を持って、積極果敢に取り組み、粘り強く成し遂げる
③	優れたリーダーシップ	• 優れたリーダーシップを発揮することができる ▶企業理念を実践し、他の模範となる存在である ▶多様なメンバーから信頼されている ▶リスクを取った上で、迅速な意思決定を行うことができる
④	コミュニケーション力	• 国内外を問わず、社内外の豊富な人脈を有する • 多様なステークホルダーとのコミュニケーションにより、顧客や自社のファンを維持し、増やすことができる
⑤	先見性・リスク感知	• 外部の環境変化に対する鋭敏さを持ち、ビジネスチャンスに気づいたり、リスクとなる状況に対して、いち早く手を打つことができる
⑥	イノベーション経験	• 大きな改革を伴う新たなビジネスモデル変革、新規領域における商品導入等を行った経験がある
⑦	デジタル技術への興味・理解	• IoT・AI・ビッグデータ・SNSなど、デジタル技術に関する興味・関心や理解がある

出所：デロイト トーマツ コンサルティングによるインタビュー・各種分析

ることである**【図表 3-16】**。例えば、CEO ポジションであれば、役員層や一部の部長層で形成されるハイポテンシャルな人材群を設定し、その中から選抜・育成を行うといったイメージである。人材プールの中で、まず後継者人材の育成を図った上で、最終的な候補者を絞り込んでいくというスタイルを取る。

具体的な事例で説明しよう。グローバルに事業を展開している日系大手製造業 A 社では、新 CEO の就任直後から次期 CEO 候補者の人材プールを設定し、後継候補者にどのような人材がいるのかを、指名委員会を通じ数年間かけて継続的にチェックしている。CEO の後継候補者人材として、初年度におおむね 10〜15 名程度をプールした後、毎年、個別の育成計画に沿ってタフアサインメントへの配置やトレーニングを実施する。その状況や成績等をふまえて評価会議を毎年行い、後継候補者

【図表 3-16】人材プール型サクセッションプラン
（一定ポジションへの任用のための人材プール）

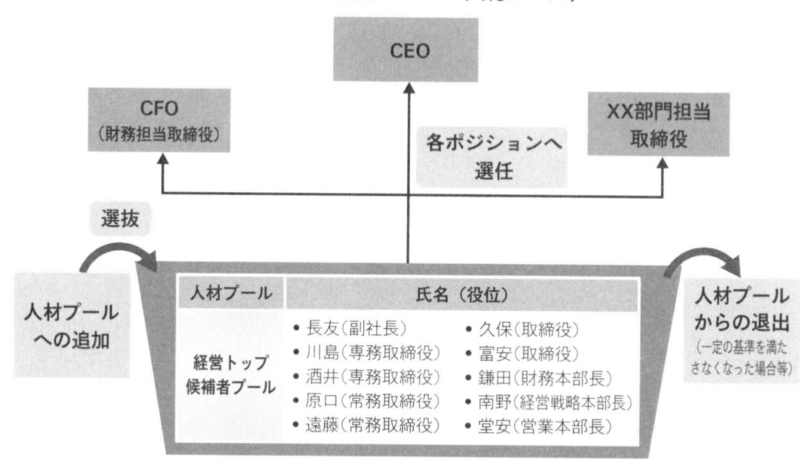

の絞り込みを実施していく。2年目は8名、3年目は5名、4年目は3名程度まで絞り込む、といった具合である（前述した緊急時における暫定的な後継者は別途設定）。もちろん候補者には同じ人が残り続けるわけではなく、新たに追加されることもある。重要なことは、常に後継候補者の人材プールの情報を更新し、手元でその育成状況を把握することである。

また、別の方法として、若手から経営トップまでのサクセッションプランを一気通貫で実施しようとする場合、人材プールを**【図表 3-17】**のように体系的に整理する方法も有効である。現代においては、企業の競争優位の源泉が、戦略や技術・コスト優位性から、優秀な人材そのものへと変化している。同時に、優秀な人材にとっては、他社へ転職しやすい環境が従来以上に整っている。このような状況においては、将来のキャリアパスの提示や、20〜30代からの優秀人材の早期選抜・育成・引き留めを目的とした、全社的な育成体系を整備することが非常に効果的だ。経営トップの後継者選抜・育成に留まらず、若手〜中堅人材の育成も含めた一連の人材プール体系を整理することで、タレントマネジメント施策そのものの充実を図ることができる。また別の方法として、CEO等の後継者のポジションに、複数名の候補者を挙げるという方法もある**【図表 3-18】**。これは経営トップ候補者の人数が、すでにある程

【図表 3-17】経営人材の人材プール体系

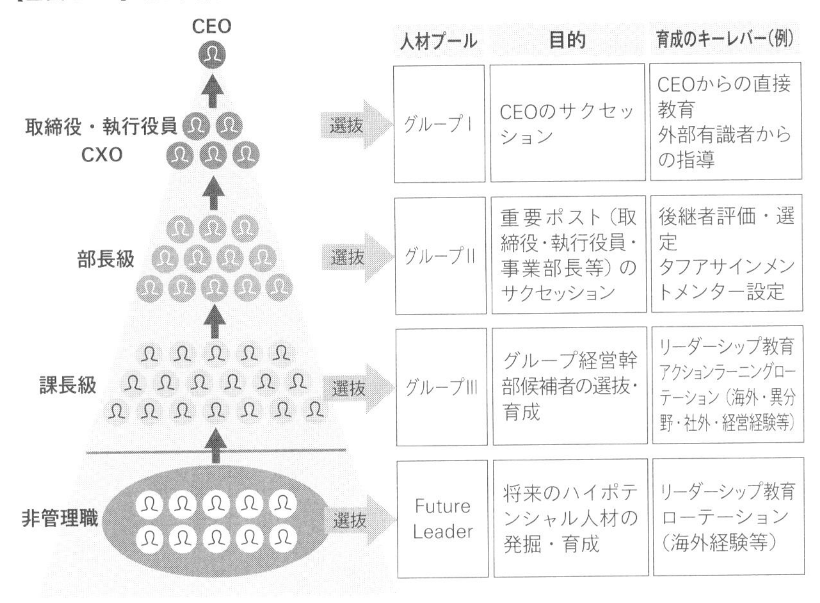

【図表 3-18】特定ポジションのための記名型サクセッションプラン(イメージ)

※①②③の番号は、各ポジションにおける後継優先順位

ポジション	現就任者	1年以内に交代可能	3年以内に交代可能
CEO(代表取締役)	A氏(2019年6月就任)	①大鶴(専務取締役) ②小松(取締役) ③伊藤(取締役)	①加藤(取締役) ②桃井(欧州部門統括役員) ③大森(XX部門執行役員)
CFO(財務担当)(専務取締役)	B氏(2020年6月就任)	①神林(専務取締役) ②江頭(取締役) ③森(財務部長)	①水上(財務部長) ②平野(経理部長) ③林(広報・IR部長)
CHRO(人事担当)(常務取締役)	C氏(2021年6月就任)	①佐藤(取締役) ②髙木(人事部長) ③金本(XX部門執行役員)	①菊池(法務部長) ②辻(総務部長) ③西川(秘書部長)
XX部門管掌(取締役)	D氏(2022年6月就任)	①前田(常務取締役) ②大熊(米州部門統括役員) ③金城(XX部門執行役員)	①金城(XX部門執行役員) ②岸本(XX部門執行役員) ③片木(経営企画部長)

度絞られている企業や、今後1～3年以内にCEO交代を行うような企業が採用する傾向にあり、「直近1年以内に変わるならこの人物」「3年以内であれば、この人物」といった形で、ある程度、後継候補の優先順位をつけるケースが多い。こちらは、人材プールの有無を問わず、サクセッションプランを設計する場合に有効となるため、ある意味では簡便なやり方ともいえるだろう。

(2) サクセッションプラン・選任プロセスの検討

次に、役員・経営トップ交代の際に実施する選任プロセスの検討について見ていこう。ここでは平常時での経営トップの交代シーンを想定している（事故や病気など緊急時の場合には、すでに述べたようにあらかじめ定めた交代順位にしたがって選抜されるため）。

プロセスの全体図をイメージし、その上で、それぞれにおける選抜基準やその評価に関する具体的方法をどのようにするかを決定するのがオーソドックスな方法である。検討にあたっては、どうしても選抜方法の各論に議論の焦点が当たりがちとなるが、客観性・透明性をどのように確保していくか、この方法で本当に企業価値を高めるCEO・役員が後継者に選抜されるか、という当初の目的に立ち返りながら考えていく必要がある。その上で、①審査プロセスを何段階とするか、②各プロセスでは、誰が審査を行うのか、③評価・アセスメントはどのような方法・基準で実施するか等について検討していくことが求められよう。典型的には、**【図表3-19】**で示すとおり、大きく後継者計画の策定にあたり、人材プールから候補者を育成していくプロセスと、実際のCEO等を選任するプロセスに分かれる**【図表3-20】**。

具体的なイメージを持っていただくために、まずここでは、3段階の審査により次期CEOを選抜するという事例を通じて解説をしたのち、それぞれに関する選抜・選解任基準の考え方や、そのための評価方法について、**【図表3-21】**をふまえ、説明していく。

1次審査

1次審査では、毎年20名弱の候補者群から一定のスクリーニングや評価・アセスメントを実施し、10～15名程度まで絞り込む。スクリーニングの際には、年齢、健康状態、過去の人事評価（業績評価、360度評価

【図表 3-19】サクセッションプランのプロセス

	期中	期首（または株主総会後）			
プロセス	候補者の情報収集	人事考課結果・自己申告等確認	プールから外す人材・入れる人材の審議・決定	候補者の育成計画策定	役員交代時：選任プロセスへ
対象者	人材プール内の人材	• 人材プール内の人材 • 選抜対象層の人材	• 人材プール内の人材 • 選抜対象層の人材	人材プール内の人材	
概要	人材プール内の人材の能力・資質を日々観察、育成計画の進捗状況について定期的な確認・意見交換実施	人材プール内の人材、人材プール外だが、選抜し得る階層の人材の各種評価等を整理	指名委員会メンバーが、人材プールから外すべき人材・追加すべき人材を業績・育成計画の進捗状況等を総合的に勘案し、評価し審議・決定	各候補者について、育成計画を検討・策定	
実施主体	指名委員会	事務局	指名委員会	指名委員会	

実施イメージ

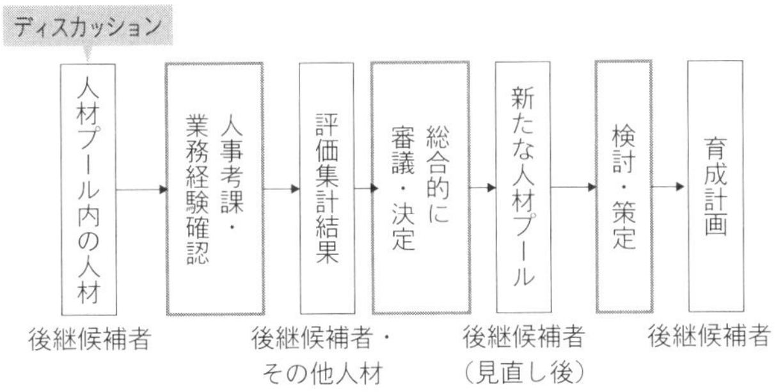

ディスカッション

人材プール内の人材 → 人事考課・業務経験確認 → 評価集計結果 → 総合的に審議・決定 → 新たな人材プール → 検討・策定 → 育成計画

後継候補者　後継候補者・その他人材　後継候補者（見直し後）　後継候補者

等含む）の結果、業務経験（経験した部門やポジションのリスト）、語学力などを用いることが多い。多様性確保の観点から、女性や中途採用者が適切に含まれているか、チェックすることが重要だ。なお初期的な抽出の段階では、できるだけ主観が入り込みにくい指標に基づいて抽出し、2次審査以降で、詳細に検討すべき人材を選抜した方が客観性・公平性が高いといえる。また同時に、後継CEOに社外の人物を起用する

【図表 3-20】選任プロセス

	毎年実施	CEO交代時に実施			
プロセス	候補者情報の収集	候補者のリストアップ	評価	審議・答申	次期社長の決定
候補者	「人材プール」内の人材	「人材プール」内の人材・社外の適任者（社外取締役除く）	「人材プール」内の人材・社外の適任者（社外取締役除く）	「人材プール」内の人材・社外の適任者（社外取締役除く）	指名委員会答申の候補者
概要	社長交代時までに、指名委員会メンバーが候補者の能力・資質を日々観察、定期的な意見交換実施	•「人材プール」内の人材を候補者としてリストアップ • 必要に応じて社外人材採用も検討	指名委員会メンバーが候補者一人ひとりの評価を実施	各評価を総合的に勘案し、次期社長候補を議論・決定	指名委員会答申に基づき議論を行い、次期社長を決議
実施主体	指名委員会	指名委員会	指名委員会	指名委員会	取締役会

実施イメージ

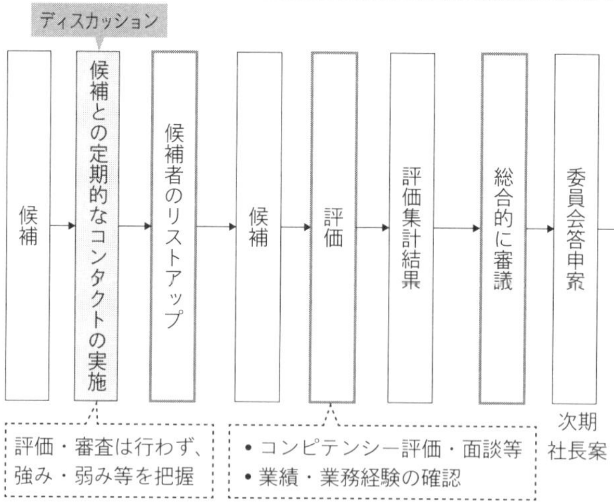

ディスカッション

候補 → 候補との定期的なコンタクトの実施 → 候補者のリストアップ → 候補 → 評価 → 評価集計結果 → 総合的に審議 → 委員会答申案 → 審議・決議

（候補との定期的なコンタクトの実施）評価・審査は行わず、強み・弱み等を把握

（評価）• コンピテンシー評価・面談等 • 業績・業務経験の確認

（委員会答申案）次期社長案

【図表 3-21】CEO 選抜プロセスの設計（イメージ）

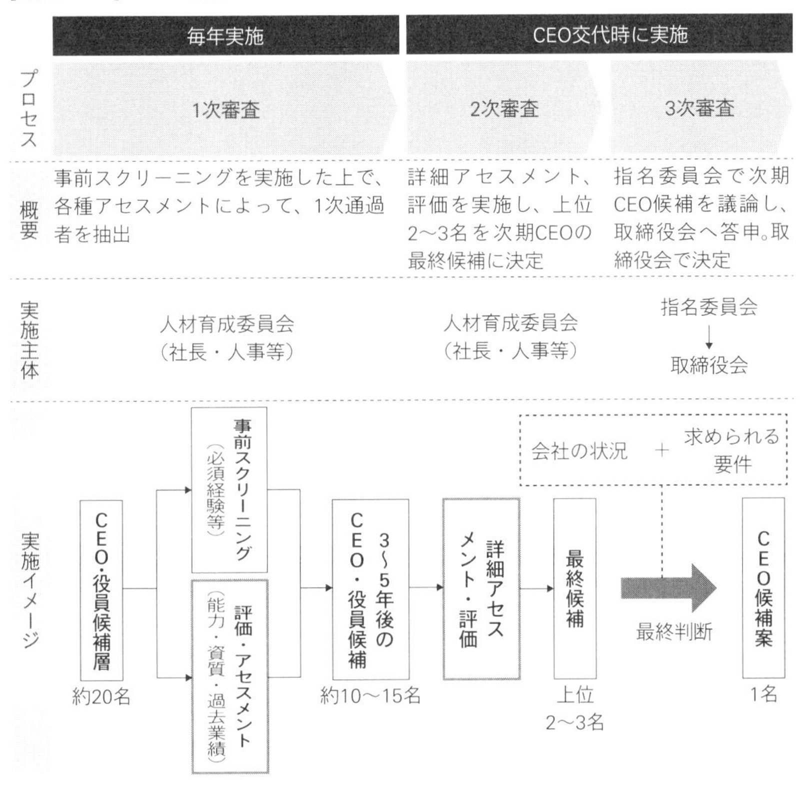

ことを検討する場合、合わせて候補人材のリストアップも行う必要がある。人材要件に照らして、候補となり得る人物の紹介をサーチ会社に依頼したり、社長や社外取締役から候補人材を挙げてもらうような格好となる。従来、日系企業においては、内部昇格者から役員や社長を選抜・選任していくことが通常であったが、少しずつ役員層の流動化が進んでいる。プロ経営者と呼ばれるように、外部登用されるケースも増えてきている。必ずしもそれらのすべてが業績の向上に成功しているわけではないものの、日系企業が外部登用を受け入れる素地が整えば、成功モデルも多く出てくることになるだろう。

2 次審査

2次審査は、CEO交代が発生すると想定される年、もしくはその前年等に実施することが通例である。複数のアセスメントを通じて個々のポテンシャルや考え方等を総合的につかみ、候補者10名程度から、さらに2〜3名程度まで絞り込みを行う。審査の手法は、前述したとおり、さまざまである。アセスメント会社のアセスメントを受けてもらうこともあれば、ビジネスに関するプレゼンテーションやディスカッション、心理テスト、第三者インタビュー（候補人材をよく知る人物にヒアリング）を行うこともあり、ここは各社によって考え方が分かれるところだ。いずれの手法を採る場合も、アセスメントの目的は、求める役員像に照らして当該人物がCEOの後継者たり得る人物かどうかをチェックすることにある。単一の手法のみでチェックしきれない場合には、上記のような手法を複数組み合わせて実施する必要がある。

2次審査の時点で、どこまで有力な候補がいるかがポイントだ。欧米では、「ベンチ」と呼びこのメンバーが豊富であればあるほど、役員やCEOのサクセッションの成功の確率が高まるとされている。人材プールを十分に確保した上で、互いに切磋琢磨できる環境を整備してきたかどうかが、この2次審査にて明らかになる。

3次審査

3次審査では、指名委員会で議論を行い、絞り込まれた2〜3名の中から、最終候補者1名を決定する。次期中期経営計画や、事業環境等を考慮に入れながら検討を行うこととなり、その結果として社内の候補者を見送り、次期CEOを社外から招聘するという決定もあり得るだろう。取締役会は、指名委員会の決定を尊重する形でCEO候補者を最終的に決定するという流れとなる。3次審査で行う選抜の具体的な手法とその考え方について、簡単に紹介したい。経営トップの後継者となる人物を判定する視点として、外的側面（客観的に検証可能なもの）と内的側面（外部からは一見してわからないもの）の二つが存在する。これらを効果的・効率的に見ていくためには、例えば**【図表3-22】**のように、どの評価手法によって何を評価するのかを明確にしておく必要がある。この例では、「求める人材像」「業務経験」「パフォーマンス」の三つの観点からそれぞれを見るための手法の例として、360度評価や、プレゼンテーション、パーソナリティ診断等を挙げているが、選抜プロセスのどの段階において、どの手法を活用するかを詳細に検討しておくことが肝要

【図表 3-22】評価項目・選抜の手法の例

	評価するポイント	外的側面	内的側面	
求める人材像	求める人材像（能力・資質）と合致しているか	360度評価 プレゼンテーション	パーソナリティ診断 コンピテンシーアセスメント	CEO・役員選抜
業務経験	必要な経験をどの程度有しているか	業務経験評価（複数事業・機能・P／L経験等）		
パフォーマンス	過去・現在のパフォーマンスは良好であるか？	役員業績評価		

である。なお、CEOの後継候補者に挙がるような人物は、当然ながら非常に聡明な方が多い。それゆえに、試験のような形式でテストを行っても要領よくクリアできてしまうケースがある点には留意しなければならない。

要は、「テストが上手な秀才」と、「企業価値を持続的に伸ばす優秀なCEO」は、まったく別物であるということである。したがって判定で見誤らないようにするため、フォーマルに後継候補者の能力を測るだけでなく、社外取締役等が候補者の人となりを知った上で、後継者決定の最終判断ができるよう、後述する人材デューデリジェンスの活用に加え、インフォーマルにさまざまな接点を持たせる工夫をしている企業もある。具体的には、プレゼンテーション終了後に、社外取締役との懇親会を設定したり、定期的に行う社外取締役への事業ブリーフィングを候補者に担当させたり、株主・投資家向けの広報発表を担当させてその時の受け答えを社外取締役がチェックする等の方法が採られている。

筆者らがクライアント先へ出向いた際、「社外取締役に後継CEOの推薦・決定を委ねるのは難しい」という現場の声を時折耳にする。しかしそれは、裏を返せば、企業側が社外取締役等に対して候補者の十分な情報を与えていないためともいえる。ここで紹介した3次審査を行う指名委員会のような公式な場以外で、社外取締役ができる限り候補者の人となりを知ることができる機会を作ることが、候補者選定の公平性や納得性を高めていく上で重要ではないだろうか。

(3) 選抜・選解任基準の検討

ここまで具体例を見ていただいたが、改めて選抜・選解任において、どのような基準に基づいて検討を行っていくかを見ていこう。基準の検討に際しては、(人材プール等への) 選抜、選任、再任、解任といったそれぞれについての検討が必要となる。

まず、選抜、選任、再任、解任時における評価項目は、大きく分けて五つ (①コンピテンシー、②業務経験、③パフォーマンス、④年齢・任期、⑤その他) から構成されることが一般的である。

一つめは、①コンピテンシーと呼ばれる、役員要件に基づく能力・パーソナリティや企業理念を実践・体現しているかどうか。また②のCEOあるいは役員として必要な業務経験を経ているか。例えば、CEOになるべき人物が経営計画の立て方や財務的なバックグラウンドなしに経営トップに立つのは難しいだろう。こういったときに経営企画部門の経験の有無が評価項目になったりする。

加えて、③過去や現在のパフォーマンスも重要なポイントだ。役員評価を行っていない企業も、日本企業では依然として多いため、こちらはできる限り客観的にわかるように整理しておくことが望ましい。

さらに、④の年齢や任期も重要な要素である。例えば、CEOの後継者となる人物の年齢が、仮に64歳だとする。他方、CEOの定年年齢が65歳である企業の場合、その人物をCEOに選任したとしてもすぐに定年を迎え、(原則として) 退任することとなる。このような場合、実際には後継候補の人材としては挙がっても、最終的にその人物に経営トップであるCEOの座を任せるかどうかは、要検討となる。

任期は、再任基準を策定する場合、重要な検討要素となる。ある企業において、就任から5年が経過するCEOがいたとしよう。この取締役の任期は1年となっており毎年選任 (=再任) を行っているが、このCEOは果たしてどの程度継続させていくべきだろうか。この場合、任期を基準に含んでおくことにより、一定の歯止めがかかることとなる。例えば、日本企業の社長の任期基準は中央値で6.0年 (出所:「役員報酬サーベイ（2020年度版）」）となっており、これらをベースとして、任期は原則6年間と設定する等が考えられる。

最後に、⑤その他の項目として、心身の健康状態等が挙げられる。特にCEOのポジションは非常に激務であり、非常に高いストレスがかかるポジションである。また一定の年齢以上で就任した場合、どうしても加齢に伴う心身の不調が生じやすい。したがってこれらのCEO・役員のポジションに就く場合には、その健康状態についても重要な要素となる。

次に、選抜基準・選解任基準（選任・再任・解任）について検討する。

まず、（人材プール等への）選抜基準から見ていこう。

【図表3-23】にあるとおり、選抜は将来的に社長や取締役（もしくは執行役員等）への就任が見込まれる人材を育成するために、そのポテンシャルを持つ人材を、部長や課長といった下位のメンバー等から選ぶことを想定している。先に示した五つの基準（①コンピテンシー、②業務経験、③パフォーマンス、④年齢・任期、⑤その他）の要素を加味して選抜を行うことが望ましいだろう。ただし、人材プールへの選抜におい

【図表3-23】（例）選抜要件

		人材プールへの選抜
目的		将来的に社長または取締役となる人材を育成するために、そのポテンシャルのある人材を選抜する
基本的考え方		経験・業績・コンピテンシー・法令順守・年齢にて評価し、総合的に判断
基準		以下の各基準より総合的に判断する
	①コンピテンシー	•予め設定した「パーソナリティ」の基準をある程度体現していること、現在体現できていないものについてもポテンシャルがあること •マネジメントスキル・リーダーシップを発揮する意欲があること
	②業務経験	•技術・営業・管理部門における経験を全般的に積んでいること、もしくはこれらの部門の業務についてよく理解していること
	③パフォーマンス	•管掌領域の遂行を通じて、会社の業績・価値向上に貢献していること
	④年齢・任期	•定年年齢を下回っていること
	⑤その他	•法令・定款等への違反がないか

ては、現時点で、五つのすべての選抜基準に合致していなくても構わない。つまり今後の伸びしろをふまえると、多少凸凹があったとしても、将来的な役員人材もしくは経営を担う人材のポテンシャルがあるとみなされれば、その点は目をつぶることもあり得る。

これらの選抜基準は、コーポレートガバナンス・コードの改訂に伴い、2018年夏以降本格的に設定する企業が増加した。しかし基準を設定したものの、「基準に合致しているパーフェクトな人材は、現行の役員には存在していない」という事例も、現実には多く発生している。これまで明文化そのものがなされていなかった企業では、改めて自社の役員やその候補者を検討する基準がなかったため、改めて基準を設けた場合、選抜は難しいものになりがちである。したがって、こういったケースは、ある意味で当然ともいえるだろう。

次に、選任・再任・解任に関する選解任基準について見ていきたい**【図表3-24】**。ここでは、社長の例をもとにして記載をしている。基本的な発想としては、五つの基準に基づいていることに変わりはないが、その具体性や求めるレベルの高さが、ポテンシャルを求める人材プールへの選抜とは大きく異なる。

例えば、基準①のコンピテンシーにおいて、人材プールへの選抜においては、「ポテンシャルがあること」が重視されるが、実際の選任においては、「社長として求められる知識・能力・マインドセット・パーソナリティを発揮していること」が重視されるといった具合である。

選任と再任では、特に重視されるべき項目は、少し異なる。選任の際には、コンピテンシーや業務経験といった点を重視するが、実際に就任後、再任するかどうかは、原則として当期のパフォーマンスに基づいて決定される。

また解任は、不祥事や懲戒等といったよほどの事情がある際に適用されるものであるため、原則として法令・定款等への違反の有無や不祥事に関する社長の責任の重さの程度等を総合的に考慮して決定されるべきものとなる。

具体的な事例を見てみよう。アサヒグループホールディングス[2]では、業績不振が続けば社長兼最高経営責任者（CEO）を解任（および不再

2　日本経済新聞「アサヒ、社長解任に業績連動　透明性高める」（2019年4月28日付）

【図表 3-24】（例）社長の選解任基準

		選任（新任）	再任	解任
目的		•役割にふさわしい人物を社内外から選任・指名	•現任者のパフォーマンスを評価し、年齢・任期を加味して適切な者のみ再任	•不祥事・懲戒等、社長にふさわしくないと判断された者を解任
基本的考え方		•経験・業績・コンピテンシー・法令順守・年齢にて評価し、総合的に判断		•不祥事・懲戒等の重大さをふまえて、判断
時期		•株主総会	•株主総会	•不祥事・懲戒等の発生時
基準		以下の各基準より総合的に判断する		
	①コンピテンシー	•業務の中で、社長として求められる知識・能力・マインドセット・パーソナリティを発揮していること	•社長として求められる知識・能力・マインドセット・パーソナリティを引き続き発揮していること	—
	②業務経験	•社長に求められる経験を経ていること	—	—
	③パフォーマンス	•経営計画の策定・管掌領域の業務の遂行を通じて、会社の業績・価値向上に貢献していること	•会社の業績・価値向上につながる経営計画を策定し、将来へのビジョンを社員に示していること	—
	④年齢・任期	•定年年齢を下回っていること		—
	⑤その他	•法令・定款等への違反がないか •社長としての職務執行に著しい支障が生じないか（心身の健康状況 等）		•法令・定款等への違反があったか •不祥事に対する社長の責任はどのようなものか

任）する基準を設定している。自己資本比率（ROE）や、投下資本利益率（ROIC）、売上高といった経営指標が、目標から一定期間下回ると、指名委員会で審議し、取締役会での検証を経て解任することを定めている。2019年12月決算期時点でのアサヒ社のROEは13%（コロナ禍のもとでの2020年12月決算期でも7.5%）と一般的な日本企業と比較すると高い水準にあるが、このような解任基準の設定は経営トップに対し

【図表 3-25】取締役の選任・解任等に関する会社法の規定

	監査役会設置会社	監査等委員会設置会社	指名委員会等設置会社
取締役の選任方法	株主総会決議（法329条第1項）	株主総会決議（法329条第1項）ただし、監査等委員である取締役とは区別して選任（法329条第2項）	株主総会決議（法329条第1項）各委員会の委員は取締役の中から取締役会決議により選定（法400条第2項）執行役の選任は取締役会決議（法402条第2項）
取締役の任期	2年（法332条第1項）非公開会社は10年以内（法332条第2項）	1年（法332条第3項）ただし、監査等委員である取締役は2年（法332条第1項本文、4項）	1年（法332条第6項）執行役の任期は1年（法402条第7項）
会計監査人の選任・不再任・解任に関する議案の決定	監査役会についてあり（法344条第1項、第3項）	監査等委員会について有り（法399条の2第3項2号）	監査委員会についてあり（法404条第2項2号）
株主総会での監査等委員以外の取締役の選任等・報酬等に関する意見陳述権	なし	監査等委員会についてあり（法342条の2第4項、361条第6項）	なし

て、緊張感をもたらすことになるだろう。

このように、解任基準を具体的に開示する企業はまだまだ少ないが、今後、株主等への経営責任の明確化や、透明性向上のため、基準をわかりやすく示す企業はさらに増加していくことと考えられる。

なお参考までに、各機関設計別の会社法上の取締役選解任に関してまとめると【図表 3-25】のようになる。

(4) 評価方法の検討

求める役員像に基づいて選抜・選解任基準が決まった後は、それらについて、どのように評価していくかがポイントとなる。特に、社長・CEO の後継者を指名していくという観点では、さまざまな角度から多面的な評価が行われるべきである。ここではいくつかの手法を示しながら、どのような手法があり、またそれぞれにおいて、どのようなメリット・デメリットがあるのかを見ていきたい。まずどのような内容を評価するかという観点で、①コンピテンシー、②業務経験、③パフォーマンスの三つに分かれる**【図表 3-26】**。

「①コンピテンシー」は、役員・CEO の人材要件をふまえて、評価するものだが、その手法にはさまざまなものが存在する。360 度評価やプレゼンテーションのように自社内で実施することができるものもあるが、それ以外の手法は基本的には、社内では難しいものも多い。このため、外部のアセスメントを実施する企業に依頼することが通常であり一定の費用がかかる。

「①-1. 360 度評価」は、従業員層でもよく実施されている手法である。上司・同僚・部下等、最低10 名程度のメンバーから被評価者に対する評価を集める。回答者のレベル・360 度評価に対する成熟度によっては、忖度が発生して適切な評価結果にならない場合もあることから、これだけですべての評価を決めると、不適切な結果を招く可能性がある。

また「①-2. プレゼンテーション」も、人材評価にあたり、よく活用される手法である。日系大手小売業の A 社では、役員プレゼンテーションと称して、毎年社長・副社長・社外役員に対して、自身の管掌する部門に関する概況説明や経営課題、およびその対処法を発表させ、評価を行っている。また別の日系大手電機 B 社では、IR 向けイベントで、主要事業の部門トップによるプレゼンテーションを設けており、そこでのプレゼン結果を、後継社長や上級役員への登用の判断材料としている。社外向けイベントの場であるが、その場に社外取締役等も呼び、評価を行っている点が特徴である。

「①-3. パーソナリティ診断（心理テスト）」は、外面にはなかなか表れにくく、本人自身も把握していない内面の性格や資質を把握するという観点で有効である。他の評価手法は、外部に発出した本人の行動特性や資質を理解する面で有効であるが、このように内面に迫っていく手法を採用する企業も増えている。

「①-4. 行動探索型インタビュー」は、専門的知識・スキルを持ったインタビュアーが 1 人ずつじっくりとインタビューを行うことで、本人の行動特性や将来のポテンシャルをあぶりだしていくものである。

【図表 3-26】役員評価の方法

区分	手法	概要	メリット	デメリット
①コンピテンシー	1. 360度評価	•上司、同僚、部下等が、現業における被評価者の行動・パフォーマンスを評価	•他の手法ではわからない周囲の評判やリーダーのあり方が把握できる	•回答者によっては、恣意的な評価となる可能性がある
	2. プレゼンテーション	•被評価者（プレゼンター）のプレゼンテーションを評価者が審査	•説得力・押し出しの強さなど他の手法では得られない経営トップ・役員としての資質・魅力を把握できる	•（テーマを適切に選定しない場合）候補者にとって有利・不利が生じる
	3. パーソナリティ診断（心理テスト）	•被評価者のパーソナリティ（性格）特性や行動傾向を評価	•安価で実施可能（数千円） •本人も把握していない内面の資質を把握できる	•自己申告をもとにするため、思い込みや作為がある場合、不適切な結果となる
	4. 行動探索型インタビュー	•被評価者の過去の成功体験や事象に対してどのように取り組んだのかを聞き、コンピテンシーを評価	•第三者によるインタビューを通じて、本人の行動特性や将来のポテンシャルを把握できる	•時間・コスト高（3時間、50万円～／人）（内部実施には、研修要）
	5. インバスケット型ワークショップ	•複数のシミュレーション演習を組み合わせ、被評価者の行動を評価	•集団の中における本人の立ち居振る舞いや行動特性を把握することができる	•時間・コスト高（1日、50万～100万円／人）（内部実施には、研修要）
	6. シミュレーション演習	•仮想のマネジメント状況を作り出し、その状況下における被評価者の行動を観察・評価	•特定状況下での本人の行動特性を把握することができる	•時間・コスト高（1日、50万円～／人）
	7. 人材デューデリジェンス	•360度評価の結果等を参考に、被評価者に関する行動特性・リスクを評価	•本人の行動特性・リスクを詳細かつ具体的に把握することができる	•時間・コスト高 •内部実施の場合、評価者が限定される
②業務経験	1. 業務経験評価	•求める役員像に照らして、被評価者が必要な経験（スキル・知識）を有しているかを評価	•過去・現在の業務経験を評価できる	—
③パフォーマンス	1. 業績評価	•上司（上級役員）が、現業における被評価者の行動・パフォーマンスを評価	•過去の人事考課結果に基づき、定量的に評価できる	—

「①-5. インバスケット型ワークショップ」「①-6. シミュレーション演習」は、それぞれ手法は異なるものの、双方ともさまざまな状況下において、どのような立ち居振る舞いや行動を取るか、思考をするかといった特性を把握することに役立つ。

また特筆すべき点として、「①-7. 人材デューデリジェンス（＝人材DD）」を行うことも、非常に有効である。「デューデリジェンス」とは、M&Aなどを行う際、買収対象となる企業のビジネスや財務等、各種機能に関するリスクやポテンシャルを事前に評価するための調査等を指すものである。人材DDは、これを候補者選抜（セレクション）に転用して行い、候補者が抱えるリスクやポテンシャルをより精緻に測ろう、というものである。具体的には、あらかじめ1次審査の結果（人事考課結果、360度評価結果等）をふまえてある程度人数を絞った後、残ったCEO候補者の周囲のメンバー（上司・同僚・部下）に対して、その候補者に関するヒアリング調査を行うものだ。イメージとしては、候補者1人につき、10名近い上司・同僚・部下にさまざまなインタビューに答えてもらい、根掘り葉掘りヒアリングしていくのである。人材DDのメリットは、対象者の人となりや性格、長所・短所といった細かな点まで鮮明にわかるため、指名委員会等が後継候補者として推薦するに本当に足る人物なのか、あるいはリスクのある人物なのかが明確になる点である。一方、デメリットとして、対象者が後継候補に挙がっていると周囲のメンバーに知られてしまう可能性がある点には留意が必要だ。

具体例として、人材DDを実施している日系大手サービス業C社では、社外取締役と外部コンサルタントによるデューデリジェンスチームを組成して、CEOの後継者候補人材の上司・同僚・部下約10名に対しさまざまなヒアリングを行っている。特に重点的にヒアリングを行うのは、①経営トップとして十分な貢献ができる人物であるか、②経営トップとしてリスクとなる要素はないか、③今後伸ばしていくべき点はどこか、という3点である。候補者1名につき10名近い人物からヒアリングを実施すると、よい点も改善すべき点も含め、本人のさまざまな情報に触れることが可能となり、その人物を深く掘り下げることができる。最終的にこれらの情報は、デューデリジェンスチームによりレポートとしてまとめられ、指名委員会に送られる。仮にCEOに選ばれなかったとしても、育成計画の中に織り込まれ、さらなる改善への一助となる。

次に、「②業務経験」では、求める役員像に照らしたときに、当該役員がこれまでどのような業務経験を積んできたのか、その外面および質の観点から評価を行う。特に重要なことは、単純にどのようなジョブローテーションを実施してきたか、その部署を整理する、といったことだけではなく、質的な面をよく見ることである。例えば、人材要件の中で、「ビジョン構想力がある」「イノベーションやビジネスモデル変革の経験がある」といったことは、部署名の羅列だけではわからない。このため、各部門・部署においてどのようなことを実施してきたのかを、一定の役員層以上には毎年書かせて社内のデータベースに格納するなどの工夫が必要となる。

さらに、「③パフォーマンス」は、過去の人事評価結果を使うことになる。人事部門などが過去の評価結果を整理して提供することが多いが、役員クラスの場合、企業によっては役員の評価そのものを実施してこなかった、という企業も多い。そのような企業はおそらく役員報酬制度もあまり適切に整備されていないケースが多い。この機会に早急に整備を行っておくべきである。

第5項　役員育成計画の検討

(1) 役員育成の基本的な考え方

育成計画の策定と実施は、平常時のサクセッションプラン実施において、最も重要な活動である。というのも、最終的にCEO後継者を決定するタイミングはCEO交代の直前であるため、それまでの間、候補人材は、各自が持つ能力をさらに磨き、CEOとして必要な能力を身につけておく必要があるからだ。

育成計画の策定にあたって重要なことは、まず役員人材育成の方針を決定することである。CEOの候補人材は、日本企業の場合、多くは40代後半から50代である。このレベル・年代にまで到達すると、一定の経験を積んだ結果、ある程度の識見や能力は固まってきている。この段階では、例えば研修プログラムを提供することで、本人の能力などが劇的に変化することは、一般的にはほとんどない（ことの方が多い)。

したがって、育成のポイントは、「本人自身のスキル伸長」のみに目的を置かないことである。今後任せたい役割からすれば、経営チームを率いる経験や、特定の専門能力を持つ人材と協働する経験を通じて、他者の持つ力を最大限発揮させる力、すなわちリーダーシップや意思決定力にフォーカスして育成することが重要となる。

もっと具体的にいえば、「事業戦略そのもののあり方を見直し、変革する経験」や「間接的なマネジメントと意思決定を通じて、高い成果を導く能力」を伸ばすことが、CEOの後継候補人材の育成には必要となる。

これらの全体像を整理したものが、**【図表3-27】**である。役員育成プログラムを検討するにあたり、このように、どのような形で進めていくか、各ステップに沿って検討を行っていくことが必要となる。大きな流れとしては、まず役員人材育成の方針を策定した上で、各候補者の能力の保有度を把握する。その上で、各候補人材別に、毎年、育成計画を策定し、現時点での能力・実績レベルと今後求められる能力・経験とのギャップを埋めるためのプランを検討していくという形となる。

(2) 役員育成方針と育成の考え方

役員育成の方針に関する具体的な事例を見てみよう。**【図表3-28】**は、セブン&アイ・ホールディングスにおける、役員トレーニングの方針である。セブン&アイ・ホールディングスでは、役員育成の方針として、「1.能力開発」とそれを支えるための、会社として能力の「2.向上機会の提供」という二つの項目を掲げている。上記で述べたとおり、経営者にふさわしい専門知識や経営計画に必要となる手法・技術だけではなく、組織メンバーの牽引やモチベーション向上といった技術にも触れている点が特徴的であり、これらの能力開発に向けた不断の努力を役員に求めている。

またそれらの能力開発を実現するために、会社として社外のプログラムへの参加奨励や、適切な専門家の紹介、広く一般教養も含めた経済・社会・文化などの情報提供等を行うものとしている。

【図表3-29】では、人材育成の3要素を示している。役員クラスであったとしても、能力伸長・育成の中心は現場での経験（OJT）にある。このことは、米国のリーダーシップ研究の調査機関であるロミンガー社のマイケル・ロンバルドとロバート・アイチンガーが提唱した、「70：20：10」の法則でも明らかとなっている。この調査は、優秀なリーダーシップを発揮している人材を対象に「どのような出来事が、現在のリーダー

【図表 3-27】役員育成プログラムの設計（イメージ）

方針の決定

役員育成方針の策定

自社の現状をふまえ、役員育成の方向性・ガイドラインを検討する

役員育成の方針

1. 役員育成の基本的考え方
   - ✓ XXX
   - ✓ XXX
2. 役員の能力開発目標の特定
   - ✓ XXX
   - ✓ XXX
3. 役員トレーニングの提供
   - ✓ XXX
   - ✓ XXX
4. XXX
   - ✓ XXX
   - ✓ XXX

候補者の能力保有度の把握

候補者の能力保有度の把握

各役員のこれまでの経験を整理し、候補者の能力保有度を把握する

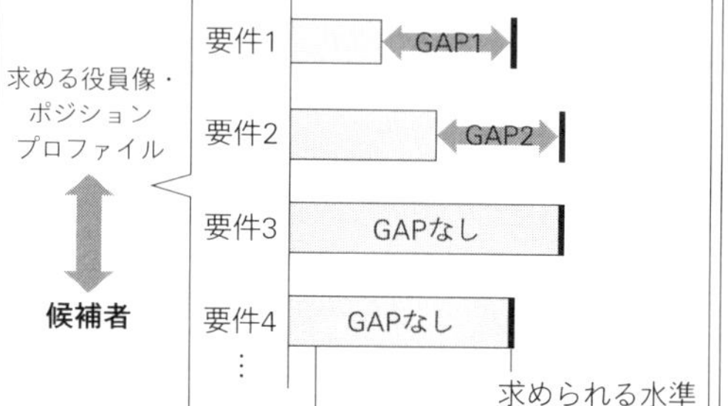

具体的育成施策（例）

個別育成施策の企画・実施

個別のGAPを埋める育成施策を企画・実施する

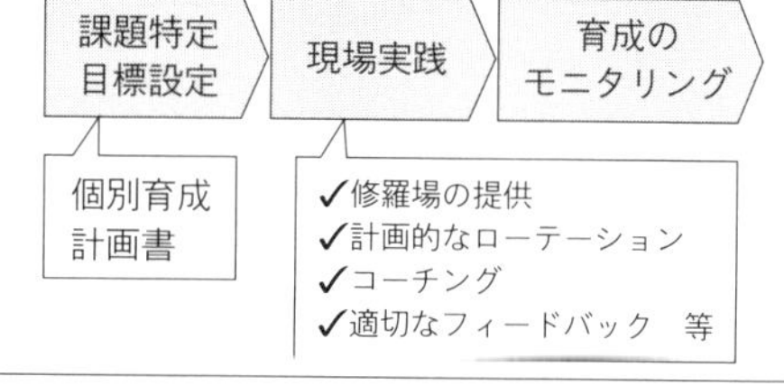

集合研修の企画・実施

候補者の共通課題および組織としての重要項目を特定し、集合研修を企画・実施する

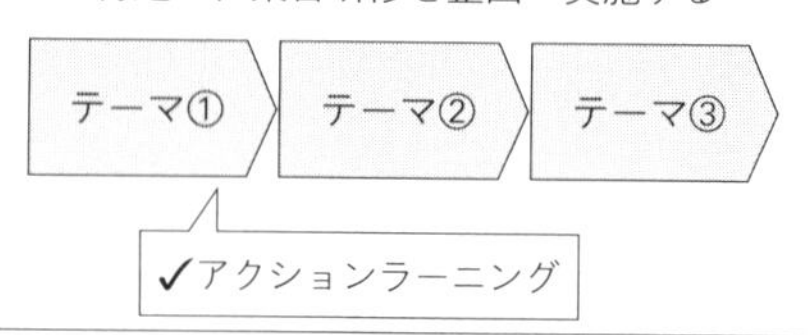

【図表 3-28】役員トレーニングの方針の例

《役員トレーニング方針》

1. 能力開発

当社グループ会社役員は、以下のような能力の開発に向けて不断の努力をするものとします。

i. 経営者にふさわしい専門知識と技能の開発・体得

ii. 各職能分野についての基礎的理解を深め、これに基づいて全社的、総合的視野に立った分析能力と判断力の開発・体得

iii. 経営管理上の諸問題に対する弾力的思考と迅速かつ的確な意思決定能力の開発・体得

iv. 経営分析、経営計画樹立などに必要な技術・手法の活用方法の体得

v. 組織メンバーの個々の努力を企業目標の達成に向かって効果的に結集させ、また、この人々の潜在能力を有効に開発・向上させるための技術の開発・体得

vi. 自己啓発意欲の高揚

vii. その他役員に求められる資質の向上

2. 向上機会の提供

上記能力の涵養に向けて、当社グループ会社役員はあらゆる機会を利用し、自己研鑽に努め、当社は向上機会を提供するよう便宜を図るものとします。

i. 社外の経営者教育プログラムの参加奨励

ii. 経営問題解決のための適切な専門家の紹介

iii. 経済、社会、文化、コンプライアンス、コーポレートガバナンスその他の一般情勢の理解に役立つ情報提供とセミナー主催

iv. 研修機会の提供

v. その他の自己開発・研鑽機会の提供

出所：セブン&アイ・ホールディングス「コーポレートガバナンス・レポート」

シップを発揮するのに役立っているか」ということをまとめたものである。この結果、人が育つ要素として、経験からの学び（OJT）が70%、上司や周囲のメンバーからの薫陶が20%、そして研修を通じた気づきが10%というものである。

OJTにおいては修羅場経験、いわゆるタフアサインメントが重要である。すでに多くの経営トップが、赤字事業や海外事業等での苦境を乗り越えた現場経験や、本社本流ではない傍流での経験が、会社全体や事業の方向性を考えるにあたって、社長に就任する上で重要な経験であったことを述べている[3]。

3　経済同友会「経営者および社外取締役によるCEO選抜・育成の改革 ―多様なガバナンスに応じた最良のサクセッションの追求―」（2019年5月）

【図表 3-29】人材育成の 3 要素

戦略的な配置・課題遂行（OJT）

- 戦略課題・事業課題に対応した配置による、課題遂行能力の向上（タフアサインメント）
- 異なる事業・機能・地域の経験による幅だし

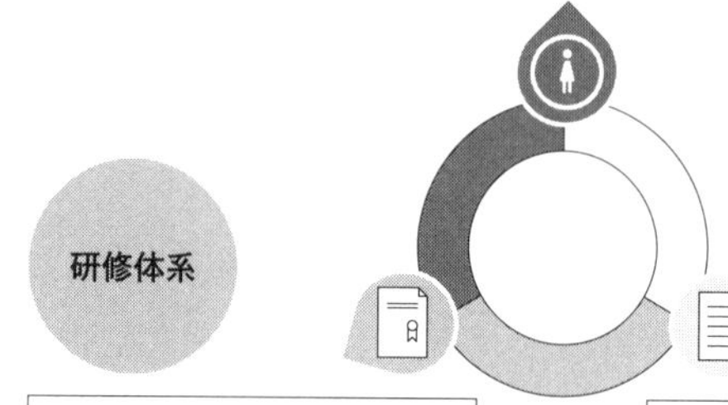

研修体系

育成計画書

研修（Off-JT）

- 個別研修（コーチング等）
- 集合研修（知識・スキル／マインド）

アセスメント

- 社長・人事担当役員（CHRO）等による面接
- 外部アセスメントによる能力・人物の確認・フィードバック

また各種インタビュー（肩書はいずれも当時）[4]でも、日立製作所の中西宏明会長は「自ら考えて商売をやってみて修羅場を経験しなければ、経営者は育たない。見込みがある幹部候補には、30 代半ばを過ぎたら海外子会社の経営に携わらせるようにしていきたい。数年間の期間限定で海外経験を積むという従来型の海外赴任ではダメ」と述べている。また三菱ケミカルホールディングス会長の小林喜光氏は、「ひ弱なエリートよりもたくましく育った危ないやつがいい（中略）。私の目に留まるのも、若いころから海外に出されたり、国内にいても子会社にいたりした人間で、挫折を味わい、たくましく育っている。現役員の 8 割程度はこのような経験をしている」のだという。さらにコマツ会長だった坂根正弘氏も「危機を乗り越えるような仕事を任されたとか、会社が大きく変わるプロジェクトを任された時、人はそこで成長する」と述べている。

これらは何も男性役員だけに限ったことではない。1985 年の男女雇

4　日経ビジネス電子版「女性役員 10 人に見る女性リーダーの育ち方」（2019 年 1 月 10 日）、日経ビジネス（2018 年 1 月 15 日号）、野村マネジメント・スクール／野村総合研究所『トップが語る　次世代経営者育成法』日本経済新聞出版社（2011）等

用機会均等法制定以降、女性役員の登用が近年進んでいるが、元日本経済新聞社の編集委員で、淑徳大学教授の野村浩子氏は「女性役員であっても、役員への登用や育成は男性のそれと大差ない。修羅場経験を含む、さまざまな機会の提供や周囲の支援が重要」と指摘している 。

このため、人材育成の中で、最も重視すべきことは、戦略的な配置を通じた課題遂行能力の向上、つまりタフアサインメントの提供である。一定規模以上の企業であれば、いまやごく当たり前に実施されるようになっているが、中堅・中小規模の上場企業でも徐々にこの考え方が浸透してきている。

またタフアサインメントとまでいわなくても、複数の事業・機能を経験させることも重要だ。人は誰でも、自分自身が経験したことがないものを想像・理解することは難しい。企業全体を率いるにあたり、例えば営業部門担当であれば、管理機能へ異動させ、コーポレート業務全般を俯瞰する立場で異なる経験を積ませる、あるいは事業のトップ、海外地域統括会社のトップなど、自分自身が最終意思決定者となる経験を付与していくことが求められる。

併せて、社長・人事担当役員（CHRO）による定期的な面接やフィードバックを通じて、自身の強みや弱みを理解し、可能な限り解決していくことができる体制の整備が必要となる。役員レベルになれば、集合研修は最低限不足する知識等を補うためのサブ的位置づけになるだろう。

(3) 役員に求める能力・経験と現状のギャップ把握

次に、人材育成・能力開発を行う上で必要となることは、各役員の現状と求める能力・経験との間にあるギャップを明確化することである。これなしではどのような育成施策も当てずっぽうのものとなってしまい、また担当者の思いつきによるものにしかならない。そのために行うべきことは、それぞれが持つ能力・資質や経験のアセスメントである。

求める人材要件に照らして体系的に整理した上で、その間をどのように埋めるか、という橋渡しを行っていく。

自社内で整理することも可能であるが、役員クラスであれば、選抜プロセスの中で実施した人材アセスメントと同時に実施することも推奨される。つまり、役員クラスに登用された段階で一定のアセスメントを等しく実施した上で、それらを育成にも活用すると同時に、選抜にも活用するという考え方である。もちろんアセスメントの実施にあたっては、1人当たり数十万～100万円程度の一定の費用はかかるが、役員一人がもたらすインパクトは、当然のことながら、そのような金額には留まらない。多少の費用を支払ったとしても、専門のアセスメント会社へ依頼することが望ましいだろう。

(4) 役員に必要な育成プログラムの策定

役員に求める能力・資質と現状のギャップをふまえた上で、それらに対する能力開発を図る上で重要なのが、育成プログラムである。

1. 研修プログラム

役員層に対する研修プログラムを検討するにあたり、基本的な考え方を整理しておきたい。企業内における階層を大きく、経営層、管理職層、一般社員層の三つの区分とした場合、通常、一般社員層においては、業務遂行に関する実務スキルを中心に育成していく【図表 3-30】。例えば、PC スキルや議事録の取り方、基礎的な業務知識や製品知識等が挙げられる。続いて、管理職層になれば、一般社員層で積み上げた実務能力に加えて、チームをまとめていくための力や顧客との高度な交渉力といった、より人的なスキルに求められる能力がシフトしていく。また経営を理解していくために重要な MBA で習得するような知識につい

【図表 3-30】階層別の人材育成体系

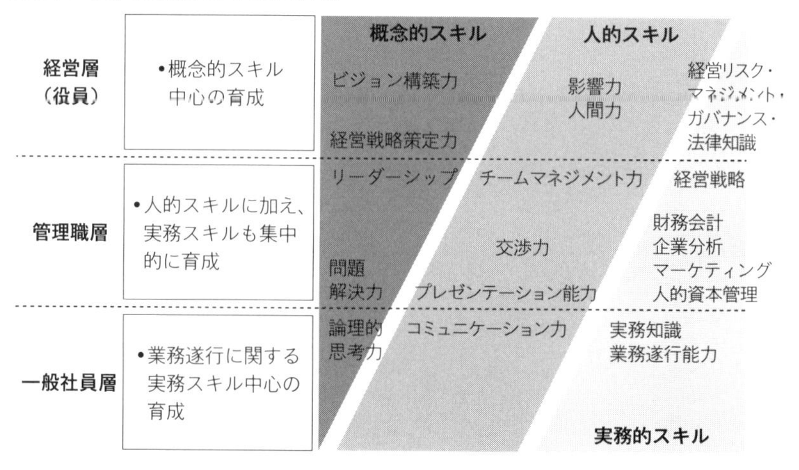

ても、できれば一般社員層の若手のうちに、遅くとも管理職層の早い段階で習得しているべきである。

その上で、経営層である役員に対しては、ビジョン構築・経営戦略策定、人間力の向上といった抽象度の高い能力の習得、あるいは経営層に上がる前段階でこれらの能力を習得済みであることが求められる。また役員に求められる経営リスクやコーポレート・ガバナンス、各種法令等の知識については個別に研修されることが望ましい。

では、役員層に対して人材育成の観点から、具体的にどのようなトレーニングを提供すべきであろうか。各社で実施されている研修等を整理したのが、**【図表 3-31】**である。

役員層に対する研修の目的は、大きく三つある。まず①経営者としての視座を高める、②多様な価値観・広い視野を持つ、③役員として最低限持つべき知識を獲得する、という観点である。それぞれの概要については、次の表に記載したが、①②は、主に人と関わることで自らを磨いていくものである。育成研修といっても、机に向かって受講するものは多くはない。役員層はアウトプットをしつつ、そこでの内省によってさまざまな視座や広い視野を獲得していくことが重要である。

2. 研修時間の目安

役員向けの研修プログラムの策定にあたり、忙しい役員の時間をどの程度割くべきなのだろうか。もちろん、時間数から考えるのは本末転倒ではあるが、一方で現実的にどの程度の水準かを理解しておくことも、実務担当者としては重要だ。

この目安時間を考える一助として、大手企業における従業員の研修時間を参考例として挙げた。日本のビジネスパーソンは、職種や企業内での階層にもよるが、おおむね2,000時間を仕事に充てている。**【図表 3-32】**で示すとおり、年間の平均研修時間は、単体・連結の区分によって異なるものの、おおむね10～50時間程度である。つまり、年間標準労働時間の0.5～3%程度を研修に充てているといえる。このことから、役員層においても、少なくとも同程度の育成時間を充てることが考えられるだろう。一般に役員クラスはこれよりもさらに少ない水準であることが多いが、コーポレートガバナンス・コードの原則4-14の中で「取締役・監査役へのトレーニング」を推奨されるようになってから、研修を

【図表 3-31】役員向け研修コンテンツ

区分	コンテンツ名	内容	期待される効果
①経営者としての視座を高める	エグゼクティブコーチング	経営幹部層に対して、専門コーチが、定期的にコーチングを行う 客観的なフィードバックの実施や内省を引き出す	自らの想いを経営戦略や提案・行動という目に見える成果につなげる意識を持つ 迷いを断ち切り、組織の成長と変革にコミットすることで、リーダーシップの強化や戦略の実現を図る
	社長との対話	ランチミーティング等、毎回経営に関するテーマを設け、社長と定期的に対話する	現経営トップや自社の経営に求められる思考・マインドを理解する
	上級役員とのメンタリング	上級役員がメンターとなり、キャリア・仕事上の悩みのメンタリングや上級管理職の考え方を学ぶ また必要な人脈形成の支援（紹介等）を行う	経営に携わるに必要な視点獲得・人脈形成を図る
	外部トップからのレクチャー	外部の経営トップから経営に関するテーマをもとに、講義を開催 講義後はディスカッションを設ける	他社経営トップの視点と比較することで、経営陣としてのあり方を考えられるようになる
②多様な価値観・広い視野を持つ	外部交流	外部研修機関で実施されている研修への参加等 異業種の選抜人材等との共同研修の実施。経営や事業・各社の活動をテーマとしてディスカッションを実施 併せて懇親会や合宿等を行い、ネットワークの醸成を図る	多様な価値観を受け入れ、より広い視野を持つことができる 他社の選抜人材との交流により、視野拡大や自己啓発意欲の向上、既成価値観の打破、人脈の拡大が見込まれる
	経営陣との海外同行	経営トップやCFOとともに、海外IRや国際会議（例：ダボス会議等）へ同行	海外投資家・要人の考えや世界最先端の議論を学ぶことで、多様な価値観への理解や視野拡大、人脈の拡大が見込まれる
	リベラルアーツ	哲学／科学／文学／音楽などさまざまな学問や文献に触れ、自ら課題を抽出し、取り組み発表・ディスカッションを行う	以下を通じて、人間力の幅・深さを広げる 組織のリーダーとして「意思決定の拠り所」を確立する

【図表 3-31】の続き

区分	コンテンツ名	内容	期待される効果
	（リベラルアーツ）		事業コンセプトの「創造力」を鍛錬 リーダーとしての「人間的な魅力」を醸成 「多様性の受容力。コミュニケーションの幅・深み」を持つ
③役員として最低限持つべき知識の獲得	創業理念・社史	創業以来の歴史や理念の根幹を理解するためのレクチャー・社長講話を通じて、理念や歴史が、経営にどのように影響するかについて理解する 自社グループにとってコアな価値観・判断の軸についてディスカッションを行う	創業理念・社史への理解を通じて、グループ経営の実現に必要となる「当社らしさ」「ミッション・ビジョン」を役員共通の価値観として涵養する
	ケース分析	自社（または他社）の経営に関するベストプラクティス／失敗例を分析しディスカッションを行う	経営戦略を立案するスキルを形成する
	コーポレート・ガバナンス／会社法	コーポレート・ガバナンス、会社法に関する有識者を招き、講義を実施	経営者に求められるコーポレート・ガバナンス、会社法に関する知識を獲得する
	危機管理・経営リスク管理	危機管理・リスク対応に関する有識者を招き、講義を実施。また記者会見シミュレーション等の実施も行う	経営に関する危機管理・リスク対応力を身につける

【図表 3-32】各社の年間平均研修時間

企業名	年間平均研修時間	備考
三菱商事	23.2時間	単体
三井物産	12.62時間	単体
双日	19時間	
東京海上ホールディングス	21時間	
博報堂DYホールディングス	21.5時間	博報堂、大広、読売広告社、アイレップ、博報堂DYメディアパートナーズ
東京ガス	11.4時間	人事部主催の研修のみ
花王	14.1時間	
富士通	47.6時間	

出所：各社Webサイト、統合報告書、サステナビリティレポート等

充実させていく企業も増えているため、これらもふまえ検討してみるとよい。

3. タフアサインメント

研修プログラムと同様に重要となるアイテムの一つが、タフアサインメントである。すでに述べたとおり、役員あるいは経営トップに就く上で、誰しも順調な道を歩んだわけではない。赤字事業や海外現地法人のトップ、グループ子会社等、これまでとは異なる事業・地域・環境の中で、新たな経験を積むことで、経営層としてより磨きをかけることにもつながっていく。

タフアサインメントの設定には、準備が重要だ。すなわち、自社において、どのようなタフアサインメントとなるポジションが存在するかをあらかじめ挙げておくことが重要となる。例えば、海外地域統括会社のトップや、赤字事業部門のトップ、あるいは複数事業を見渡す管理部門のトップ、労働組合とのハードなコミュニケーションが求められる人事部門トップ等、さまざまな観点によって、タフアサインメントは考えられ得る。もちろん、いま挙げたような部門のトップだけではなく、社長直轄の全社プロジェクトのリーダー等も該当するだろう。選定のポイントは、多くの経営トップが述べていたとおり、できるだけ自分自身の意思決定や判断力が磨かれるかどうか、という点である。

また事業環境は毎年変化するため、経営トップと人事部門等の間で、サクセッションプランを策定する際に検討したキーポストもふまえ、どのようなポジションが該当するかを更新していく必要がある。その上で、後述する個人別の育成プログラムの検討において、アサインメントを決定していく。

(5) 個人別の育成プログラムの設計とレビュー

役員に求められる能力・資質や短期・中長期での育成目標に基づいて、個々の役員別に育成プログラムを設計する。ここで重要となるのは、第4項Step1（2）の1.運営体制の検討の③で述べた「人材育成委員会」である。各役員に対してどのような育成を行っていくかを、社長・副社長・人事担当役員といったメンバーを中心に検討する。これらは後に説明する年間フローの中に織り込まれ、毎年、定期的に役員の育成状況をレビューしながら、次年度の育成の方向性やアサインメントとしてのポジションが振り分けられていく。

ある日系グローバル製造業D社の事例を紹介しよう。この企業では毎年7〜8月から複数回にわたり、社長・副社長・人事担当役員の3名を中心に、次年度に向けた役員育成を検討している。ここで検討する内容は、大きく分けて3点である。まず、次年度の役員体制（執行部門）の大まかな姿を検討する。その上で現状の役員の状況をレビューし、育成状況やリスクを確認する。さらに、今後誰をどのようなポストに置くべきか、サクセッションプランを検討していくのである。最後に、それらの実現のために必要な役員育成としての研修やアサインメントを検討する。

このように、役員の育成を検討する場合、単に誰にどのような研修を与えるか、といったことではなく、将来的なサクセッションプランと紐づいた形で検討が行われ、将来の役員人事にもつながっていくのである。

なお、この際に用いられるのが、個人別の育成計画書である。育成対象者の基本情報や評価結果をふまえ、対象者の課題抽出と開発・伸長すべきスキル・知識や経験を特定する。その上で、人材育成委員会で議論した結果、翌年度にどのような配置案とするかを検討していくのである。また、配置結果については翌年モニタリングを実施し、それらのパフォーマンスをふまえた上で、今後の登用等にもつなげていく。

(6) 役員育成に関する年間の運用フローの設定

最後に、役員育成に関する一連のフローを整理する。事業年度が4月始まりの企業の場合、その直前の2〜3月頃に役員人事に関する発令があるケースが多い。その後、4月から執行部門の役位に就くケースもあれば、毎年6月の株主総会に合わせて取締役の役位に就任する等といった形で人材の異動が起こる。人事部門としては、タフアサインメントポジションの更新や研修プログラムの検討を行った上で、株主総会の前後となる5〜7月から複数回にわたる人材育成委員会を開く必要がある。そこでは、次年度の最適な役員体制の構築に向けて、現役員に対してどのような育成を行っていくか、あるいは適切な人材の確保・育成が難しい場合には、外部からの採用を検討していく。その後、秋から冬にかけて研修の実施や現業でのパフォーマンスを見た上で、11〜1月頃に、翌年度の役員体制をどのようにしていくかの検討を行う。もちろん、企業によってはここに指名委員会の関与や、取締役クラスや社長であればこれらについて、当然に指名委員会や取締役会の関与が必要となる。これらが大まかな年間のスケジュールとなる。

第6項　役員サクセッションプラン全体のレビュー

最後に、役員サクセッションプラン全体のレビューについて触れておきたい。ここまで、一連の役員サクセッションプランの設計について述べてきたが、いずれについても仕組みをつくって終わりということではなく、毎年定期的にレビュー（振り返り）を行い、改善すべき点があれば随時見直しを図ることが必要となる（**【図表 3-4】**のようにプロセス全体を見た上で、振り返りを行うことが望ましい）。また、後継候補人材の育成状況が思わしくない場合、あるいは新たな課題が生じた場合には、取締役会や指名委員会等で共有を図り、解決のための方法を検討すべきである。こうしたフォローアップを含めて、一連のプロセスが有機的に機能してこそ、有効なサクセッションプランが構築できたといえる。

一方で、逆説的かもしれないが、選抜の手法や育成の方法はあくまでも、適切なCEOや役員が選ばれるためのツールでしかない。検討の過程においては、細かな選抜基準や育成手法に思考が偏りがちであるが、人事部門のメンバーが常に意識すべきことは、「取締役会や指名委員会、あるいは株主の視点から見たときに、客観性・透明性を持って外部に説明できる仕組みとなっているか」「この選抜方法によって、真に企業価値を向上させる優秀な経営トップが選ばれるか」という点である。人事部門担当者としては、安易な解決策に走る「How思考」に陥らないようにするためにも、常にこの点を問い続けながら、サクセッションプランを検討していくべきだ。CEOを含む経営幹部のサクセッションプランや選解任基準の策定については、各社での取り組みがまさに緒に就いたところであり、これからの数年で大きく進展していくものと思われる。しかしながら、サクセッションプランを支える人材要件や選抜・育成の手法などは、企業によって考え方が大きく異なるため、どこにでも推奨できる枠組みを教科書的に説明できるものではない。策定のステップをある程度共通化して示すことはできるが、その中身は各社によってまったく異なっているというのが実態だ。ビジネスの状況、組織文化、候補人材の状況等を総合的に勘案した上で、各社なりのサクセッションプランが形づくられていくことになろう。

【図表 3-33】ではレビューの際の代表的な観点を示している。1年目からベストなサクセッションプランができるということは難しく、通常は数年間かけて、少しずつ自社により合致したやり方が見えてくるものであり、その際の参考としていただきたい。

【図表 3-33】役員サクセッションプランに関するレビューの観点（例）

項目	レビューの観点
1. 指名方針	指名方針は、事業戦略・時代の要請に照らして適切であるか？
2. 運営基盤	取締役会・指名委員会・人材育成委員会・事務局の各会議体は適切な動きができたか？　問題があるとすれば、それは何によるものか？（実施回数／時間・各会議体の委員の役割認識・候補者／議論の量および質・事前準備資料の内容）
3. 求める役員像	求める役員像（社長・役員共通、各ポジション別等）は、事業戦略・時代の要請に照らして適切であるか？
4. 人材プール	サクセッション対象者として認定された人材プールには、求める役員像で想定した人材が選抜されているか？（本質的な意味で優秀な人材が集められているか）また必要な量の人材が選抜されているか？　ジェンダー等の観点から多様な人材がプールに集められているか？
5. 選抜・選解任プロセス	各選抜・選解任プロセスにおいて、サクセッション候補者となり得る優秀な人材が量・質の観点から十分に揃っているか？　またそうでない場合、それはなぜか？
6. 選抜評価の基準・方法	選抜プロセスの各段階において実施した選抜評価結果や評点と、実際の被評価者との間に乖離はないか？　偏った選抜基準となっていないか？
7. 選解任基準の妥当性	役員の選任・再任・解任基準は、事業戦略・ガバナンスの観点から妥当な内容であるか？
8. 役員育成の方針	役員育成の方針は、事業戦略・時代の要請に照らして適切であるか？
9. 役員育成プログラム	各役員の育成プログラムは、意図した目的を達成できたか？　また費用対効果の観点から、よい育成プログラム・悪いプログラムはどれか？
10. 開示	開示内容について、自社の役員指名・育成について、十分な情報開示ができているか？　より丁寧に説明を行うとしたらどの点か？
11. その他	役員サクセッションプラン全体において、他に改善すべき課題はあるか？

第4章

任意の諮問委員会

第1節　本章の意義

本章では、2018年および2021年のコーポレートガバナンス・コード改訂で特に注目を集めている、任意の諮問委員会、とりわけ指名委員会および報酬委員会に着目して説明を行う。不透明となりがちな役員報酬決定の客観性・透明性のカギを握るのは、社外取締役を中心とした外部の目である。しかしながら、これらの諮問委員会を設置している企業は東証一部上場企業クラスであっても約70%前後となっており、また年間の実施回数も年1〜2回と非常に少ない。このため、運営のためのノウハウやその考え方は欧米と比較しても未成熟である。5〜10年後といった将来を鑑みると、任意の諮問委員会は100%に近い設置率になるものと想定される。現在設置している企業も未設置の企業も、取り組みの参考としていただければと考えている。

第2節　任意の諮問委員会とは何か

社外取締役によるガバナンスが効きにくい日本の取締役会

2015年のコーポレートガバナンス・コードの適用開始以降、任意の諮問委員会を設置する企業が増加している。それでは、ここでいう任意の諮問委員会とは何を指すのだろうか。

まず「任意」という用語であるが、指名委員会等設置会社において、指名委員会・報酬委員会等は会社法上の必置機関であることの対比としているものであり、法的な裏付けはないものである。その意味において

「任意」とされている。
では、これらの指名・報酬委員会に代表される任意の諮問委員会は、設置する必要があるのだろうか。また「任意」であるにもかかわらず、なぜ多くの上場企業では諮問委員会の導入を進めているのだろうか。

その背景としては、日本特有の事情が挙げられる。まず一般に、米英の取締役会は独立社外取締役が中心となって構成されており、社内のメンバーは、CEOやCFOといった一部の社内メンバーが参画するのみである。これにより、取締役会あるいは指名委員会では、何か問題があればCEO等の解任が決定されるなど、非常に緊張感のある環境の中で、経営陣はマネジメントしている。
一方、日本で代表的な監査役会および監査等委員会設置会社を採用している企業の取締役会では、内部昇格者による社内の業務執行を兼務した取締役（例：取締役兼執行役員のような役位）が多数を占めている。2021年時点で独立社外取締役が、取締役会の過半数に達している企業は東証一部上場企業のわずか8％しかない。
指名委員会等設置会社を採用している企業を除くと、社内取締役が多数派であるこれらの取締役会においては、少数の社外取締役がガバナンスを効かせるために、経営陣の選解任や、報酬に関する動議や意見をいくら申し述べたとしても、数の論理から適切な監督機能を確保することは難しい。
要は、社外取締役が過半数未満の企業が大半である日本の取締役会においては、社外取締役による監督や牽制が効きづらい環境にある、といえるのである。こういった状況を鑑みて、コーポレートガバナンス・コード「原則4-10」では、「任意の委員会の仕組みを活用して、企業の統治機能（ガバナンス）の充実を図るべきである」としている。

【原則4-10　任意の仕組みの活用】
上場会社は、会社法が定める会社の機関設計のうち会社の特性に応じて最も適切な形態を採用するに当たり、必要に応じて任意の仕組みを活用することにより、統治機能の更なる充実を図るべきである。

任意の諮問委員会は、社外取締役が中心

任意の諮問委員会を設置する目的は、取締役会におけるモニタリング（監督）機能の強化にある。すでに述べたように、指名委員会等設置会社においては、指名委員会ならびに報酬委員会は必置機関となっている。指名委員会・報酬委員会の権能により、株主総会に提出する取締役の選解任の議案内容の決定や、取締役・執行役の個人別の報酬に関する決定を行うことができる。また指名委員会等設置会社の各委員会では、その委員の過半数について、社外取締役から選任する必要がある（会社400条3項）。これにより、指名委員会等設置会社における指名委員会・報酬委員会は、基本的に社外の目を通じた客観性や報酬決定のプロセスにおける透明性が確保されている。

一方、監査役会設置会社および監査等委員会設置会社においては、指名委員会等設置会社のような、指名委員会・報酬委員会の設置は、会社法上、義務付けられていない。また指名や報酬に関する内容については、取締役会に委任される形となるが、取締役会の過半数を社外取締役が占めていない場合、指名・報酬に関する監督上の重要項目は、社内取締役を中心とした取締役によって決定されることとなる。これらを外形的・実際的に見て、ガバナンスが十分に確保されているとはいえない。

このため、コーポレートガバナンス・コードの補充原則4-10①では、適切なガバナンスを確保するために、**監査役会設置会社もしくは、監査等委員会設置会社**と具体的に機関設計の名称を挙げた上で、**独立社外取締役が取締役会の過半数に達していない場合、指名・報酬に関するモニタリング機能を高めるために、指名委員会・報酬委員会などの独立した諮問委員会を設置すべきである**、としているのである。

さらに2021年のCGコード改訂により「プライム市場上場会社は、指名・報酬委員会の構成員の過半数を独立社外取締役とすることを基本とし、その委員会構成の独立性に関する考え方・権限・役割等を開示すべきである」とされた。この改訂によって従来以上に独立性・客観性の高い指名・報酬委員会の設置・運用が求められるようになった。

【補充原則4-10①】
上場会社が監査役会設置会社または監査等委員会設置会社であって、独立社外取締役が取締役会の過半数に達していない場合には、経営陣幹

部・取締役の指名（後継者計画を含む）・報酬などに係る取締役会の機能の独立性・客観性と説明責任を強化するため、取締役会の下に独立社外取締役を主要な構成員とする独立した指名委員会・報酬委員会を設置することにより、指名・報酬などの特に重要な事項に関する検討に当たり、ジェンダー等の多様性やスキルの観点を含め、これらの委員会の適切な関与・助言を得るべきである。
特に、プライム市場上場会社は、各委員会の構成員の過半数を独立社外取締役とすることを基本とし、その委員会構成の独立性に関する考え方・権限・役割等を開示すべきである。

第3節　任意の諮問委員会の役割と位置づけ

それでは、任意の諮問委員会に求められる役割と位置づけについて見てみよう。ここでは任意の諮問委員会を、コーポレートガバナンス・コードで記載されている指名委員会・報酬委員会に限定した上で、記載していく。

まず各機関設計における指名・報酬委員会に関する位置づけを整理したのが、**【図表 4-1】**である。現在の日本において多数を占める監査役会設置会社・監査等委員会設置会社においては、すでに述べたとおり、指名・報酬委員会は任意[1]という位置づけとなっている。

また社外取締役に関しては、監査役会設置会社のみ選任義務なし、となっているものの、2021年改訂版コーポレートガバナンス・コードにおいては、原則4-8において「プライム市場上場会社は（中略）独立社外取締役を少なくとも3分の1（その他の市場の上場会社においては2名）以上選任すべきである」とされている。このため、いずれの機関設計を採用したとしても、独立社外取締役を少なくとも2ないし3名以上採用することが求められる状況にある。2021年時点では東証上場企業のほぼ100%で1名以上の社外取締役が選任されているが、3分の1以上の独立社外取締役も73%選任されている状況にある。

【図表 4-1】機関設計との関係性

指名委員会等設置会社以外は、会社法上、任意

	監査役会設置会社 （2,417社：65%*）	監査等委員会設置会社 （1,237社：33%*）	指名委員会等設置会社 （81社：2%*）
指名委員会	任意	任意	必要 （3人以上の取締役。うち、過半数は社外取締役）
報酬委員会	任意	任意	同上
社外取締役	1名以上の選任義務	2名以上の選任義務	2名以上の選任義務

出所：東証「東証上場会社における独立社外取締役の選任状況及び指名委員会・報酬委員会の設置状況（2021年8月2日」を基に、デロイト トーマツ グループにて作成

【原則 4-8　独立社外取締役の有効な活用】
独立社外取締役は会社の持続的な成長と中長期的な企業価値の向上に寄与するように役割・責務を果たすべきであり、上場会社はそのような資質を十分に備えた独立社外取締役を少なくとも 2 名以上選任すべきである。

このような環境の中で、指名委員会・報酬委員会のそれぞれが、社外取締役を中心として設置することができる状況は一定程度整備されてき

1　経済産業省「CGS ガイドライン」においては、監査等委員会設置会社と任意の指名・報酬委員会に関して、会社法上との関係について言及している。「監査等委員会設置会社の場合、監査等委員会の選定する監査等委員は、監査等委員以外の取締役の指名と報酬に関して意見陳述権を有する。かかる意見陳述権と、任意の指名委員会・報酬委員会の答申内容や取締役会の決定権限との関係について、整理しておく必要がある。例えば、全ての監査等委員のみで構成する指名委員会・報酬委員会を設置することとすれば、意見陳述権との関係の整理は容易となる一方、全ての監査等委員が指名・報酬・監査の全てに注力する必要が生じることから、監査等委員（特に社外取締役）の負担が大きいという難点はあり得る。

他方、監査等委員会の選定する監査等委員が代表して任意の指名委員会・報酬委員会に参加するとすれば、監査等委員会以外の議論の影響を受けていることをどう評価するかという点の整理が必要であるが、監査等委員会の選定する監査等委員の意見も反映させた上で指名委員会・報酬委員会が原案を作成するのが通常と思われるため、実際上の問題が生じないと考えられる。監査等委員が 1 名も入っていないような場合には、監査等委員会の選定する監査等委員が、指名委員会・報酬委員会とは別の意見を出す事態も生じ得る点に留意が必要である」

【図表 4-2】任意の諮問委員会の役割（例）

指名委員会	指名方針の決定や、取締役・経営陣幹部候補者の選任および解任案の検討・後継者計画の策定を行うための機関 • 指名方針の決定 • 取締役・経営陣幹部候補者に関する選任および解任案の検討 • 後継者計画（サクセッションプラン）の策定・検討
報酬委員会	報酬方針の決定や、取締役および執行役員等の個人別の報酬等を検討するための機関 • 報酬方針・報酬制度の決定 • 報酬制度に基づく具体的な報酬額の決定 ▶対象者の業績評価等の実施

ているといえよう。しかしながら、現状では必ずしも社外取締役が中心とはなっていない点が課題となっている。この点に関しては、後述する。

それでは、具体的に、指名委員会・報酬委員会はどのような役割を担うべきだろうか。ここでは、各社の成熟度やガバナンスの状況に応じて、いくつかの段階に応じた役割はあるが、大枠を以下で提示している**【図表 4-2】**。

第4節　任意の諮問委員会に関する現状と課題

次に、指名委員会・報酬委員会に関する現状と課題について述べたい。

実質的な議論は本当になされているか

まずは、指名委員会・報酬委員会のそれぞれに関する設置率と年間の実施回数を見てみよう**【図表 4-3から図表 4-6】**。指名委員会・報酬委員会ともに、2015年以降、毎年増加傾向にある。しかし2021年時点でも、東証一部上場企業において、指名委員会の設置率が約66%、報酬委員会は約70%となっており、ようやく半数超の企業が設置したという状況である。全体からすればその導入状況はまだまだといわざるを得ないが、委員会導入のペースは、2021年のコーポレートガバナンス・コード改訂を契機にさらに加速することが見込まれる。

【図表 4-3】指名委員会の設置企業の増加

- 指名委員会を設置する企業は年々増加
- 東証一部上場企業で約66%が導入。
  JPX日経400では88%が導入済み

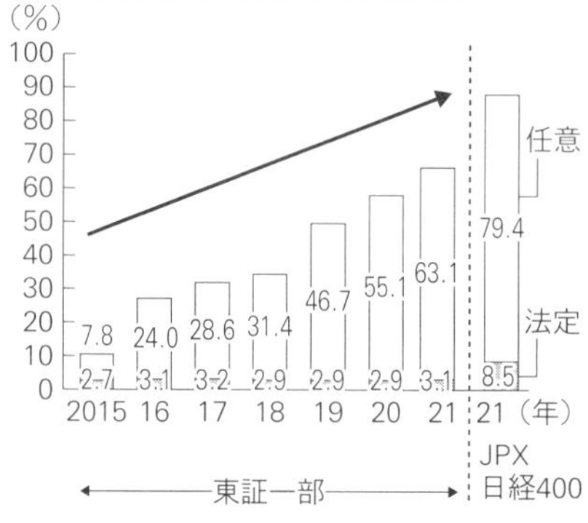

出所：東証「東証上場会社における独立社外取締役の選任状況及び指名委員会・報酬委員会の設置状況（2021年8月2日）」

【図表 4-4】任意の指名委員会の開催頻度（1年当たり）

- 指名委員会を実施している企業のうち、年1～2回しか実施していない企業が**約48%**
- **形式的な議論に留まっている**可能性がある

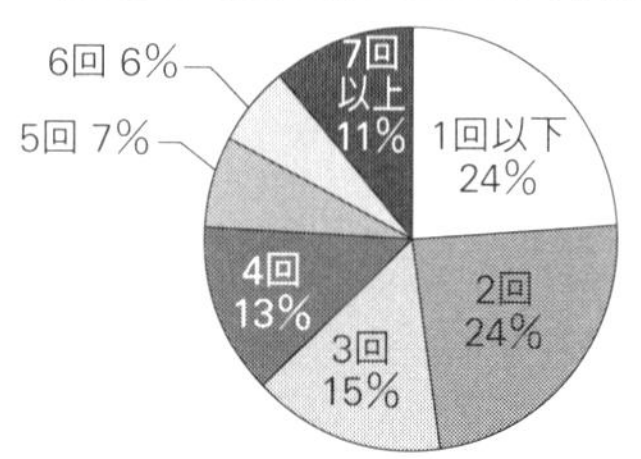

（グラフは各選択肢の総計の割合）

（単位：社）

	1回以下	2回	3回	4回	5回	6回	7回以上	総計
東証一部上場	103	106	67	57	30	26	48	437
東証二部上場	6	10	5	3	1	1	6	32
その他上場	7	2	3	6	1	1	2	22
非上場	2	3	1	0	0	3	0	9
総計	118	121	76	66	32	31	56	500

脚注：「任意の指名委員会の設置状況」で「設置している」を選択した500社の回答
出所：「役員報酬サーベイ（2020年度版）」

【図表 4-5】報酬委員会を設置する企業

- 報酬委員会を設置する企業は年々増加
- 東証一部上場企業で約70%が導入。
  JPX日経400で90%が導入済み

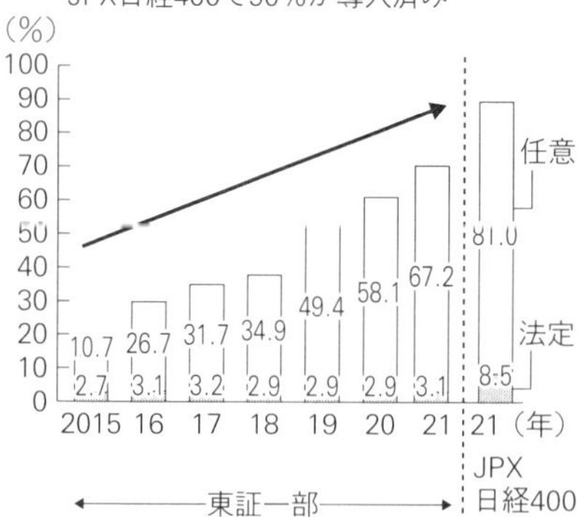

出所：東証「東証上場会社における独立社外取締役の選任状況及び指名委員会・報酬委員会の設置状況（2021年8月2日）」

【図表 4-6】報酬委員会の実施回数（1年当たり）

- 報酬委員会を実施している企業のうち、年1～2回しか実施していない企業が**約44%**
- **形式的な議論に留まっている**可能性がある

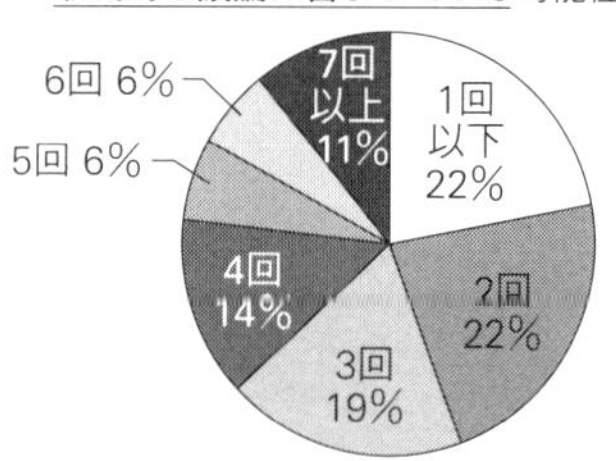

（グラフは各選択肢の総計の割合）

（単位：社）

	1回以下	2回	3回	4回	5回	6回	7回以上	総計
東証一部上場	101	109	90	65	32	26	52	475
東証二部上場	9	8	7	6	1	0	6	37
その他上場	8	5	6	6	2	4	2	33
非上場	5	3	2	0	0	4	1	15
総計	123	125	105	77	35	34	61	560

脚注：「任意の報酬委員会の設置状況」で「設置している」を選択した560社の回答
出所：「役員報酬サーベイ（2020年度版）」

【図表 4-7】社外取締役の比率　　【図表 4-8】委員長の属性

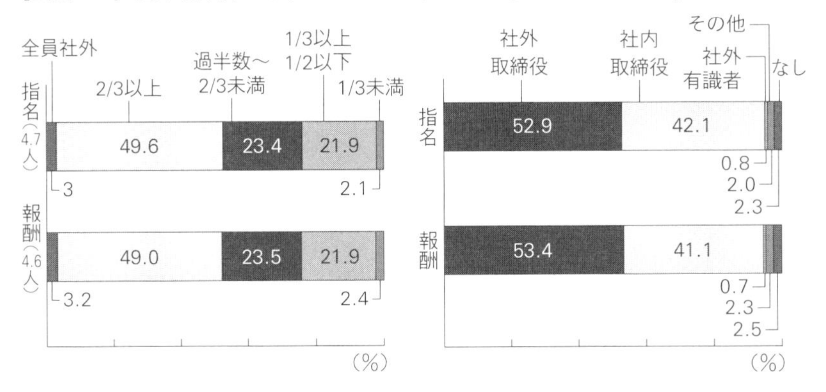

出所：東証「東証上場会社における独立社外取締役の選任状況及び指名委員会・報酬委員会の設置状況（2021年8月2日）」
脚注：括弧内は報酬委員会の平均人数、いずれも東証一部、任意

次に、1年間当たりの実施回数はどうだろうか。指名委員会・報酬委員会いずれも、年間1～2回が多数派となっており、それぞれ約48%、44%という状況にある。経営者の指名や報酬という重要な事項について、年間1～2回しか議論を行っていないということをイメージしてほしい。実質的な議論は行われておらず、いわば経営執行部門から出された指名・報酬案を社外取締役が追認するという形式的な議論に留まっている可能性が高いと考えられる。

さらに、指名委員会・報酬委員会のメンバー構成や委員長に関してみていく。任意の諮問委員会の設置目的は、独立社外取締役が過半数を占めていない企業において、取締役会のモニタリング（監督）機能を高めるためにあることはすでに述べた。また2021年のCGコード改訂では、特にプライム市場上場会社において、指名・報酬の各委員会の構成のうち、過半数を独立社外取締役とすることが求められている（補充原則4-10①）。この趣旨に則れば、本来的には、指名委員会・報酬委員会は、独立社外取締役によって過半数が占められ、議長職も社外取締役が担うのが本来的であろう。

しかし、現状を見ると、必ずしもそのようにはなっていないのが実態である**【図表 4-7、4-8】**。社外取締役が過半数を占める企業は、東証一部上場企業では約75%である。また社外取締役が委員長職に就いてい

る企業は、約５割強に留まる状況にあり、約４割の企業は社内者が委員長職を務めている形となっている。現状だけ見れば、コーポレートガバナンス・コードの趣旨に則った役割、すなわち「指名・報酬に関する取締役会の機能の独立性・客観性と説明責任の強化」を実現できている企業はごく一握りであることが理解できるであろう。

これらの状況を総合して考えられることは、我が国における指名委員会・報酬委員会の設置や運営は、ようやく緒に就いた段階であるということである。指名・報酬に関する実効性ある議論が本当になされているか、という観点では、まだまだ多くの企業が満足できる水準に至っていない。「とりあえず設置したが、実際の運営には苦慮している」というのが企業の実態であり、筆者らがよく聞く声でもある。では、どのようにすれば、指名委員会・報酬委員会をより適切に運営できるのであろうか。この点について、次節で説明を行いたい。

第５節　任意の諮問委員会の設計・運営に関するポイント

まず指名委員会・報酬委員会を設置する目的を明確にすることが重要となるが、大きく分けて以下の２点に集約される。

①社外者の関与を強めることにより、指名・報酬に関する客観性・透明性を高めること

②少数のメンバーによる集中的な討議により、効率的かつ密度の濃い議論を実施すること

ここまで述べたように、日本企業の大多数を占める、取締役会の過半数が社内メンバーによって構成される企業の場合には、①の目的が重要となる。つまり、取締役会そのものは社内者が中心であっても、指名・報酬に関しては社外者が中心となり議論することにより、その手続きにおいて客観性・透明性を担保していくということである。

一方、日本企業で数は多くないが、社外取締役が過半数を占める企業においては、②の目的を重視する傾向にある。すなわち、取締役会において、社外取締役が過半数を占める場合、コーポレートガバナンス・コードに対応した形で任意の委員会を設置することが必要となるわけではない（指名委員会等設置会社を除く）。しかし、取締役会において、そ

れぞれの社外取締役メンバーが、指名・報酬に関するさまざまな意見を持つことにより、取締役会そのものの効率的な運営が阻害される可能性がある。このため、指名委員会・報酬委員会等で、少人数のメンバーにより、集中的な討議を行うことによって、より密度の濃い議論を行うことができるのである。

以上から、各社において指名委員会・報酬委員会を設置する際には、どのような目的を持たせるのかをよく整理する必要があるといえよう。

その上で、各委員会において検討すべき内容として、以下の5点がある。それぞれを具体的に見ていこう。

①委員会メンバーの構成
②諮問対象・事項の範囲
③取締役会と指名・報酬委員会の関係
④年間スケジュール・アジェンダ（頻度・時間）
⑤事務局の体制・役割

第1項　委員会メンバーの構成

まず指名委員会・報酬委員会のメンバー構成を見ていく。先に示した東京証券取引所の調査結果**【図表 4-7、4-8】**によると、指名委員会・報酬委員会の人数の平均は、いずれも4.7名となっている。仮に委員会メンバー構成が4名であった場合、いくつかのパターンを以下の表で整理している**【図表 4-9】**。

まず、①のように社外者のみ、あるいは②のように、社外者を過半数とする場合、「取締役会の機能の独立性・客観性と説明責任を強化する」というコーポレートガバナンス・コードの精神に合致しているといえよう。

ただし例えば、指名委員会のように社内から候補者を選定・育成・評価する場合においては、②のようにごく少数の限られた社内者のみ（典型的には、社長のみが関与。ただし自身に関連する選任・解任案件については、委員会に出席しないか当該案件については席を外す）のが、実運用上のベストプラクティスとして考えられる。

次に、③のように社外者・社内者が半数ずつという場合においては、取締役会とは異なり、社外者のメンバーがより指名・報酬に関する意見を述べやすい環境はできるだろう。しかし、社内者・社外者が同数の場

【図表 4-9】委員会メンバーの構成（4 名の場合）

社内 社内取締役　社外 社外取締役

パターン（例）		イメージ	説明
①	社外者のみ	社外 社外 社外 社外 委員長	•「取締役会の機能の独立性・客観性と説明責任を強化する」というコーポレートガバナンス・コードの精神に合致する •社内者は社長とするケースが多いが、ガバナンス上の課題が多い（社長への忖度／自己決定）
②	社外者が過半数	社外 社外 社外 社内 委員長	
③	社外者・ 社内者が半数	社外 社外 社内 社内 委員長	•委員長を社外取締役とすることにより、①②に近いが、「過半数を社外取締役とすべき」というCGコードの精神とは異なる
④	社内者が過半数	社外 社内 社内 社内 委員長	•委員会が存在するという点では意義はあるが、一定程度社外取締役が増員された段階で社内・社外の構成比率を見直すことが望ましい
⑤	社内者のみ	社内 社内 社内 社内 委員長	

合、例えば次期社長候補者といったシビアな議論において、意見が分かれることがあり得る。そのような場合を想定して、委員長を社外者とすることにより、①②と実質的に近しい設計としておくべきことが重要となる。

さらに④社内者が過半数、⑤社内者のみという状況は、独立社外取締役の数が不十分であるケースにおいては起こり得ると考えられる。少なくとも、各委員会が存在しないよりはある方が望ましいが、社外者の増員を今後念頭に置きつつも、一定程度社外取締役が増員された段階で、①②のいずれかとなるように、構成比率を変更していくべきだろう。

また指名・報酬委員会の設置時において、実務上よくある質問として以下三つの論点がよく挙げられる。

(1) 指名・報酬委員会は別々に設置すべきか

指名・報酬委員会の各委員の構成員のイメージはつかめたが、そもそも指名委員会と報酬委員会を別に設置した方がよいのか、あるいは一緒にした方がよいのか、という議論がある。

取締役の人数が多い、あるいは社外役員（社外取締役・社外監査役）の数も多い企業であれば、分けて実施した方が、議論を効率的に実施したり、後に説明する各委員の専門性を考慮した形で、配員を行えたりするため、分けるべきである。

一方で、例えば独立社外取締役がコーポレートガバナンス・コードや会社法で要請される最低レベルの数（例えば2名）しかいない場合、あえて指名・報酬委員会を分けたところで、実質的な構成員は同じとなるため、別々に設置する意味はない。

現に当社が支援しているある企業では、名称は指名・報酬委員会と分けているものの、実務上は、2時間ある会議時間のうち、最初の1時間は報酬委員会、次の1時間をまったく同じ構成員で指名委員会としているケースもある。こういった企業においては、あえて指名委員会と報酬委員会を分けて実施する合理的な理由は、正直なところ見出しにくく、事務局および議事録や会議資料の作成等という実務面から鑑みても、指名・報酬委員会と一本化した方が望ましい。しかし2021年のCGコード改訂により、独立社外取締役が3分の1以上、もしくは過半数という企業が急増することが見込まれる。このような場合には、指名・報酬で委員会を分け、より専門的なメンバーで議論することが望ましい。日本でも2度のCGコード改訂を経て、ようやく委員会設置・運用の素地が整いつつある、といえるのではないだろうか。

(2) 社外監査役は、任意の委員会メンバーとして含んでもよいのか

独立社外取締役が不足している企業等において、社外取締役ではなく社外監査役を、指名委員会もしくは報酬委員会のメンバーに追加することを検討したい、という企業も存在する。これは、どのように理解すればよいのだろうか。まず要件として、そもそも指名委員会等設置会社以外の企業においては、「任意」の委員会であるため、監査役が委員会の構成員となること自体は、当然許容される、という位置づけとなる[2]。

コーポレートガバナンス・コード「原則4-10①」においては、「独立社外取締役を主要な構成員とする」と明記されている。この趣旨は、指名・報酬などの特に重要な事項に関する検討にあたり独立社外取締役の

2　コーポレート・ガバナンス報告書上の開示においては、社外監査役は通常、「その他」もしくは説明を加えた上で、「社外有識者」として記載している企業が多い。

適切な関与・助言を得ることを求める点にある。このような観点から、「独立社外取締役を主要な構成員とする」とは、①**委員の過半数が独立社外取締役であること**、もしくは、②委員の半数が独立社外取締役であり、かつ、**委員長（議長）が独立社外取締役であること**、と理解されることが多い。このため基本的には独立社外取締役が、委員会構成員の多数を占めるべきである、と理解されている。

また社外監査役は、経営陣からの独立性や審議対象からの中立性（例えば、社外取締役の再任に関する議論においては、社外監査役は利害関係者ではなくなる）、その職務内容上、企業内部の情報を豊富に有しているという観点から、指名や報酬に関しても一定の貢献が可能である、という考え方もある。

これらは、経済産業省のCGSガイドラインでも「まず社外取締役がその期待される役割に照らして委員の候補として挙げられる。もっとも、**社外者比率を高める観点や、社外取締役では足りない見識を補う観点から、社外監査役を活用することは考えられる**」とあるように、社外監査役の任用は一定のコンセンサスを得ているものであろう。

指名・報酬委員会の本来の設立目的・趣旨は、指名や報酬に関する重要事項を社外のメンバーにさらすことで、その客観性・透明性を高めることにある。このため社外監査役が指名・報酬委員会の委員を担ったとしても、その目的には、補完的・一時的に実施する、という意味においては合致するといえよう[3]。現に指名委員会の役割・機能の中に、監査役の指名が含まれている企業や、取締役会の諮問機関としての指名委員会における適正手続きの確保という観点から、社外監査役を構成員に含む、オブザーブさせるという企業も存在している。

本書執筆時点での具体的な事例では、キヤノン、花王、JFEホールディングスなどで、指名・報酬委員会において社外監査役を委員として選任している。

したがって、社外監査役を委員会の構成員としてはならないということではなく、その目的・意図が明確となっている場合には、十分に有用であるといえよう。しかし、前述したとおり、任意の委員会において

3　監査役に期待される職務において、経営陣の業績評価に関する監督はあくまでも社外取締役の職務であり、本来の監査役が担うべき役割からすれば違和感があるという指摘もある。

は、独立社外取締役がその中心に据えられるべきであり、あくまでも社外監査役は補完的・一時的に活用される位置づけであることを念頭に置くべきである。

(3) 指名委員・報酬委員の適任者は誰か

指名委員会・報酬委員会の構成は前述のとおりだが、各委員会において、どのような人物が適任者といえるだろうか。指名・報酬委員会の役割と求められる能力やスキルをふまえて検討するとよい**【図表 4-10】**。

まず指名委員会の主要な役割は、中長期的な企業価値向上を担う取締役や経営陣幹部の選解任および後継者計画の策定にある。一方、報酬委員会の役割は、取締役や経営陣に関する報酬制度の設計や運用である。

指名委員会においては、その設置目的からして、その人物が今後当該企業の持続的な成長を支えることができる人物かどうかを見抜く、あるいは、そうではないと認められる場合には、勇気を持って解任提案を行うことが求められる。特に必要となるのが、中長期的なビジネスの動向や環境に関する深い理解であり、これなしでは指名という重要な任を担うことはできない。これに加えて、その企業らしさとはどういったものか、それを体現している人物を見抜くことが重要となる。さらには、過去に他社等で、後任者に関する指名や選任に関する経験を持っていることが望ましい。このようなことを総合的に考慮すると、業界の有識者や企業経営者等が委員として任命されることが望ましいと考えられる。

【図表 4-10】委員に求められる要件

項目	指名委員会	報酬委員会
目的	中長期的な企業価値向上を実現するために必要となる取締役・経営陣幹部の選解任・後継者計画の策定	取締役や経営陣に関する報酬制度の設計・運用
委員に求められる能力・スキル	•中長期的なビジネス環境の理解 •当該企業“らしさ”の熟知 •後継者指名・育成等に関する経験	•外部／内部環境の把握 •自社のビジネスと報酬に関するKPIとの関係性の理解 •法務・税務・会計への理解
適任者（社外取締役の属性）	•業界の有識者 •企業経営者	•業界の有識者 •企業経営者 •会計士・弁護士・報酬コンサルタント等

一方で、報酬委員会の委員に求められる能力・スキルは、当該評価対象期間における外部環境の状況や社内状況を適切に把握し、自社のビジネスと報酬に関するKPIがどのように紐づくのかを理解できることである。報酬委員会の委員は、報酬に関する一定の計算式に基づき、業績と評価と報酬の関係性を決定することが求められる。この際には、計算式は当然考慮するものの、プロセスや達成状況等を定量的な指標だけではない観点からも総合的に勘案した上で検討することが求められる。また近年では、ESG（環境・社会・ガバナンス）等といった、経営指標だけでは表現が難しい観点も含めた評価を行うことが求められる。さらに、報酬ガバナンスという観点からは、どのような指標をKPIとすべきかや、税法等もふまえ、報酬スキームの全体の設計等にも関与するのが報酬委員である。

したがって、指名委員会の委員のように、ビジネスを理解していることも重要であるが、それらに加えて法務・税務・会計等を理解している人物、典型的には会計士や弁護士、あるいは報酬に関する外部コンサルタントの属性を持つ独立社外取締役が任命されることが望ましいと考えられる。

第2項　諮問対象・事項の範囲

諮問対象の範囲をどこまでとするか、すなわち、指名・報酬に関する方針の策定と具体的な個別候補者の指名や報酬額の決定をどこまで指名／報酬の各委員会に担当させるかは、指名・報酬委員会に求められる役割によって異なる。

全体像を示す場合、大きく以下の3点に区分される。

①諮問対象となる役員をどの範囲とするか（社長・CEO、取締役（社内・社外）、執行役員等）

②自社だけでなく、グループ企業も含むのか、含む場合はどこまでか

③内容決定にまで関与するのか、手続きだけを確認するのか、関与しないのか

【図表4-11】は、指名・報酬の各委員会において、対象となる役員のうち、どこまでを対象とするかを整理した例である。

前提として、方針の策定は、指名・報酬委員会に共通で求められる諮問対象となる。その上で、①諮問対象役員をどこまで含むかは、検討が

【図表 4-11】指名・報酬に関する諮問事項と対象範囲の例

項目	対象役員	指名委員会		報酬委員会	
		方針策定	個別候補者の指名・育成	方針策定	個別報酬額の決定
自社内	社長・CEO	○	○	○	○
	取締役（社内）	○	○	○	○
	取締役（社外）	○	○	○	○
	執行役員	○	△	○	△
	その他重要な使用人	△	×	△	×
グループ会社（重要子会社等）	社長・CEO	○	○	○	○
	取締役（社内）	○	△	○	△
	取締役（社外）	○	△	○	△
	執行役員	△	×	△	×
	その他重要な使用人	×	×	×	×

注：○＝内容決定に関与　△＝手続きの確認　×＝関与しない

必要となるポイントである。すなわち、理想形としては、社長・CEOを除き、経営陣（業務執行を行う取締役や執行役員も含む）の選任・解任や報酬の個別額の決定を行うことが望ましい。しかし現実的には、経営陣の人数が多いケース（例えば売上高1兆円を超える企業ともなれば、執行役員の数が30名を超えることも珍しくない）において、社外取締役がその能力・資質や経験をよく理解した上で、取締役・執行役員といった経営陣一人ひとりの選解任案の検討・審査を行うことは難しい。この場合、執行役員クラスについては、社長・CEO等に選任の方針および各候補者を選任した理由や判断の根拠等の説明をさせた上で、特段問題がなければそれを承認する、といった運用を取っている（裏を返せば、取締役以上については指名委員会の委員がしっかりと見る形となる）。

次に、②の論点である「グループ会社について、指名・報酬の各委員会がどこまで見るべきか」は、グループ企業の多い大規模な企業でよく取り上げられる論点である。多くの企業においては、売上高や戦略的重要性等を総合的に考えて会社の格付（社格設定）を実施しており、その格付をベースとして範囲を設定している。例えば、グループ子会社のうち、売上高1,000億円以上の子会社については、本社が見る等である。

さらに経営トップだけは本社で管理するが、それ以下の役員については各グループ会社で見る等、濃淡をつける例もある。

その上で、③の論点、すなわち内容面で、どこまで関与するかについては、重要子会社（の社長等）については、本社でも指名・報酬に関与するといったケースが一般的である。次項では、関与ということをより具体的に示すために、指名・報酬委員会が決定できる事項・できない事項をもう少し詳しく見ていきたい。

指名・報酬委員会の権限

指名・報酬の各委員会においては、取締役会の専決事項とされている内容については、会社法上、最終決定を行うことはできない。まず指名・報酬委員会で審議を行った上で、取締役会で最終決定を行う形を取る。

指名領域においては、取締役・監査役・経営陣幹部の候補者の原案またはその選定方針や手続きの決定を権限としている。一方、報酬領域においては、株主総会に付議する役員報酬議案の原案や個人別報酬額の原案の決定および報酬方針や手続きの決定を主要な権限としている。

指名・報酬委員会はあくまでも任意の機関であるため、法的な観点からは、取締役会の専決事項とされている事項について、原則として「最終決定を行うことはできない」点に留意が必要となる。

別のいい方をすると、通常はあくまでも任意の機関として原案の決定までとなり、取締役会への答申に留まるという形になる[4]。これらを整理すると**【図表 4-12】**のようになる。

また指名委員会においては、取締役および監査役の選任議案の決定（会社 329 条 1 項、298 条 4 項）または解任議案の決定（会社 339 条 1 項、298 条 4 項)、代表取締役の選定（会社 362 条 3 項）の最終決定を行うことはできない。また経営陣幹部を除く経営陣（執行役員等）は、会社法上の「重要な使用人」（会社 362 条 4 項 3 号）に該当するケースが多いと考えられるため、指名委員会が経営陣の選任または解任の最終決定を行うことは通常できない。

一方、報酬委員会において、株主総会に付議する役員報酬議案の最終

4　ただし、第 3 項の取締役会と指名・報酬委員会の関係で記載するが、指名・報酬委員会での決議・決定内容を取締役会は尊重することが一般的である。

【図表 4-12】各委員会で諮問事項の例

区分	内容
指名委員会	①取締役、監査役（及び経営陣）の**選定方針の決定**
	②取締役、監査役（及び経営陣）の**選定手続きの決定**
	③株主総会に付議する取締役及び監査役の選任又は解任議案の**原案の決定**
	④取締役会に付議する代表取締役及び役付取締役の選定、解職、職務分担の**原案の決定**
	⑤取締役会に付議するその他経営陣（執行役員等）の候補者の**原案決定**
報酬委員会	①役員報酬の構成を含む方針の決定
	②役員報酬の決定手続きの決定
	③株主総会に付議する取締役及び監査役報酬議案の**原案の決定**
	④取締役の個人別報酬額（算定方法を含む）の**原案の決定**
	⑤取締役以外の経営陣（執行役員等）の報酬総額または個人別報酬額（算定方法を含む）の**原案の決定**

【図表 4-13】各委員会で諮問できない、またはすべきではない事項

区分	内容	根拠条文
選解任（指名）	取締役および監査役の選任議案の**最終決定**	会社329条1項、298条4項
	取締役および監査役の解任議案の**最終決定**	会社339条1項、298条4項
	代表取締役の選定の**最終決定**	会社362条3項
	重要な使用人の選任及び解任の**最終決定**	会社362条4項3号
報酬	株主総会に付議する役員報酬議案の**最終決定**	会社361条1項、298条4項
	監査役又は監査等委員の個人別の報酬額の**最終決定**	会社387条2項、361条3項

決定（会社361条1項、298条4項）を行うことはできない。また、監査役又は監査等委員の個人別の報酬額の最終決定（会社387条2項、361条3項）については留意が必要である。報酬委員会は、会社法上、監査役又は監査等委員の個人別の報酬額の最終決定を行うことはできないのみならず、監査役又は監査等委員の独立性を重視すれば、その原案であっても報酬委員会が決定すべきではない点に留意する必要があるためである。

重要なポイントは、「**最終決定できない**」という点であり、各委員会の規定を作成する際には、顧問弁護士等とよく確認を行いながら実施する必要がある。

指名・報酬の評価は重複しないのか

指名委員会・報酬委員会の設置検討や実務上の運営にあたり、よく出る質問の一つに、「指名委員会と報酬委員会における評価の重複」がある。特に指名領域では、社長・CEOといった経営トップ等の評価にあたり、それを報酬で反映させるのか、あるいは再任する／しないという形で評価するのかがポイントとなる。例えば、資生堂やオムロンでは、社長に関する専門の作業部会を設置し、指名委員会・報酬委員会とは別に、「社長指名諮問委員会」等で、両方の分野に係る評価を総合的に実施している。

しかし、二つの委員会に加えてさらに社長に特化した委員会（作業部会）を設置することが理想的であるものの、多くの企業にとっては、なかなかできることではない。したがって、現実的なやり方としては、指名委員会と報酬委員会の委員の一部メンバーを兼務させることで、その両委員会における議論の橋渡しをしたり、社内の事務局から、両委員会での議論に関する情報を提供することでカバーすることとなる。

第３項　取締役会と指名・報酬委員会の関係

指名・報酬委員会の判断を尊重する規定を盛り込む

続いて指名・報酬委員会と取締役会の関係性について述べたい。先に説明したとおり、会社法との関係上、取締役会での専決事項については、取締役会が最終的な決定を行う。しかしコーポレートガバナンス・コード等で求められる、役員の指名や報酬の決定に独立社外取締役を適切に関与させる、という指名・報酬委員会の設立趣旨をふまえると、任意の委員会であるといっても、指名・報酬の各委員会で出した意見や決議事項が、取締役会において、尊重されて初めてガバナンス上の意味があると考えられる。

加えて、外形的なガバナンスの観点からも、取締役会が、任意の委員会である指名・報酬委員会の決定または答申を尊重する旨が明示的に定められている方が、その実効性がより高まると映る。

よって、取締役会が任意の委員会である指名・報酬委員会の決定を尊重する旨を明示的に定めておくことが望ましく、その方法は以下二つがある。

①指名・報酬委員会を設置する際の取締役会決議において、その決定を尊重する旨を決議する
②取締役会で決定するコーポレートガバナンス・ガイドラインまたは取締役会規則等において、任意の委員会である指名・報酬委員会の決定を尊重する旨を定める

②に関しては、各社が具体的に開示しており、帝人、アステラス製薬、積水ハウスの3社を具体的な事例として以下に挙げる。

まず帝人には、指名・報酬委員会機能として、「アドバイザリーボード」と呼ばれる国内外の外部有識者を招聘して実施する会議体（会長・CEOの指名・報酬および帝人グループ役員の報酬を主として議論）と、指名諮問委員会および報酬諮問委員会（帝人グループ取締役の指名や経営陣幹部の指名・報酬等を主として議論）がある。これは、主に議論・検討を行う対象者の違いであり、「アドバイザリーボード」は、先に挙げた資生堂やオムロン等で行われている社長向けの作業部会に近いイメージととらえてもらえればよい。コーポレート・ガバナンスガイドにおいて、帝人は「取締役会に提案、提言をする機能を持ち、取締役会はその提案、提言を充分に考慮して意思決定を行う」としており、取締役会での決定権を担保しつつも、その前段で議論された指名・報酬に関する外部有識者による議論の結果を尊重している。

またアステラス製薬においても、コーポレートガバナンス・ガイドラインにおいて「取締役会は、指名委員会および報酬委員会の具申内容を尊重します」と明記しており、指名委員会・報酬委員会が、取締役会に出した意見を尊重する旨を定めている。

同様に積水ハウスでも「公正性と透明性を確保するため、独立社外取締役を委員長とし、委員の過半数を独立社外取締役で構成する人事・報酬諮問委員会で審議の上、その答申を最大限尊重し、取締役会で決議するものとします」としている。

〈帝人「コーポレート・ガバナンスガイド」〉

■諮問機関としての指名諮問委員会及び報酬諮問委員会
（中略）役員人事に関して一層の透明性を図るため、指名諮問委員会及

び報酬諮問委員会を設置し運営する。両委員会は、取締役会の諮問機関として、会長、CEO 以外の取締役、経営陣幹部の指名、評価、報酬額、及び監査役の指名に関し、**取締役会に提案、提言をする機能を持ち、取締役会はその提案、提言を充分に考慮して意思決定を行う。**

筆者注1　帝人では、経営トップであるCEO・会長等の選任、CEOの後継者育成計画の審議、レビュー、CEOの業績評価、帝人グループ役員の報酬については「アドバイザリーボード」と呼ばれる指名・報酬委員会機能を有する諮問機関で議論する体制となっているが、こちらでも「取締役会は、アドバイザリーボードの提案・提言を充分に考慮して意思決定を行う」としている。

筆者注2　なおアドバイザリーボードでは、CEOの交替や後任者の推薦、CEOの業績評価、帝人グループ役員の報酬水準に関する議論は、CEOは原則として退席し、審議に参加しない、としている。

筆者注3　また会長においても会長に関連する事案には、会長は退席し、審議に参加しない、としている。

〈アステラス製薬「コーポレートガバナンス・ガイドライン」〉

第11条（指名委員会・報酬委員会の役割）
当社は、役員人事および報酬制度における審議プロセスの透明性と客観性を高めるため、取締役会の諮問機関として指名委員会および報酬委員会を設置します。**取締役会は、指名委員会および報酬委員会の具申内容を尊重します。**
《指名委員会の役割》取締役およびトップマネジメント等の選任・解任等に関する事項について協議し、その結果を取締役会 へ具申します。
《報酬委員会の役割》取締役およびトップマネジメント等の報酬、賞与その他の職務執行の対価として受ける財産上の利益（以下、報酬等という）に関する事項（監査等委員である取締役の個別の報酬を除く）について協議し、その結果を取締役会へ具申します。

〈積水ハウス「コーポレートガバナンス報告書」〉

（3）取締役の報酬の決定方針等は、有価証券報告書及び「積水ハウス株式会社コーポレートガバナンス基本方針」において開示します。なお、公正性と透明性を確保するため、独立社外取締役を委員長とし、委員の過半数を独立社外取締役で構成する人事・報酬諮問委員会で審議の上、その答申を最大限尊重し、取締役会で決議するものとします。

(4) 取締役・監査役候補者の選定方針等は、「積水ハウス株式会社コーポレートガバナンス基本方針」において開示します。なお、取締役候補者の選定ならびに代表取締役及び執行役員の選解任に関しては、公正性と透明性を確保するため、独立社外取締役を委員長とし、委員の過半数を独立社外取締役で構成する**人事・報酬諮問委員会で審議の上、その答申を最大限尊重し、取締役会で決議するものとします。**

第4項　年間スケジュール・アジェンダ（頻度・時間）

すでに述べたとおり、半数近くの企業において、指名・報酬委員会は年間1～2回しか議論がなされていないことが明らかになっている。独立社外取締役に一定の関与をさせた上で、指名・報酬に関して実のある議論をするためには、これから示すように、少なくとも年4回程度の実施が望ましい。また年間の実施スケジュールは、各社における株主総会や役員の選任スケジュールとリンクをさせる必要がある。

これらをふまえると、指名委員会・報酬委員会の年間スケジュールとアジェンダは、それぞれ以下のようなものが想定される**【図表4-14、15】**。制度設計時や見直し時には、年間の実施回数も通常よりも幾分多くなり、以下ではそういった見直しを含めたケースを記載した（年間6回）。平常時であれば、委員の負荷も考慮すると、年4～6回程度が現実的なところとして落ち着くものと考えられる。

また各社において、実施時間は通常各回1時間程度が多く、候補者の面談や最終的な選定等の場合においては、1回2時間程度をかけてしっかりと議論する場合もある。多忙なメンバーが参集する委員会であるだけに、各回の時間設定はメリハリをつけ、内容の濃い議論を円滑に行うことが重要である。

第5項　事務局の体制・役割

指名・報酬委員会を設置した場合、大変なのがその運営であり、これを一手に担うのが、事務局となる。

指名・報酬委員会の運用において多くのプラクティスを有するDeloitte UKの分析では、効果的な委員会の設計・運営にあたって、事

【図表 4-14】指名委員会の年間スケジュール・アジェンダ（例）

スケジュール

	7月	8月	9月	10月	11月	12月	1月	2月	3月	4月	5月	6月
マイルストーン	次年度計画・レビュー		CEO後継者・各候補者の絞り込み		CEO後継者・各候補者の評価			（後継CEO・新任役員体制発表）				株主総会
委員会No.	①		②		③	④	⑤	⑥				

	指名に関するアジェンダ
①	• 指名委員会に関する年間計画の確認、指名委員長の選任 • 今年度のCEO後継者計画に関するプロセス、役員の選定基準、指名委員会の運営方法に関するレビュー
②	•（必要に応じて）CEO・役員の選定基準の見直しに関する議論 • CEO後継者・取締役候補者のリストアップ・絞り込み
③	• CEO後継者・取締役候補者の評価・アセスメントの実施（プレゼン等）
④	• CEO後継者・取締役候補者の評価・アセスメント・面談の実施（プレゼン等）
⑤	•（必要に応じて）次期CEOの選任・妥当性検証 • CEO・取締役候補者等の育成・配置案検討
⑥	• 次年度役員選任に関する取締役会への答申内容の決定

【図表 4-15】報酬委員会の年間スケジュール・アジェンダ（例）

スケジュール

	7月	8月	9月	10月	11月	12月	1月	2月	3月	4月	5月	6月
マイルストーン	振り返り・計画・レビュー				役員報酬制度の情報収集・課題抽出			制度見直し検討		役員報酬制度決定	役員の報酬決定	株主総会
委員会No.	①			②		③		④		⑤	⑥	

	報酬に関するアジェンダ
①	• 株主総会の振り返り・指摘事項確認 • 報酬委員会に関する年間計画・報酬委員会の運営方法・見直しのプロセスをレビュー
②	• 役員報酬の最新状況をアップデート（税制・主な制度変更箇所・報酬ベンチマーク・他社動向等） • 現在の役員報酬制度、報酬水準・報酬構成のレビュー、報酬ポリシーの妥当性検証
③	• ②の会議での指摘事項や、抽出された課題に対する対応の実施 •（必要に応じて）短期インセンティブ・長期インセンティブの設計の見直し検討
④	• 次年度の報酬制度の見直し検討（必要に応じて複数回）
⑤	• 役員報酬制度の決定および、評価結果を全社業績・個人業績の評価結果の妥当性を検証 • 次年度の目標設定（全取締役・各執行役員の目標チェック（定量・定性））
⑥	• 評価結果をふまえた、役員個人別の報酬案をレビューし、決定 • 今年度役員報酬制度の概要説明

務局および各委員は以下のような考え方を持つべきであるとしている。

〈効果的な委員会を運営するための基本原則〉
- 勇気ある判断を行うこと—何がビジネスにとって最適なのかを考えること
- 公平・誠実であること
- わかりやすく、簡潔であること（Keep it simple）
- 論理的・合理的である一方で、感情への配慮も行うこと
- 委員会メンバーが、必要な情報にアクセスできること
- 投資家・株主からの意見に耳を傾けること
- データを使用する際には、自社にとって適切なデータのみを活用すること

事務局は、年間のアジェンダ案の設定、各回のスケジュール調整、資料作成、各委員へのブリーフィングの実施、当日の議事運営（もちろん委員長・議長が担うが、同席してサポートを行うことが主たる役割）など、多岐にわたる。事務局に関して、検討する際には、以下の3点について検討を行う必要がある。

⑴ 事務局を担う部署はどこか（人事部・総務部・秘書部・経営企画部等）
⑵ 委員会の資料作成は誰が担うのか（事務局／外部）
- 外部情報の収集はどのようにして行うのか（報酬のベンチマーク情報や他社動向等）

⑶ 各委員への事前周知（ブリーフィング）・当日の議事運営

(1) 事務局を担う部署

事務局は同じ部門が担う方が望ましい

まず、事務局を担う部署について、当社の「役員報酬サーベイ（2020年度版）」の結果から見てみよう**【図表 4-16】**。任意の委員会においては、指名・報酬いずれも人事部が担うケースが約4割近くなっており、最も多い。その次に総務部が続いている。多くの企業において、指名・報酬といった領域は、企業の人事・総務部門が担っており、これらの結

【図表 4-16】指名・報酬委員会の事務局を担う部署

部署	指名委員会		報酬委員会	
任意／法定	任意の委員会	法定の委員会（指名委員会等設置会社）	任意の委員会	法定の委員会（指名委員会等設置会社）
人事部	186（37%）	15（65%）	224（40%）	14（61%）
総務部	78（16%）	3（13%）	78（14%）	4（17%）
秘書部	127（25%）	1（ 4%）	140（25%）	1（ 4%）
経営企画部	20（ 4%）	1（ 4%）	27（ 5%）	1（ 4%）
法務部	92（18%）	6（26%）	99（18%）	5（22%）
その他	71（14%）	2（ 9%）	75（13%）	2（ 9%）
計	500（100%）	23（100%）	560（100%）	23（100%）

出所：デロイト トーマツ グループ「役員報酬サーベイ（2020）」 ※複数回答

果についてはうなずけるものがある。これに続くのが、秘書部および経営企画部である。特に役員に関する内容は、経営トップマターであり、秘書部門が管轄しているという企業も存在している。この場合、人事・総務部門はタッチできない企業もあり、従業員から役員まで一気通貫した経営人材の育成という観点からやりづらさを感じている人事部門担当者の声を聞くことが時折ある。またビジネスと対応させて選任を進める企業では、経営企画部も一定程度、担当する場合がある。

また時折あるのが、指名領域は秘書部、報酬領域は人事部といったように、管轄する部署が異なる企業である。部門間の連携が比較的スムーズな企業であれば問題ないのだが、大企業等で、部門が縦割りとなっている場合、事務局間の連携が悪いために、情報のスムーズな共有が進まないことがある。

具体的なケースで見てみよう。筆者が支援したある企業では、指名委員会の事務局は、経営企画部が担っていた。一方、報酬委員会は、いわゆる人事系のメンバーによって占められている人事・総務部門が担っていた。この場合、経営トップや役員の候補者に関する、役員の育成状況・評価や人事情報に関する情報は、人事部門から提供される必要がある。しかし、両部門間は、日頃から人的な交流が少なく、お互いのコミュニケーションが不十分な状況にあった。

決して嫌がらせをしているわけではないのだが、縦割りとなっているためレスポンスが悪く、各委員会に提供される情報や資料も両委員会でちぐはぐな状態が散見された。結果的に、指名・報酬委員である独立社外取締役からの指摘もあり、同社の指名・報酬委員会は、人事・総務部門が一括して事務局を担い、問題を解決することとなった。

指名・報酬に関しては、両委員会の間で、指名のための評価や報酬のための評価、といった具合に重複する領域が一部あることや、それぞれで使用するフォーマット等も各部署がバラバラに作成することにより、些細ではあるがオペレーション上の非効率が生じる。

このため、各社の事情もあるだろうが、可能であれば事務局は同一部門が担う方が望ましい。もちろん人事・総務部門という大ぐくりになっている場合には、人事部、総務部で担うことも可能である。

(2) 委員会の資料作成

資料作成は、どこまで外部へ任せるか

委員会の資料作成は、事務局が担うのか、それとも一定程度を外部に依頼するのかも重要なポイントとなる。

指名領域は、各役員の個人情報が多数含まれる上に、その選任・再任に関する判断を外部に任せることはできない。このため、基本的に外部へ依頼するケースはほとんどない（もちろん、指名方針の検討や、あるべき選任要件の策定や選任プロセスの作成といったルールづくりの際には、外部専門家の活用の余地はある）。

一方、報酬領域については、事務局が最新のガバナンス動向や、法制・税制の状況、ベンチマークデータ等において、外部専門家から有益な情報提供を受けることは多い。このため、報酬委員会の中で議論を行う際に必要な資料として、どのように外部から情報提供を受けるか、その情報の入手先や自社にマッチした役員報酬ベンチマークデータを集める段取りをしっかりと組んでおく必要がある**【図表 4-17】**。

欧米においては、報酬委員会を支えるプレーヤーとして、外部の中立的かつ客観的な専門家を活用するケースが多い**【図表 4-18】**。特に、報酬水準や報酬構成といった社内だけでは手に入れることのできない役員報酬データについては、当社の役員報酬サーベイのような外部調査データを活用することが通常である。その上で、毎年定期的に自社の報酬水準について、その妥当性の検証や見直しの要否について報酬委員会で議

【図表 4-17】報酬委員会のアジェンダとその準備の例

No.	アジェンダ	使用する資料	関連資料入手先	期限
1	株主総会の振り返り	• 株主総会での指摘事項	• IR部 • 総務部	• X月XX日
2	当社役員報酬制度のレビュー	• 当社役員報酬制度 • 最新の役員報酬調査結果 • 現状制度に関する課題のまとめ	• 人事部（評価結果） • デロイト役員報酬サーベイ	• X月XX日
3	役員報酬制度に関連する法改正見通し	• 役員報酬制度の動向と当社への影響	• 法務部 • 弁護士 • 税理士	• X月XX日
4	XXX	XXX	XXX	• X月XX日

【図表 4-18】報酬委員会を支えるプレーヤー

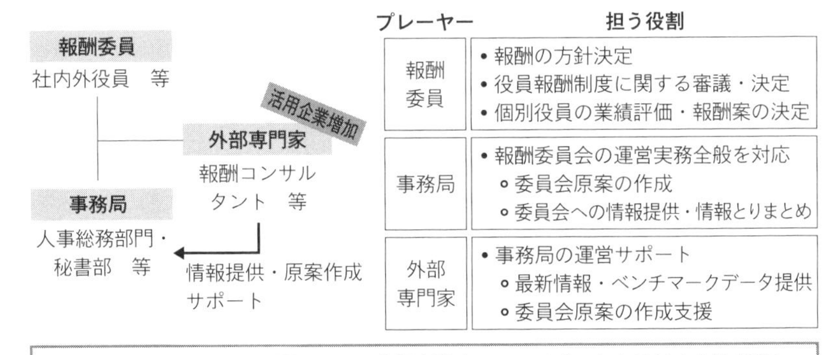

報酬委員会の運営実務に関しては、外部専門家からのサポートを受ける企業が増加
• 欧米では、透明性を高める観点から、外部サポートを受けることが通常であり、日本でも徐々に浸透

論・検討を行っていく。日本においても、報酬委員会等の運用負荷が徐々に高まってくるにつれて、一部について外部への委託を行うことが増えてきている。以下はリクルート社の事例である。

〈リクルート「有価証券報告書：役員の報酬等の額又はその算定方法の決定に関する方針の内容及び決定方法」〉

> 役員の報酬等の妥当性や透明性を高めるために、取締役会の諮問機関として、社外取締役を委員長とする評価委員会及び報酬委員会を設置しています。（中略）
> また、社外からの客観的視点及び役員報酬制度に関する専門的知見を導入するため、外部の報酬コンサルタントを起用し、その支援を受け、外部データ、経済環境、業界動向及び経営状況等を考慮し、報酬水準及び報酬制度等について検討することとしています。

(3) 各委員への事前周知（ブリーフィング）・当日の議事運営

特に委員長へのブリーフィングが重要

毎回の指名・報酬委員会の運営にあたって、出席者に対しては、事前にブリーフィングを行っておくことがカギとなる。ブリーフィングを行うにあたり、大きく四つのタイプの関与者がおり、事務局はそれぞれに対して適切な関与を促すことが必要となる。以下は、事務局の担当者の視点からブリーフィング上の注意点を記載する。

A） 委員長である社外取締役
B） 社外取締役等の社外者（社外取締役・社外監査役等）
C） 社長・CEO 等の社内者（社内取締役を含む）
D） 事務局担当部門の役員（人事担当役員等）

まず(A)委員長である社外取締役である。この委員長ポストは、通常（本来あるべき姿としては）社外取締役が担うことが望ましい。しかし、社外者であるがゆえに、事務局が期待するスムーズな進行ができるかどうかは、委員長へ期待する役割や、審議のゴール、進行上のポイント、審議時間の配分等に関する事前説明を適切に行っているか、もしくは当人自身の力量で大きく変わり得る。もちろん、社外者であるからこそ実現し得る、事務局が想定しないダイナミックな意思決定や進行もあり得る。どのような形で進むにしても、それらもふまえて、しっかりと事務局側からブリーフィングを行っておくことが重要である。また細かい点だが進行上の台本のようなものを求める企業もあり、それぞれの委員長の性格等も考慮しておくことが肝要である。

次に、(B)社外取締役等の社外者である。これらの委員に対しては、進行上の留意点を伝えることはそこまで重要ではないものの、指名領域でいえば候補者個人に関する説明や、報酬領域でいえば業績と個人評価と報酬の関係性等、重要なポイントは事前に伝えておくべきだろう。当然のことながら、各委員はお飾りのために委員会に出席しているわけではなく、指名・報酬に関する公平性や妥当性をしっかりと検証し、審議・答申する責務がある。これらに必要となる情報を適切に提供することが求められる。

さらには、(C)社長・CEO等の社内者である。社長は、自分自身で考えて出した結論を説明する、ということが主な役割であることも多く、それほどブリーフィングが必要とならない企業も多いだろう。社長に関しては、部下に説明文まですべてドラフトさせる人もいれば、自分自身の口で考えて話す人もいて、社長のタイプによっても大きく異なる。

社長・CEOが出席しない委員会（＝社外者のみの委員会）も想定し得るが、その場合でも、多くの企業においては、社長等から各委員に対して指名に関する候補者の説明や、報酬については社長が行った評価の妥当性について説明を行うことが一般的である。

最後に、(D)事務局担当部門の役員である。各担当者にとっては、担当部門役員は味方であると同時に、事前にどのような内容とすべきかをよく握っておくことが重要な相手となる。指名委員会・報酬委員会の成否は、担当部門の役員自身の評価にも直結する。コーポレート・ガバナンス上の要請を達成するために必要となる、検討事項や各回の実施内容を、しっかりとすり合わせておくべきである。

第6節　サクセッションプランニングとの関係性

報酬委員会とサクセッションプランニングの関係性についても少しだけ言及しておきたい。サクセッションプランニングそのものは、本来的には指名委員会で取り扱われるべきものである。しかし、サクセッションプランニングが適切に会社内に具備されていない場合、実は報酬委員会にとっても、大きな影響がある。適切な後継候補者の人材プールが不十分である場合、外部から新たに人を採用する必要があるという点である。外部から優秀な役員人材を採用するために必要となる報酬水準は、社内役員の水準よりも高くなる可能性がある。経営者人材の層が厚い海外では特にこのような傾向にあるが、日本においても、プロ経営者と呼ばれるような役員層の転職が、徐々にではあるが起こり始めている。こうした場合、報酬委員会としても、通常の役員報酬体系とは異なる特別なパッケージを設計することが求められる。

報酬委員会として特に意識をしなければならないのは、①既存役員との報酬バランスの考慮、②市場水準と比較して、どの程度の報酬を設定すべきか、③当該人物がどの程度自社にとって必要なのか、といったポイントである。これらについて、報酬委員会は追加的な検討を行ったうえで、妥当な報酬額を検討する必要がある。

以上のように、サクセッションプランニングの有無は報酬委員会に対しても、少なからず影響を与えるといえよう。このような観点からもやはりサクセッションプランの策定を通じた後継者の確保は、非常に重要となるのである。

第5章

社外取締役の選任と処遇

第1節　本章の意義

本章においては、指名・報酬に関する領域のうち、経営陣への監督機能の向上として、昨今、特に重要性を増している社外取締役について焦点を当てていきたい。

これまでに述べた箇所と一部重複する部分もあるが、コーポレート・ガバナンスへの近年の規制の動向や現状について、社外取締役という観点から整理する。なお特に明記しない場合、原則として独立社外取締役を前提として記載している。

第1項　機関投資家および上場企業に向けた新ルールの策定

第二次安倍政権発足後、コーポレート・ガバナンスに関する政府の方針は大きく変化した。デフレ脱却と日本経済再生を目指す「日本再興戦略―Japan is BACK―」が閣議決定され、株主等との対話を通じて、企業経営者のマインドを変革し、企業業績を改善させるための一連の施策が強く推進されることとなった。

これに関連する具体的な動きには、機関投資家に向けては金融庁が、2014年2月に「責任ある機関投資家」としての七つの原則を示した「日本版スチュワードシップ・コード」を制定した。上場企業に向けては、東京証券取引所が2015年6月から、コーポレートガバナンス・コードの運用を開始していることはすでに述べた。

21年の改訂版コーポレートガバナンス・コードでは、独立社外取締役の役割がポイントになっている。取締役会が経営の監督機能をより発揮できるよう「量」と「質」の両面からのアプローチを要求している。すなわち、改訂版コードの「原則4-8」において、コードの適用対象となる上場企業に対して、「独立社外取締役を少なくとも3分の1以上選任する」ことを新たに求められるようになった。これにより、東証一部・二部の企業を中心に社外取締役を従来の2名から3名以上を選任する機運が高まっている。加えて同コードでは、自主的な判断により、22年4月の東証再編で最上位となる「プライム市場上場会社」は、過半数の独立社外取締役を選任することも示された。

さらに「質」という観点では、指名委員会で各取締役のスキルについて企業戦略を遂行する上で必要なものが揃っているか棚卸するとともに、取締役会全体として持つべき知識や経験、多様性を把握し、取締役会が期待する役割を果たすことができるのか議論するよう求めている。このスキルを棚卸して明示したものが取締役の知識や能力を一覧表にした「スキル・マトリックス」である。特定のスキルを持つ社内・社外の取締役を計画的に採用・確保していく取り組みが重要となる。

【原則4-8. 独立社外取締役の有効な活用】
独立社外取締役は会社の持続的な成長と中長期的な企業価値の向上に寄与するように役割・責務を果たすべきであり、プライム市場上場会社はそのような資質を十分に備えた独立社外取締役を少なくとも3分の1（その他の市場の上場会社においては2名）以上選任すべきである。また、上記にかかわらず、業種・規模・事業特性・機関設計・会社をとりまく環境等を総合的に勘案して、過半数の独立社外取締役を選任することが必要と考えるプライム市場上場会社（その他の市場の上場会社においては少なくとも3分の1以上の独立社外取締役を選任することが必要と考える上場会社）は、十分な人数の独立社外取締役を選任すべきである。

【補充原則4-11①. スキル・マトリックスの活用】
取締役会は、経営戦略に照らして自らが備えるべきスキル等を特定した上で、取締役会の全体としての知識・経験・能力のバランス、多様性及び規模に関する考え方を定め、各取締役の知識・経験・能力等を一覧化したいわゆるスキル・マトリックスをはじめ、経営環境や事業特性等に応じた適切な形で取締役の有するスキル等の組み合わせを取締役の選任に関する方針・手続と併せて開示すべきである。その際、独立社外取締役には、他社での経営経験を有する者を含めるべきである。

第2項　コーポレート・ガバナンス強化に向けた会社法改正

法制面では、コーポレート・ガバナンスの強化等を目的とした改正会社法が2015年5月に施行された。改正項目は多岐にわたるが、本章のテーマである社外取締役に関連しては、次の三つのポイントが挙げられる。1点目は、「監査等委員会設置会社制度」の新設である。この機関設計を採用する場合、社外取締役2名以上の選任が義務付けられた。

2点目は、社外取締役等の要件の見直しである**【図表5-1】**。具体的には、株式会社の親会社の取締役や従業員、兄弟会社の業務執行者が「社外」としての要件を満たさないものとされた。一方、その会社または子会社の出身者については、退任後10年間等の一定の期間を経過した場合には、「社外」としてみなされることになり、従来厳格であった社外の定義が一部緩和された点が大きな変更であった。

3点目として、「社外取締役を置くことが相当でない理由」の開示が求

【図表5-1】社外取締役の要件

<table>
<tr><td>現在の状態（就任時点）</td><td>当該株式会社の業務執行取締役等[*1]でない</td><td>当該株式会社の子会社の業務執行取締役等[*1]でない</td><td>当該株式会社の親会社等[*2]（自然人であるものに限る）または親会社等の取締役・執行役・支配人その他の使用人でない</td><td>兄弟会社の業務執行取締役等でない</td><td>当該株式会社の取締役・執行役・支配人その他の重要な使用人、または親会社等（自然人であるものに限る）の配偶者または二親等以内の親族でない</td></tr>
<tr><td rowspan="2">過去要件</td><td colspan="2">就任の前10年間、当該株式会社またはその子会社の業務執行取締役等であったことがない</td><td>—</td><td>—</td><td>—</td></tr>
<tr><td colspan="2">就任の前10年間に非業務執行取締役、監査役、会計参与になったことがある場合は、その就任前10年間当該株式会社またはその子会社の業務執行取締役等であったことがない</td><td colspan="3">親会社・兄弟会社・近親者については、過去要件は設定されておらず、現在の状態のみが要件となる</td></tr>
</table>

[*1]業務執行取締役等＝業務執行取締役・執行役・支配人その他の使用人
[*2]親会社等とは、親会社または会社の経営を支配している者（法人であるものを除く）

【図表 5-2】社外取締役の選任に関する会社法の規定

機関設計	社外取締役の設置義務*2
監査役会設置会社	【必要】 社外取締役を置かなければならない*1（改正法327条2）
監査等委員会等設置会社	【必要】 監査等委員である取締役は3人以上でその過半数は社外取締役であること（会社331条の6）
指名委員会等設置会社	【必要】 各委員会の委員の過半数は社外取締役であること（会社400条の3）

注：1．監査役会設置会社（公開会社であり、かつ、大会社であるものに限る。）であって金融商品取引法第二十四条第一項の規定によりその発行する株式について有価証券報告書を内閣総理大臣に提出しなければならない企業の場合、社外取締役の設置義務がある。
2．21年の改訂版コーポレートガバナンス・コードの原則4-8で、独立社外取締役を取締役会構成員のうち、3分の1以上選任することが求められている。このため、実質的に日本の大手上場企業では少なくとも2名以上の社外取締役の選任が必要となる。

められるようになり、社外取締役を置いていない場合、①定時株主総会（会社 327 条の 2）や②事業報告（会規 124 条の 2）および③株主総会参考書類（会規 74 条の 2）等においてその理由を説明しなければならなくなったことが挙げられる。この改正の影響は大きく、社外取締役の選任が任意であった監査役設置会社においても、社外取締役の選任が進展する契機となった。

これらの規定の概要を整理したものが**【図表 5-2】**である。近年の法整備等により、上場企業を中心に社外取締役の 2 名以上の選任義務が求められていることが理解していただけるだろう。

社外取締役を置くことが相当でない理由の開示

2015 年の会社法改正後、東京証券取引所により社外取締役選任対応に関するフォローアップ調査[1]が実施された。この調査分析の中で、「社外取締役を置くことが相当でない理由」について、大きく 3 点に分けられるとしている。

1 東京証券取引所調査「東証上場会社における社外取締役の選任状況及び社外取締役を置くことが相当でない理由の開示状況について」（2017 年 9 月 6 日）

①「適任者」不在[2]：48社中38社（79%）
②迅速かつ的確な経営の阻害：48社中25社（52%）
③社外取締役を置かなくとも現状のガバナンスで十分
：48社中24社（50%）

以下は、そのうちの1社に関する当時の開示の事例[3]（上記①③に該当）である。

〈社外取締役を選任することが相当でない理由の開示例〉
くらコーポレーション（2695）：市場第一部・小売業
(3) 当社は、社外取締役を置いておりませんが、**当社の事業特性をふまえた創造的かつ実質的な議論を取締役会で行っております。監査役におきましては取締役会に対し、積極的かつ適切に監督、牽制する体制が採られております。**
(1) 当社の経営からの独立性を有しつつ、**当社の成長と発展のために当事者意識と危機感を共有し、業界及び現場に精通し、最大限の企業価値の向上に資する要件を満たす社外取締役が見当たらない**現時点におきましては、現在の体制が最も有効であると考えております。

社外取締役の設置義務化

2021年の会社法改正により、社外取締役の設置が義務化された。会社327条2項で「監査役会設置会社（公開会社であり、かつ、大会社であるものに限る。）であって金融商品取引法第二十四条第一項の規定によりその発行する株式について有価証券報告書を内閣総理大臣に提出しなければならないものは、社外取締役を置かなければならない」とされ、1名以上の社外取締役の設置義務が定められた。

この背景には、すでに示したとおり、「社外取締役の導入率が2017年度時点で、96.9%（東証一部においては、99.6%）となっている現状であり、実質的に100%近い企業が社外取締役を導入していることがある。加えて、国内外の機関投資家からのコーポレート・ガバナンスの実

2　ただし、同調査では、2015年の改正会社法施行以降、毎年適任者不在を理由としている会社が多数を占める、と言及している。
3　同調査より引用。太字は筆者らによるもの。

効性向上を考慮した場合、最低限の品質保証という意においても、社外取締役の選任が義務付けられることは、我が国のコーポレート・ガバナンスにとって、大きな前進であるといえよう。

社外取締役の選任義務化という大きな一歩が進んだ後、今後は、取締役会の監督の実効性をより高めるという観点から、取締役会における社外取締役の比率を、3分の1以上、さらには過半数、といったように、どの程度まで引き上げるべきかに議論の焦点が移っていくものと考えられる。また社外取締役の「量」という観点が一定程度進展しつつある中、監督の実効性を高めるという観点から、多様な社外取締役をどのように確保するべきか、という点にも注目が集まっている。これらの点については、議決権行使助言会社の動向にも留意する必要があるため、次項で説明する。

第3項　議決権行使助言会社等の動向

ここまで説明した規制等に加えて、株主側、とりわけ株主の議決権行使に大きな影響力を持つ議決権行使助言会社の動きにも注目しておく必要がある。

議決権行使助言会社とは、生命保険会社や信託銀行、年金基金等、顧客から預かった資金を運用する機関投資家に対して、株主総会等に提出される議案に対して賛否を表明するための助言（アドバイス）を提供するサービスを行う企業のことである。機関投資家は、多くの企業に投資している一方で、株主として各社の総会議案に対して賛否を表明する必要がある。機関投資家にとっては、数百社・数千社にも上る投資先に関して、一社ずつ議案の賛否を決定していくことは非常に骨の折れる作業となる。このため、議決権行使助言会社は、一定の基準を定めた上で、「こういった場合は賛成推奨、こういった場合には反対推奨」といった判断基準を機関投資家に対して提供することで、その労力を低減するサービスを提供している。

代表的な議決権行使助言会社に米国のインスティテューショナル・シェアホルダー・サービシーズ（ISS）と、グラス・ルイス等がある。

ISSの「2018年版　日本向け議決権行使助言基準」では、取締役会構成基準の厳格化[4]として、2019年2月以降、監査等委員会および指名委員会等設置会社において、現行の基準に加えて、株主総会後の取締役会に占める社外取締役の割合が3分の1未満である場合、経営トップに反対投票を推奨する方針を打ち出した。これにより、社外取締役が少なくとも3分の1以上となる方向性に、今後よりドライブがかかることとなった[5]。

加えて、ISSの2022年版では監査役設置会社における取締役会構成基準の厳格化についても言及された。従来監査役設置会社の取締役会は「執行」が主な役割であるという前提に立っていたところ、監査役設置会社においても社外取締役が増加していることを受け、社外取締役の役割が変化していることを反映し、従来の2名以上から3分の1以上を求める基準に変更[6]することとなる。

さらに、米国助言会社大手のグラス・ルイスも、上場企業で業務を執行する者（業務執行者）が3社以上、または、業務を執行しない者（非業務執行者）が6社以上で役員（取締役または監査役）を兼務する場合、反対投票をすべきとする助言方針を定めている[7]。また2018年度の助言

---

4 ISSでは、「2021年版 日本向け議決権行使助言基準」において、以下のように取締役構成の厳格化について述べている。「2018年に改訂されたコーポレートガバナンス・コードは全ての企業に最低2名の独立社外取締役を求めている。また機関設計を含む個々の企業の置かれた状況を勘案した上で、3分の1以上の独立社外取締役の選任についても言及している。そのため、ISSは最低限の基準として全ての上場企業において社外取締役を最低2名求め、基準を満たさない場合は経営トップである取締役に反対を推奨する。また、機関設計として指名委員会等設置会社及び監査等委員会設置会社を採用した企業は、監督と経営の分離を目指していると解釈でき、それらの企業に監査役設置会社よりも多くの社外取締役を求めることは合理的である。そのため、指名委員会等設置会社及び監査等委員会設置会社では、株主総会後の取締役会に占める社外取締役の割合が3分の1未満である場合、経営トップである取締役に反対を推奨する。

なお、前述した基準では社外取締役の独立性は問わない。独立性は重要であるが、現在の日本のコーポレートガバナンスの状況で独立性を重視しすぎると、企業が資質ではなく独立性の確保に過度に注力し、弁護士、会計士、学識経験者などマネジメント経験の少ない人物のみに社外取締役への就任を求めることにつながる懸念がある。そのような背景を持つ人物が社外取締役に選任されることを否定するものではないが、取締役会の多様性の観点から、社外取締役全員がそのような人物のみで占められることは望ましいとはいえない。」

5 選任の賛否について助言会社の力が強まっていることに対して、米SECや日本の金融庁では規制や情報開示を強化する動きがある。

6 ISS「監査役設置会社においても、2022年2月より、指名委員会等設置会社や監査等委員会設置会社と同様に株主総会後の取締役会に占める社外取締役の割合が3分の1未満である場合、経営トップである取締役に反対を推奨する」

7 グラス・ルイス「2021年版 議決権行使助言方針」(2021)

方針から、グループ会社内での兼務の場合は、複数のグループ内企業での役員を兼務していたとしても、その兼務を1社としてカウントすることが定められている。これにより、上場企業の業務執行者がグループ企業の役員を兼務している場合、業務執行をしている企業（1社）＋グループ企業（1社）で、兼務数は2社となる。このため、当該役員が他の企業で新たに役員の候補になった場合、合計3社の役員となるため、グラス・ルイスは反対投票を推奨することが想定される。

加えて、グラス・ルイスは、女性役員の登用[8]についても、2021年度では、以下のような方針を提示している[9]。「グラス・ルイスは（中略）東証一部と二部に上場している企業において、女性役員が1人もいない場合、ジェンダー・ダイバーシティ欠如の責任があると思われる取締役に反対助言を行う。原則として、反対助言の対象となる取締役は、監査役会設置会社と監査等委員会設置会社の場合、会長（会長職が無い場合は社長）、指名委員会等設置会社の場合、指名委員会委員長とする」。

また運用会社である三菱UFJ信託銀行も、議決権行使の基準を変更し、2019年4月より「取締役員数が15名以上の会社においては、3名以上の社外取締役が必要」とし、2020年4月以降は「全企業に対して、取締役の3分の1以上を社外取締役とすることを求める」とした[10]。

さらにニッセイアセットマネジメントは、2021年のコーポレートガバナンス・コード改訂をふまえ、2022年6月から「プライム市場上場会社において、独立した社外取締役が2名未満、または、3分の1未満の場合（中略）代表取締役の選任に反対する」としている。

これらの動きが進めば、社外取締役の「なり手」はますます不足していくこととなるため、社外取締役の人材確保は、さらに困難となることが予想されるだろう。

8　女性役員には、女性の取締役、監査役または執行役が含まれるが、執行役員は含まれない。

9　この背景として、グラス・ルイスは「取締役会は、多様な経歴を有し、その役目に適した経験を持つメンバーによって構成されるべきであると考えており、構成メンバーを決定する際、取締役会または指名委員会は、当該会社またはその業界との関連性などを考慮した上で、候補者の決定をすべきであると考えてきました。ただし、多様性というのは、一般的に考えられる年齢、人種、性別、民族だけでなく、市場に対する知識、在職期間、文化などのさまざまな要件が含まれるとしています」としている。

10　日本経済新聞「運用会社『社外取締役増を』三菱UFJ信託など 議決権行使の基準変更」（2019年2月22日付）

第２節　社外取締役の現状と課題

社外取締役に関する現状と課題は何であろうか。量と質の観点から見ていきたい。

第１項　量の観点

日本取締役協会が2021年８月に行った調査結果[11]によると、東証一部上場企業における社外取締役の選任比率は99.6%、独立社外取締役は94.4%であり、ほぼ100%に近い水準で選任が進んでいる。また朝日新聞[12]によると、東証一部上場企業で見た場合、約３割が２社以上を兼務しているという**【図表5-3】**。上場企業の経営者や女性の候補人材が不足しており、社外取締役の候補者として人気のある一部の人材に、依頼が集中している状況がうかがえる。

上記に加えて、今後を見通すという観点から、社外取締役が取締役会に占める比率について現状を見ると、東証一部上場企業でも、2021年８月の調査時点で、過半数を占めている企業はわずか10.3%に留まっており、増加率もまだまだ小さい**【図表5-4】**。コーポレートガバナンス・コードが推奨する、３分の１以上過半数未満の社外取締役選任についても、毎年着実に伸びており、現時点では、68.7%まで選任が進んできているが、まだ２割（約400社）以上の企業は未対応の状況にある。

このため、今後、各企業が、社外取締役の割合を３分の１あるいは過半数まで増員することを見据えると、少なくとも社外取締役の候補者が千人単位で不足することが予想されており、大きな課題となっている。

第２項　質の観点

次に、社外取締役に関するダイバーシティの状況を見てみよう。

【図表5-5】に示した米英との比較で見ると、日本では取締役会に占める独立社外取締役の比率が39%と低く、平均年齢が高い（平均66歳）。また外国人社外取締役の比率は4%に留まり、日本人中心となってい

11　日本取締役協会「上場企業のコーポレート・ガバナンス調査」（2021年８月１日）

12　朝日新聞デジタル「社外取締役191人、４社以上で兼務　経営監視に懸念も」（2018年２月５日付）

【図表 5-3】社外取締役の兼務状況

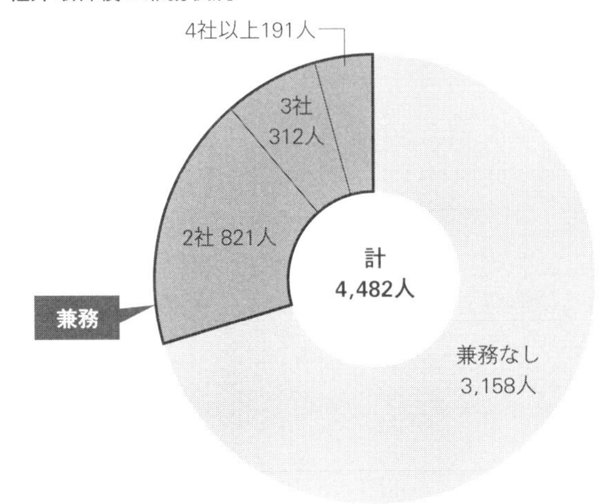

出所：朝日新聞デジタル「東証一部上場企業の社外取締役の他社の社外役員（社外監査役含む）との兼務状況」（2017年3月末時点）

【図表 5-4】社外取締役が取締役会に占める比率（東証一部上場企業）

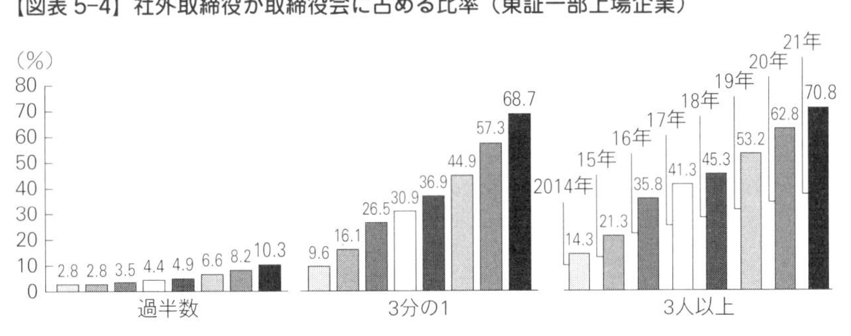

社外取締役　3分の1を選任している企業は、68.7%に（前年比+11.4%）

出所：日本取締役協会「上場企業のコーポレート・ガバナンス調査」（2021年8月1日）を基に、デロイト トーマツ グループにて加工

る。女性の社外取締役比率は11%に留まっており、極端な男性偏重となっている現状がうかがえる。

また日本では、事業会社出身の社外取締役が米国と比べて少なく、企業経営に精通した人材から社外取締役を選任できていない状況がうかが

【図表 5-5】日米英の社外取締役の特徴

項目	日経225	S&P500	FTSE150
	日本	米国	英国
取締会の大きさ	10.7人	10.7人	10.1人
独立社外取締役比率	39%	85%	70%
社外取締役の平均年齢	66歳	63歳	60歳
取締役比率（外国人）	4%	8%	34%
取締役比率（女性）	11%	28%	34%
取締役会に30%以上女性がいる比率	2%	43%	71%

注：外国人とは、当該企業とは異なる国籍を持つ取締役を指す
出所：Spencer Stuart「Board Governance: International Comparison Chart（2020）」「Japan Board Index（2019）」を基に、デロイト トーマツ グループにて加工

える【図表 5-6】。加えて、弁護士等の法曹関係者や、大学教授等の学者からの採用が多いことも日本の特徴である。一方で、米国においては、事業会社出身者の 60%に加え、CFO（最高財務責任者）や投資銀行、投資ファンド等の金融出身者が 27%おり、日本の 8%と比較して大きな割合を占めている。

以上をふまえて整理したものが【図表 5-7】である。今後は事業会社出身で経営経験のある人材や、女性・外国人等、ダイバーシティを体現できる社外取締役人材の争奪戦がさらに激化することが見込まれる。実際に、米国・英国においては、自社にとって適切な社外取締役を採用するために年々報酬額が上昇しており、米国では、過去 10 年間で 2 倍に、英国でも 50%増となるなど、人材の獲得競争が顕著である。

日本でも今後同様の流れが進むと見られるが、自社にとってあるべき社外取締役像を定義した上で、積極的に採用活動を行わなければ、自社にとって適切な人材が獲得できない時代となることを十分に頭に入れておく必要があるだろう。

第 3 節　社外取締役の選任、処遇から評価・再任までの実務のあり方

自社にとって最適な社外取締役を選任するためには「自社が社外取締役に求める役割や責任、それを全うするに必要な能力とはどういったも

【図表 5-6】日米における社外取締役のバックグラウンドの違い

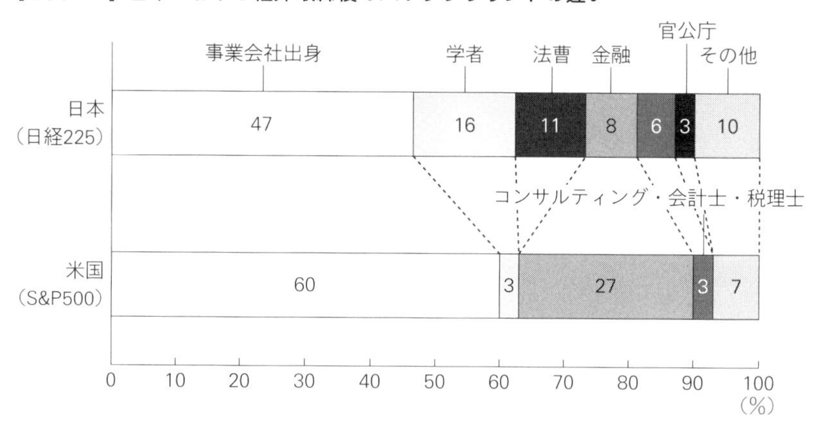

出所：Spencer Stuart「Japan Board Index2020」「US Board Index2020」を基に、デロイト トーマツ グループにて加工

【図表 5-7】社外取締役をめぐる現状の課題と求められる対応

観点	現状	あるべき姿	課題
量	• 社外取締役を2名以上選任している企業は、95%以上 • 兼務者が多い	• 取締役会に占める社外取締役の割合が3分の1 • 将来的には過半数	• 社外取締役となる人材が数千人単位で不足
質	• 弁護士や学者が多く、事業会社出身の社外取締役の登用が少ない • 年長の日本人の男性が中心	• 経営を理解している人材を登用 • 多彩なバックグラウンドを持つ人材を登用	• 経営経験のある事業会社出身者や女性・外国籍等の人材の不足

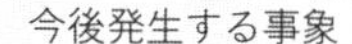

今後発生する事象

- 社外取締役人材の争奪戦がさらに激化。特に、経営経験のある事業会社出身者や、女性・外国籍人材に関しては、優秀な人材の採用が困難となる

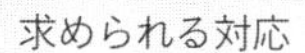

求められる対応

- 自社にとってあるべき社外取締役像を定義した上で、自社が求める社外取締役を積極的に獲得する必要がある
- 自社にとって必要となる社外取締役を引きつけるための処遇の提供が必要となる

のか」を明確にする必要がある。

以下では、まず社外取締役の役割・責任を説明した上で、選任や処遇等に関するあるべき考え方について、説明していきたい。現状、日本では事例が少ないため、先行する米英の取り組みをふまえながら、理解を深めていただきたい。

第１項　社外取締役に求める役割・責任

2014年以降、コーポレート・ガバナンスのあり方の変化をふまえ、社外取締役に関する考え方について**【図表 5-8】**のようなガイドライン等が示されている。この中で社外取締役に期待される役割は、主に「利益相反・役員の選解任、報酬決定に関する経営の監督」や「経営に対するアドバイス」とされた。

社外取締役に期待される役割をふまえ、各企業では自社にとって「あるべき社外取締役像」を定義し、「自社としてどのような役割を社外取締役に期待するか」を決定する必要が生じてきた。こうした求められる役割のイメージを実務面から具体的に示したものが**【図表 5-9】**である。

まず最も大きいのが、「取締役会への出席」である。取締役会は、多くの企業でおおむね毎月１回、２時間程度で行われており、企業経営において最も重要な意思決定を担っている。また取締役会出席前に説明を受けたり、資料に目を通して質問や課題を考えたりするなど、事前の準備が必要となる。会議に出席した社外取締役は、コンプライアンス上のリスクチェックのみならず、例えば中期経営戦略で追加的に検討すべき視点の提供や新たなサービス開発の助言や、M&Aの実行後押しなど攻めの経営戦略の支援も行っており、ブレーキとアクセルの両方の役割を担っている。

次に、「指名・報酬・監査などの各委員会への出席」である。取締役会と同日に行われるケースもあるものの、各委員会において、１時間程度を要する。近年はこれらの委員会の議長を社外取締役が務めることもあり、企業側との協議等、事前に十分な準備が必要となる。

例えば、指名委員に就いた社外取締役は、単に推薦されてきた人物に対するコメントを出したり賛否を表明するだけではなく、後継者人材の見極めを行うために、本人へのインタビューを実施したりする。またある企業では、後継者人材がグローバル企業の経営トップとしてふさわし

【図表 5-8】社外取締役に期待される役割と責任

発行元	社外取締役の役割
経済産業省 （社外取締役の在り方に関する実務指針（2020年7月））	• 役割 ▶社外取締役の最も重要な役割は、経営の監督である。その中核は、経営を担う経営陣（特に社長・CEO）に対する評価と、それに基づく指名・再任や報酬の決定を行うことであり、必要な場合には、社長・CEOの交代を主導することも含まれる。役員の選任・選定過程、報酬の決定過程において、人事・報酬の決定が役員評価の重要な手段であることを考慮し、忌憚のない意見を述べることが望ましい ▶会社と経営陣・支配株主等との利益相反を監督することは、社外取締役の重要な責務である • 心構え ▶社外取締役は、社内のしがらみにとらわれない立場で、中長期的で幅広い多様な視点から、市場や産業構造の変化をふまえた会社の将来を見据え、会社の持続的成長に向けた経営戦略を考えることを心掛けるべきである ▶社外取締役は、業務執行から独立した立場から、経営陣（特に社長・CEO）に対して遠慮せずに発言・行動することを心掛けるべきである ▶社外取締役は、社長・CEOを含む経営陣と、適度な緊張感・距離感を保ちつつ、コミュニケーションを図り、信頼関係を築くことを心掛けるべきである
東京証券取引所 （コーポレートガバナンス・コード（2021年6月））	**【原則4-7独立社外取締役の役割・責務】** 上場会社は、独立社外取締役には、特に以下の役割・責務を果たすことが期待されることに留意しつつ、その有効な活用を図るべきである。 （ⅰ）経営の方針や経営改善について、自らの知見に基づき、会社の持続的な成長を促し中長期的な企業価値の向上を図る、との観点からの助言を行うこと （ⅱ）経営陣幹部の選解任その他の取締役会の重要な意思決定を通じ、経営の監督を行うこと （ⅲ）会社と経営陣・支配株主等との間の利益相反を監督すること （ⅳ）経営陣・支配株主から独立した立場で、少数株主をはじめとするステークホルダーの意見を取締役会に適切に反映させること

いかを評価するために、国際的なレセプションの場にその人物を同席させて立ち居振る舞いのチェックなども行っている。

他にも株主総会への出席や、企業への理解を深めるための工場や店舗等の現場視察、企業が主催するパーティー、入社式への出席等、社外取締役の仕事は実に多岐にわたる。

【図表 5-9】社外取締役が企業内で担う役割と年間スケジュール（例）

役割	2022									2023			備考
	4	5	6	7	8	9	10	11	12	1	2	3	（必要時間等、移動時間）
株主総会			◆										総会準備含め2日
取締役会	◆	◆	◆	◆	◆	◆	◆	◆	◆	◆	◆	◆	1回2時間×年間12回
委員会													
・指名委員会				◆		◆			◆		◆		1回1.5時間×年間4回
・報酬委員会		◆		◆			◆				◆		1回1.5時間×年間4回
その他													
・社外取締役会議		◆				◆			◆			◆	1回2時間×年間4回
・各種レセプション	◆								◆				入社式／社内パーティー等（半日×年間2～3回）
・現場見学会					◆								地方工場視察等（1日）

※上記は、監査役会設置会社で任意の指名・報酬委員会を設置しているケースを想定し、社外取締役の企業への関与イメージを示したもの
※取締役会や各委員会の実施前には、取締役会事務局等からあらかじめ資料のブリーフィングや勉強会が実施される
※各委員会等で、議長を務めている社外取締役は、事務局との事前確認や調整のため、通常の委員よりもさらに長いブリーフィング時間を要する

また最近では、製薬大手のエーザイ[13]やメガバンクのみずほフィナンシャルグループ[14]の例に見られるように、取締役会での議論を活発化させるために、社外取締役相互のコミュニケーションを深め、コーポレート・ガバナンスやビジネスに関して自由に議論する「社外取締役ミーティング（エグゼクティブ・セッション）」を行う企業も増えてきている。

もちろんこれらは、各企業がどの程度社外取締役に対して企業への関与を求めるかによる。しかし、前掲**【図表 5-9】**で見た一般的な例においても、ブリーフィング等の時間も含めると、年間の関与時間は、移動

13　エーザイでは「社外取締役相互のコミュニケーションを深め、取締役会等における議論を活発化させるために、社外取締役のみで構成する社外取締役ミーティングを定期的に開催しています。社外取締役ミーティングではコーポレート・ガバナンスやビジネスに関する事項が自由に議論され、必要に応じて、取締役会および執行部門に通知、報告、要請がなされます」としており、主な議題として、「①サクセッションプランの情報共有とディスカッション、②コーポレート・ガバナンス評価の実施、③社外取締役と投資家の皆様との対話」を挙げている。

14　みずほフィナンシャルグループでは、社外取締役会議の役割を「社外取締役会議は、社外取締役のみで情報交換や認識共有を図るとともに、『社外者の視点』に基づいた客観的かつ率直な意見を経営に提言することを役割とする」とした上で、毎年２回以上実施することとしている。なお 2017 年度は年４回実施している。

時間を除いた概算で約100時間にも上る。社外取締役に就任した場合、その求められる役割の重さや関与する時間が非常に多いことがわかる。

第2項　あるべき社外取締役像の策定（スキル・マトリックス）

このような役割を社外取締役に担ってもらうにあたり、自社にとってふさわしい社外取締役とは、どのような人物だろうか。これには、スキル・マトリックスの策定プロセスを通じて、社外取締役の指名方針および自社の「あるべき社外取締役像」を策定する必要がある。これには大きく分けて三つのStepを踏む必要がある。

Step1：自社で求められるビジネス上の特徴から、求められる能力やスキル・経験を整理する

社外取締役に求める役割が「経営の監督」や「経営のアドバイス」である以上、まずは、自社の中長期的な経営戦略をふまえ、今後の自社における経営の監督やアドバイスにおいて、必要となる能力やスキル等の要件を整理し、定義することが必要である（米英では、Board Membership Criteriaという）。例えば、今後、M&Aを積極的に展開したい、AI（人工知能）を活用した事業に進出したい、グローバルでのガバナンスを強化したい等である場合、それぞれM&A・財務の経験やAIに関する知見、グローバルでのビジネス経験が必要となる。なお、この求められる能力やスキル・経験はあくまでも取締役会（ボードメンバー）全体で保有すべきものであって、個々の取締役／社外取締役が一人ですべての能力を有する必要はない点に留意していただきたい。

あるべき社外取締役像の策定にあたっては、社内・社外取締役等からインタビューを実施するところから始めるのがよいだろう。

デロイト トーマツ グループの有限責任監査法人トーマツが実施した主要企業の取締役会事務局に対するアンケート調査[15]によると、社外取締役に必要な要素として「他社の経営陣幹部の経験」「国際的なビジネスの経験」などの経営経験、および「コンプライアンス・法務に関する知見」や「財務・会計に関する知見」等の専門的な知見の双方が、社外取締役に求められていることがわかる**【図表5-10】**。

15　有限責任監査法人トーマツ「コーポレートガバナンスに関するアンケート調査結果2017年版（経済産業省調査委託事業）」（2017）

また同業他社が、社外取締役にどのような要件を求めているかを参考にすることも、検討を行う上で有効である。特に米英の企業では、Proxy Statement（株主総会招集通知）でこれらの情報を詳細に開示していることが一般的であるため、参考となるだろう。**【図表 5-11】**に具体例として示した米コカ・コーラは、自社のビジネス上の特徴から、それぞれに必要な選任要件やスキルと経験等を抽出している。

日本でも 2021 年のコーポレートガバナンス・コード改訂により、取締役会全体としての監督機能の発揮に向けて、スキル・マトリックスの作成が求められている。社内外の取締役のスキルについて、企業戦略上、必要なものがそろっているか棚卸する必要がある。日本では、先進的な事例としてコニカミノルタや資生堂、イビデンが「スキル・マトリックスを作成しており、これらを通じて、有益な監督・助言ができる社外取締役が選任されるよう、指名委員会と確認を行っている**【図表 5-12】**。まだ日本でスキル・マトリックスが十分に普及していない中で「各取締役がどのような知見を持っているか」を単に羅列する企業が急増している。この原因として、求められるスキルの詳細要件を定義して

【図表 5-10】社外取締役に必要な経験・知見

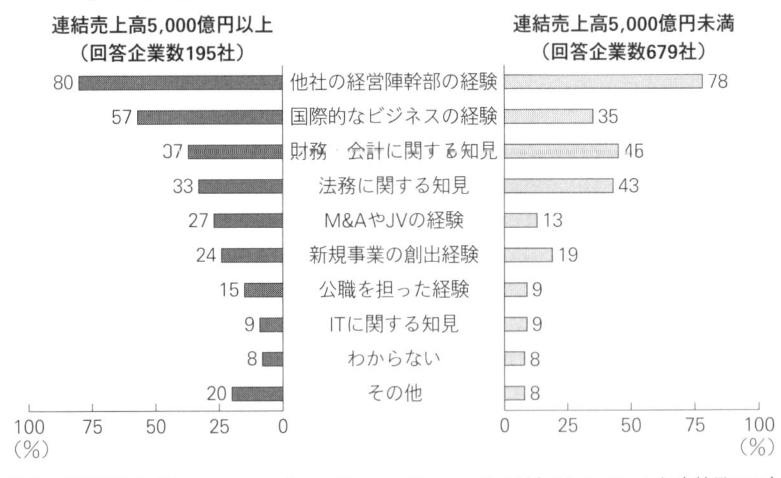

出所：有限責任監査法人トーマツ「コーポレートガバナンスに関するアンケート調査結果2017年版（経済産業省調査委託事業）」

【図表 5-11】米コカ・コーラにおける取締役会で保有すべきスキル・経験

Business Characteristics	Key qualifications and Experience
The Company's business is multifaceted and involves complex financial transactions in many countries and in many currencies.	High level of financial experience
	Relevant senior leadership / Chief Executive Officer experience
Marketing and innovation are core focuses of the Company's business and the Company seeks to develop and deploy the world's most effective marketing and innovative products and technology.	Marketing experience
	Innovation/technology experience
The Company's business is truly global and multicultural, with its products sold in over 200 countries around the world.	Broad international exposure / emerging market experience
The Company's business requires compliance with a variety of regulatory requirements across a number of countries and relationships with various governmental entities and nongovernmental organizations.	Governmental or geopolitical expertise
The Company's business is a complicated global enterprise and most of the Company's products are manufactured and sold by bottling partners around the world.	Extensive knowledge of the Company's business and / or industry
The Board's responsibilities include understanding and overseeing the various risks facing the Company and ensuring that appropriate policies and procedures are in place to effectively manage risk.	Risk oversight / management expertise

出所：The Coca Cola Company「2021 Proxy Statement」

いないことがある。「当社のビジネスに照らして、社内・社外の各取締役に期待するスキル・経験を有しているか」「特に当該取締役に期待する知見は何か」という観点からスキル・マトリックスを記載すべきだ。社外取締役に就任する人物、例えば企業のCEO経験者であれば、当然のことながら過去の事業経営経験からさまざまな知識・経験を有していることは容易に想像できる。結果として、スキル・マトリックスにはすべて○がつく、といったことが起こりがちだ。しかし「3カ国以上の国に跨がる多国籍企業において3年以上の経験がある」「従業員1万人以上の大規模企業で、2年以上の経営者としての経験がある」といった形

【図表 5-12】スキル・マトリックスの例

取締役会の多様性スコア

取締役会による的確かつ迅速な意思決定が可能な員数及び取締役会全体としての知識・経験・能力のバランスを考慮し、適材適所の観点より、総合的に検討した上で、指名・報酬（諮問）委員会の答申を参照しつつ、取締役候補者を指名しております。

氏名	独立性（社外のみ）	社長経験	会計税務	業界の知見	営業販売	国際ビジネス	研究製造	法務	リスク コンプライアンス ガバナンス	●男性 ○女性
A氏		●		●		●				●
B氏		●		●	●	●				●
C氏				●		●	●			●
D氏				●	●	●				●
E氏	●	●			●	●				●
F氏	●	●			●					●
G氏	●									●
H氏				●					●	●
I 氏				●					●	●
J氏	●		●						●	●
K氏	●		●						●	●
L氏	●							●	●	○

出所：イビデン「第166回定時株主総会招集ご通知」より作成

で、自社の求める具体的な要件を書き下していくことにより、社内外の取締役に求める要件をより具体化していくことができる。またこれらの要件を策定していくプロセスそのものが、取締役会メンバー、あるいは指名委員会メンバーの認識を共有する上で重要となる。

取締役会のダイバーシティと社外取締役の選任

あるべき社外取締役像を定める前提を考える上で、特に注目を集めているのが、取締役会のダイバーシティである。ダイバーシティとは、多様な属性等の違いを活かした上で、個々の人材の能力を最大限に引き出すことが、付加価値を生み出す源泉であるとする考え方である。日本でダイバーシティ（多様性）の重要性が提唱されてから20年近くが経過した。それにもかかわらず、世界経済フォーラムの「ジェンダーギャップ指数」などで明らかなように日本のダイバーシティは主要7か国（G7）の中で大きく遅れている。新卒・男性・日本人中心の人材モデルや終身雇用制度がいまなお続く多くの日本企業では、組織の同質性が高いのが実情だ。

日本のコーポレートガバナンス・コードでも2015年の策定時から「女性の活躍促進を含む社内の多様性の確保」が挙げ、ダイバーシティが会社の持続的な成長の推進力となり得るとの認識を示していた。しかしながら欧米には、一段と引き離されているのが実態だ。

こうした状況を背景に、21年改訂版コード（原則4-11）では、経営の監督機能を担う取締役会の構成を「役割・職責を果たすため、ジェンダーや国際性、職歴、年齢の面を含む多様性」ある内容にするよう新たに求めている（下線が改訂箇所）。新型コロナウイルス後の不透明な社会環境をふまえ、独立社外取締役を中心とした実効性の高い経営監督を行うためには、さまざまな視点・知見に基づく議論が重要だ。それを実現するためには多様性のある取締役の構成検討・選任が不可欠であることを改訂版コードは示している。

【原則4-11　取締役会・監査役会の実効性確保のための前提条件】
取締役会は、その役割・責務を実効的に果たすための知識・経験・能力を全体としてバランス良く備え、**ジェンダーや国際性、職歴、年齢の面を含む多様性と適正規模を両立させる形で構成されるべき**である。また、監査役には、適切な経験・能力及び必要な財務・会計・法務に関する知識を有する者が選任されるべきであり、特に、財務・会計に関する十分な知見を有している者が1名以上選任されるべきである。
取締役会は、取締役会全体としての実効性に関する分析・評価を行うことなどにより、その機能の向上を図るべきである。

そもそも、社内のメンバーのみで意思決定を行う場合、「無意識下のバイアス（Unconscious Bias）」が発生することが意思決定論の世界ではよく知られている。典型的には、以下のような状況である。

- 組織はトップマネジメント（通常、組織の多数派を占めるグループ）の成功体験をベースに、重要なプロセスや基準が作り上げられている
- 社外取締役を除く、取締役メンバーは、当該企業におけるビジネスの成功者である
- 社内取締役は、これまでの成功体験をベースとして思考する傾向に

あるため、異なる意見の見逃しや、そもそも見落としている視点に気づかない（ことがある）

同質的な組織では、その意思決定において悪影響を及ぼすことがある、とされている。このため、より質の高い意思決定を行う上で、多角的な視野で取締役会での議論を行うために、ダイバーシティの促進が必要というわけである。

しかし、ダイバーシティについては、さまざまな誤解がある。例えば、性別・ジェンダー（LGBT等）といった一面的にしかとらえられていないケースもまだまだ多く、理解の進展にはもう数年を要するであろう。そのような中で、ダイバーシティを体系的に理解するために、**【図表5-13】**では、ダイバーシティの類型を整理した。

ダイバーシティには、大きく①デモグラフィ型（属性）と②タスク型（スキル・専門性）が存在する。多くの人が意識しているのは、このうち、性別や人種（民族性）・国籍（国際性）等に関する事柄ではないだろうか。少しイメージをしていただきたいが、各個人の属性として挙げられるものは、性別や人種・国籍だけではない。より質の高い意思決定をもたらすためには、年齢（＝世代）や、取締役としての在任期間（＝その企業への理解度と慣れ合いのバランス）、といった要素がまず重要となる。加えて、当該企業の意思決定を担う上で求められる、能力・スキルや経験・知見「を有しているかどうか」も重要となる。一方、あえてまったく異なった業界の発想を取り込むために、別の観点から選任要件を検討するということも考えられる。さらには、思想・哲学といった、物事をどのようにとらえる人物であるかや視座の高さといった部分も重要な要素である。

例えば、事業の不採算や再編の際に行う「リストラ」という事柄一つを取ったとしても、人によって考え方は大きく異なる。できるだけ社員の再配置を行うことで、外部流出を防ぐ（ただし、人件費は維持）すべきだと考える人もいれば、経営として株主の目線から合理的な判断をもとに、リストラの実行を冷静に推奨する人もいる。

意外に思われるかもしれないが、筆者らがコンサルティングの現場で過去によく直面した場面として、「社外取締役が、経営陣幹部に対する株式報酬の導入に反対しているため、コーポレートガバナンス・コード

【図表 5-13】ダイバーシティの類型

- スキル・マトリックスでは、「①属性」と「②スキル・専門性」を組み合わせて可視化
- 従来のジェンダーや国際性に加え、能力・スキルや年齢等も多様性として考慮することを求めている

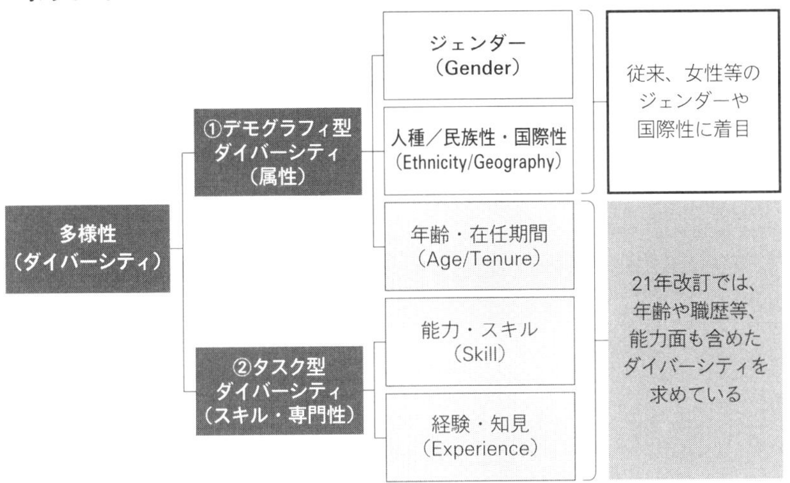

出所:デロイト トーマツ グループ

の要請にもかかわらず、どうにも導入できない」といったことがある。その本旨は「従来、日本企業は、いわれなくとも中長期的目線で企業経営を行ってきている。したがって、あえて株式報酬を導入することで、中長期のインセンティブを与える必要はない」ということで、一面では理解できることもある。しかし、こういった企業では、社外取締役が替わると、すぐに株式報酬の導入に乗り出すなど、社外取締役の考え方一つで企業の意思決定(ここでいえば、経営陣へのインセンティブの与え方に関する考え方)が変わる。ちょっとしたことではあるが、社外取締役の思想・哲学によって、取締役会の意思決定が変わる一例である。

具体的に、三越伊勢丹ホールディングスの事例[16]を見てみよう。同社では、人口減少や中産階級の所得低迷などにより、中長期的な構造不況が続いていた。また百貨店事業においては、札幌や福岡・新潟等、同じ三越伊勢丹グループ内で重複して出店している地域があり、地域内でのカニバリゼーションなども指摘されており、ビジネスモデルの変革や、

16 日経ビジネス「編集長インタビュー」(2018 年 8 月 20 日号)

【図表 5-14】コニカミノルタにおけるダイバーシティの考え方

［コニカミノルタ：社外取締役候補に求めるキャリア・スキル及びそのバランス・ダイバーシティ］

1. 取締役の多様性については、指名委員会規程の「取締役選任基準」の中で「産官学の分野における組織運営経験、又は技術、会計、法務等の専門性を有していること」「社外取締役については、出身の各分野における実績と識見を有していること」と定めています。
2. 取締役会が戦略的な方向付けを行うために、強化又は補充を要する資質・能力・経験を検討します。
3. ジェンダーや国際性の面から多様性が重要であることを十分理解した上で、取締役会において、当社の経営課題に対する有益な監督や助言が得られるように、再任予定の社外取締役及び新任候補者に関して、出身業種・主な経営経験及び得意分野等の「キャリア・スキルマトリックス表」を作成し、キャリア・スキルのダイバーシティを考慮します。
4. 性別、国籍・出身国・文化的背景、人種・民族などを理由に、取締役候補の対象外とすることはありません。

不採算事業からの撤退が求められる非常に厳しい環境にあった。このような環境の中で、構造改革をどのように推進していくかは、同社の事業戦略上、非常に大きな影響をもたらすといえよう。同社においては、構造改革における中長期的な意思決定を担う上で、社外取締役が非常に重要な役割を果たしている。三越伊勢丹ホールディングスの社外取締役のうち、3名（槍田松瑩氏（三井物産元社長）、永易克典氏（三菱UFJフィナンシャル・グループ元社長）、井田義則氏（いすゞ自動車元社長））は、いずれも過去に企業立て直しの経験を持つ。このような各人の経験をふまえ、「とにかく構造改革しろ、徹底的にリストラクチャリングをやりなさい。中途半端はダメだ」という意見が取締役会等で出されるという。構造改革には、リストラも伴うので、社内外から大きな反発がある。そういった中でも、社外取締役の後押しを受け、杉江俊彦社長が構造改革を強力に推進していくことができる原動力となる。社外取締役の知見を活かし、企業改革を進める好例といえるだろう。

ダイバーシティ等の要素を含め、社外取締役の選任要件を抽出した事例が、コニカミノルタの社外取締役選任に対する考え方である**【図表 5-14】**。同社では、取締役会の多様性をより具体的にかみ砕いた上で、1. に「産官学の分野における組織運営経験、又は技術、会計、法務等の専門性を有していること」「社外取締役については、出身の各分野における実績と識見を有していること」といった、能力・スキル、経験・知見等をまず特定している。加えて、2. では、取締役会の戦略的な方向付けに求められる資質・能力・経験といった、タスク型のダイバーシティを網羅している。さらには、3. において、ジェンダーを重視することを記載している。加えて4. において、性別、国籍・出身国・文化的背景、人種・民族などを理由に、取締役候補の対象外とすることはありません。という文言も追記し、ダイバーシティに関する考え方をより明確化した。なお、ここには記載されてはいないが、同社では、社外取締役に関する在任期間を4年までとするなど、それらも加味した上で、取締役会や社外取締役のダイバーシティを確保しようとしている。今後、多くの企業がお手本とする先進事例の一つといえるだろう。

Step2：自社の取締役会に不足している／強化すべき能力・スキル・経験を明確化する

Step1で明確化した能力・スキル・経験等の要件をふまえ、現状のボードメンバーが保有している能力についてレビューを行う。日本では、社内取締役が取締役会の過半数を占めているケースが多いため、取締役会全体で持つ知識や経験は、社内取締役が自社内で培った範囲を大きく超えないことが通常である。そこで、自社の中長期的な経営計画に照らした場合に、現有のボードメンバーにおいて、不足している能力や強化すべき能力がないかを明確にし、それらの能力を社内から補うことが難しいと判明した場合、これらをStep3でさらに具体化していく。

Step3：社外取締役に求める能力・スキル・経験等を具体化する

Step2で明確化した、自社に不足している能力・強化すべき能力等をふまえ、いわば求人票に記載するように、社外取締役に求める能力・スキル・経験やダイバーシティをMust要件とWant要件で具体的に落とし込む。

具体例を挙げると、Must要件としては、今後M&Aを積極的に展開して規模を急拡大させたい企業であれば、企業買収の経験を豊富に持つ経営者、あるいはM&Aアドバイザーの経験を有する、例えば投資銀行やコンサルタント出身者がよいだろう。またAI（人工知能）に関する知見を自社サービスに取り込みたい場合、最先端技術に通じている企業のCTO（最高技術責任者）が適当であろう。

またWant要件として、自社とは異なる周辺業界の経験（例：素材業界であれば、川下となる精密機器業界や自動車業界等）を持つ人材、あるいは自社の取締役会は日本人の男性中心なので、女性もしくは外国籍の人材で、年齢は50〜60歳くらい、現役の人材が選任されることが望ましい、等を設定していく。

このようなスキル・能力面、人材属性面からの要件定義に加えて、基礎要件として以下のような要素も定義しておくことが望ましい。

- 自社が大切にする価値観を理解する素養を有しているか
- 自社が今後直面する状況／もしくは近しい状況に関する経験を有しているか
- 過去の経験に拘泥（こうでい）することなく、自社の状況を自分事ととらえ、柔軟に対応ができるか
- すでにいる他の取締役会メンバーと協調することができるか
- 社外取締役として、十分な時間を確保することができるか（兼務社数はどの程度か）
- 当該人物を選任した場合に、自社の取締役会のダイバーシティが確保されるか

このように、社外取締役に求める能力の定義にあたっては、自社の戦略に見合った形で、具体的に定義付けし、落とし込んでいくことが重要なのである。

これらの具体的な事例として、豪英資源大手BHPグループが挙げられる。BHPは、新たな鉱山開発や、より効果・効率的な技術導入を念頭においた際に、テクノロジーや鉱山に知見のある専門家が不足しているということを特定した。指名委員会は、2018年に自社で不足するスキルを特定・開示した上で、それを補う社外取締役の採用活動を継続的に実施することを公表。2020年にテクノロジーや鉱山に知見のある専門家を社外取締役に招いた。スキル・マトリックスを効果的に活用している好事例だ。

なお参考までに、その他の会社における兼務社数の制限を設けている事例を以下に示す。

【図表 5-15】社外取締役に関する兼任制限の例

兼任制限	企業の例
4社まで	日立製作所（望ましい）、日本製紙
3社まで	旭化成
その他	ソフトバンクグループ：社外役員が他社の役員に就ける上限を「数社以下」
	本田技研工業：社外取締役が、当社以外の上場会社の役員を兼務する場合、当社職務に必要な時間を確保できる合理的な範囲に限るものとする。また社外役員が他社から役員就任を要請されたときは、社長に通知するよう求める
	SOMPOホールディングス：兼任先数は必要最小限に止める。また兼任先の業務内容・業務負荷等を確認する
	三菱ケミカルホールディングス：独立性基準を満たし、かつ職務遂行のための十分な時間を確保できるかを確認する

コラム　取締役会のダイバーシティは、経営にとって好影響を与えるのか

経営指標へのインパクト

日本では、1986年の男女雇用機会均等法の制定（その後1999年に改正）や、2000年に旧経団連が「ダイバーシティワークルール研究会を立ち上げたことを受け「女性活躍の推進」という文脈の中で、ダイバーシティの推進が取り上げられてきた。このため多くの日本の大企業において、一般従業員や管理職層のダイバーシティ化のための取り組みは、2000年代初頭からスタートしている。また2010年代に入ると、グローバル化の推進という文脈の中で、外国籍人材をどのように取り込んでいくかという観点から、ダイバーシティが論じられてきた。直近では、企業を変えるためには、経営トップからの変革が必要という考え方や、海外のコーポレート・ガバナンスのあり方、および英国等の「30%Club」に見られる動きの中で、取締役会のダイバーシティ推進は急速に進展しているテーマとなっている【図表5-16】。

【図表5–16】中核人材のダイバーシティ確保に向けたプレッシャー

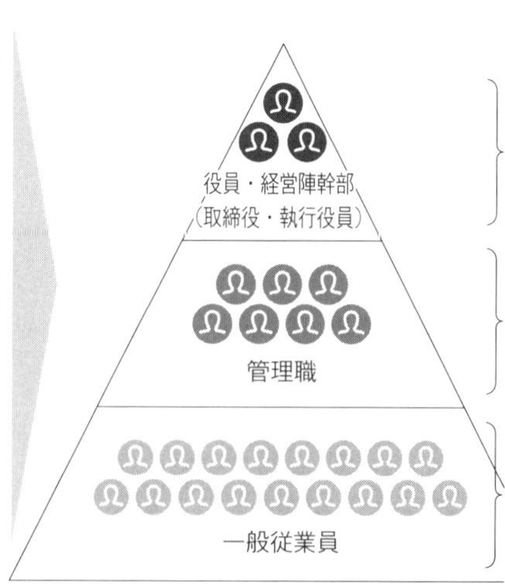

多くの企業における実務担当者にとって、これまで取締役会のダイバーシティ化の推進は「行った方がよいもの」程度の理解であったのが実情ではないだろうか。しかし21年版のコーポレートガバナンス・コード改訂により「推進しなくてはいけないもの」ということで大きく理解が変化している。現実論として日本においては、前述したとおり、社外取締役の担い手が不足しており、特定の著名な女性や（日本の事情をよく理解した）外国籍の人材に、依頼が集中している状況にあることは変わっていない。

ところで、これらのダイバーシティの取り組みは、「本当に経営の質を高めることにつながるのだろうか?」、あるいは「経営の質を高めるとして、実際にどの程度、経営指標にインパクトを与えるのだろうか？」という疑問を持ったことはないだろうか。

近年の複数の調査・研究によりダイバーシティが米マッキンゼー・アンド・カンパニーが2018年に公表したレポート[17]では、経営陣（Executive teams）に女性が多い企業の方が、少ない企業に比べて本業の収益性（EBITマージン）が21%高いという結果が示された。

また英国財務報告評議会（FRC）の2021年の調査研究[18]では、英国上場企業（FTSE350）を対象とした調査において、女性取締役が1名以上いる場合、女性取締役が0名の企業に対して、EBITDAマージンが翌年以降毎年5%前後（＝EBITDAマージン26%に対して31%の収益率）の差異が生じることを導いた。また取締役会に少なくとも1人の女性がいる場合、1年後以降の株式リターンに+10%の及ぼす影響も示唆した。さらに、取締役会に33%以上の女性を登用している場合、5年後の株価が21%上昇することを導き出した。これらのことから、ジェンダーに多様性のある取締役会は、そうではない取締役会と比較して効果的であるということを定量的に結論づけた。その背景として多様な価値観・知見・視野を持つ取締役会では、そうではない取締役会と比較して、リスクの低減やイノベーションへの取り組み、従業員のエンゲージメントを高めやすい点が挙げられている。

実際、日本においてもデロイト トーマツ グループの調査**【図表5-17】**では、売上高1000億円以上の東証一部上場企業では、女性役員比率が高いほど各種業績指標が高い結果が導かれた。特に、女性役員比率が高まるほど、

---

17 McKinsey & Company「Delivering through diversity」（2018）
18 英国FRC「Board Diversity and Effectiveness in FTSE350 Companies」（2021年7月）

【図表5-17】取締役会における女性取締役と外国人取締役の割合

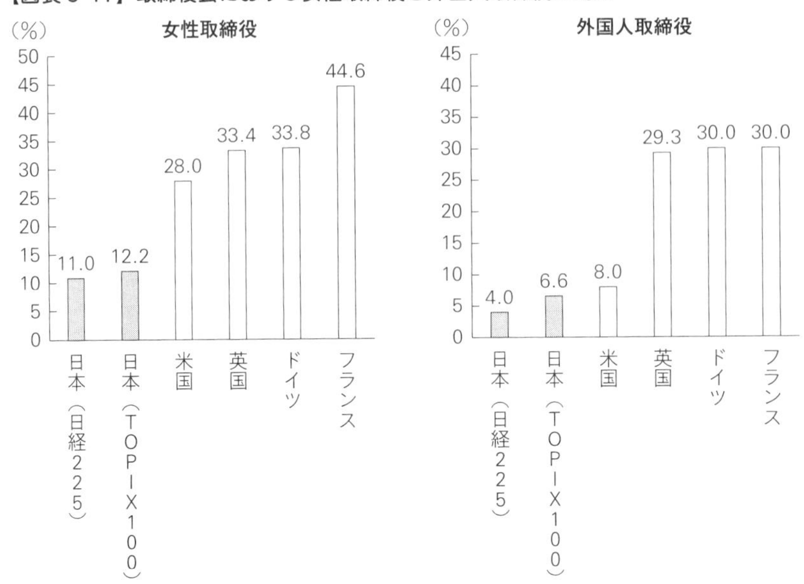

出所：Spencer Stuart「2020 Japan Board Index」米国の外国人取締役の割合についてはSpencer Stuart「2019 Japan Board Index」

本業の利益を示すEBITDAマージン[19]（営業利益＋減価償却費）が向上している傾向にある。男性が中心となっている日本企業において、女性役員比率が高い企業では、従来の価値観に縛られず、多様な価値観を反映しやすい職場環境であること、あるいはマーケットの動向をより多様な目線からとらえ、ビジネス機会とできている、といったことが背景にあると考えられる。

以上のことから、女性役員が増加することと経営成果の関係性について、明示的な結果が徐々に表れつつある状況といえよう。

なお他のテーマとして「社外取締役の兼務が、企業業績にどのような影響を与えるか」に関する研究も一部では進んでいる。テンプル大学のHauser (2018)[20]によると、S&P1500企業を対象とした分析により、社外取締役を

19　利払い前・税引き前・減価償却前利益（Earnings before Interest, Taxes, Depreciation and Amortization）を指す。本文では読者がイメージしやすいよう、営業利益＋減価償却費という簡便な表現を用いた

20　Hauser.R 『Busy Directors and Firm Performance: Evidence from Mergers』Journal of Financial Economics 128（2018）

【図表 5-18】世界における取締役会のダイバーシティに関する動き

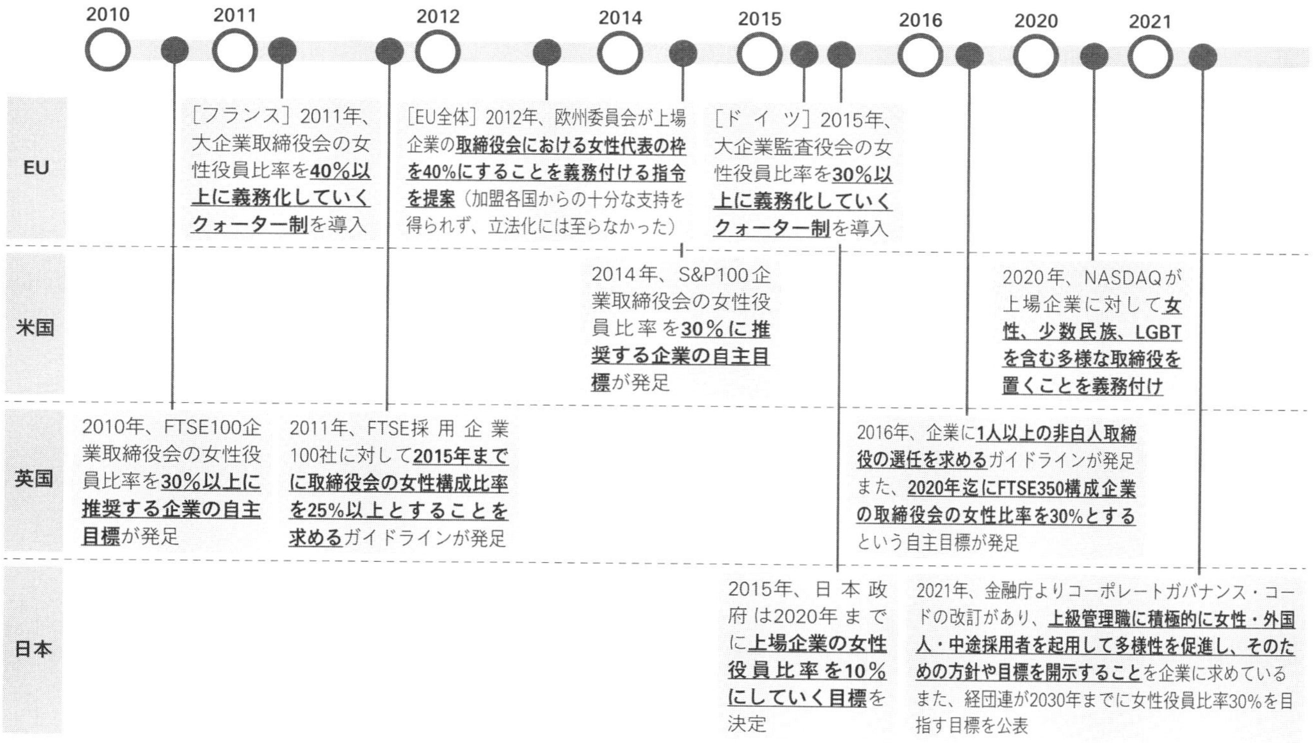

2010　2011　2012　2014　2015　2016　2020　2021

EU

- [フランス] 2011年、大企業取締役会の女性役員比率を**40%以上に義務化していくクォーター制**を導入
- [EU全体] 2012年、欧州委員会が上場企業の**取締役会における女性代表の枠を40%にすることを義務付ける指令を提案**（加盟各国からの十分な支持を得られず、立法化には至らなかった）
- [ド イ ツ] 2015年、大企業監査役会の女性役員比率を**30%以上に義務化していくクォーター制**を導入

米国

- 2014年、S&P100企業取締役会の女性役員比率を**30%に推奨する企業の自主目標**が発足
- 2020年、NASDAQが上場企業に対して**女性、少数民族、LGBTを含む多様な取締役を置くことを義務付け**

英国

- 2010年、FTSE100企業取締役会の女性役員比率を**30%以上に推奨する企業の自主目標**が発足
- 2011年、FTSE採用企業100社に対して**2015年までに取締役会の女性構成比率を25%以上とすることを求める**ガイドラインが発足
- 2016年、企業に**1人以上の非白人取締役の選任を求める**ガイドラインが発足
  また、**2020年迄にFTSE350構成企業の取締役会の女性比率を30%とする**という自主目標が発足

日本

- 2015年、日本政府は2020年までに**上場企業の女性役員比率を10%にしていく目標**を決定
- 2021年、金融庁よりコーポレートガバナンス・コードの改訂があり、**上級管理職に積極的に女性・外国人・中途採用者を起用して多様性を促進し、そのための方針や目標を開示すること**を企業に求めている
  また、経団連が2030年までに女性役員比率30%を目指す目標を公表

出所：各国の公開情報等を基に、デロイト トーマツ グループにて加工

【図表 5-19】女性役員比率と業績指標の関連性
（売上高 1,000 億円以上の東証一部上場企業） N=902 社

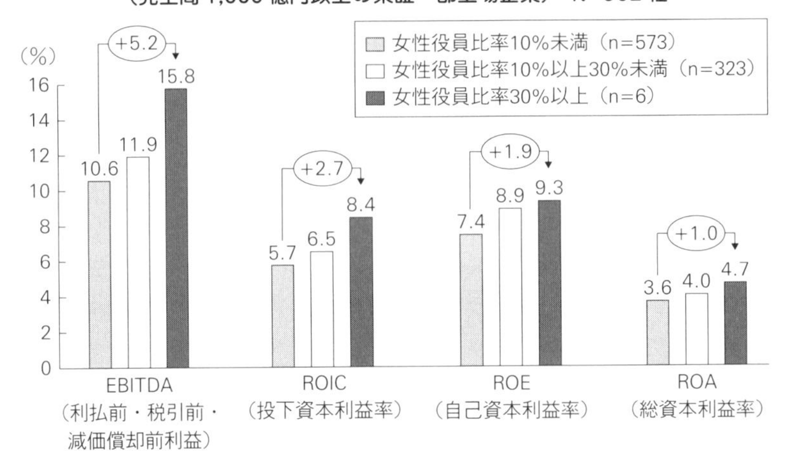

注：各業績指数は、2017年度から2019年度（2020年3月期）の平均値
出所：有価証券報告書等開示情報および内閣府男女共同参画局「有価証券報告書に基づく上場企業の女性役員の状況（2020年7月）」よりデロイト トーマツ グループ作成

務める企業数が少ないほどROAや営業利益が高くなるという因果関係があるという。具体的には、社外取締役の兼務社数が1社減るごとに、ROAの0.3%の改善や、営業利益の約600万ドルの改善が研究結果では見られるとした。この結果は、すでに多数の企業の社外取締役を務めている人よりも、兼務数が少ない人の方が、経営に与える影響も望ましいということを示唆しており、社外取締役の兼務数を制限する際の一定の根拠となり得る可能性がある。

欧米におけるダイバーシティの現状

欧米では、2010年以降、取締役会のダイバーシティに関する取り組みが加速してきた**【図表5-18】**。欧米社会においても、まず2010年に英国で大手上場企業（FTSE100）の取締役会の女性役員比率を30%以上に推奨する企業の自主目標が発足。次に、フランスで2011年に大企業取締役会の女性役員比率を40%以上に義務化していくクォーター制が導入された。さらにEU全体でもジェンダー・ダイバーシティに関する機運が高まり、欧州委員会が上場企業の取締役会における女性代表の枠を40%にすることを義務付ける指

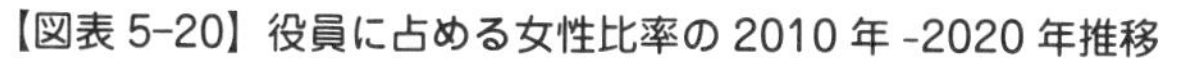
【図表5-20】役員に占める女性比率の2010年-2020年推移

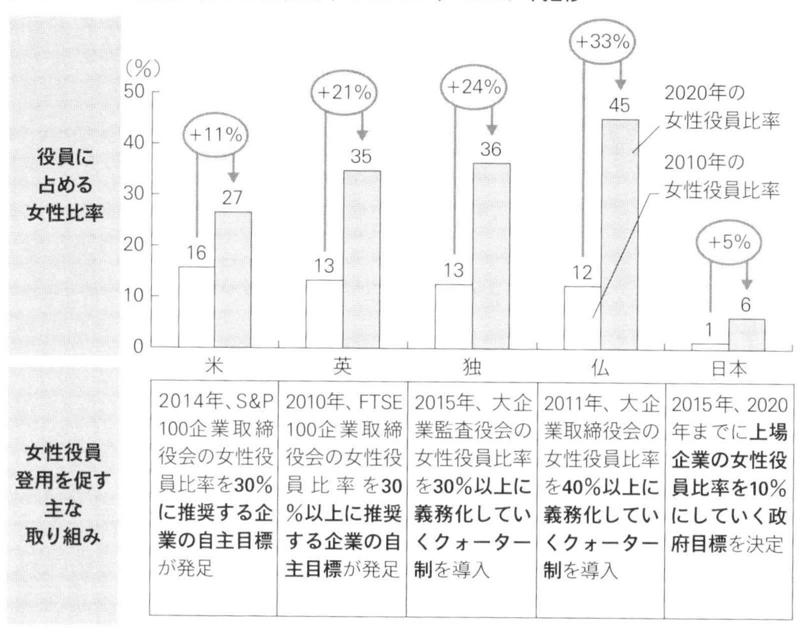

米	英	独	仏	日本
2014年、S&P100企業取締役会の女性役員比率を**30%に推奨する企業の自主目標**が発足	2010年、FTSE100企業取締役会の女性役員比率を**30%以上に推奨する企業の自主目標**が発足	2015年、大企業監査役会の女性役員比率を**30%以上に義務化していくクォーター制**を導入	2011年、大企業取締役会の女性役員比率を**40%以上に義務化していくクォーター制**を導入	2015年、2020年までに**上場企業の女性役員比率を10%にしていく政府目標**を決定

出所：経済協力開発機構（OECD）統計（英・独・仏）、Alliancefor Board Diversity統計（米）、内閣府男女共同参画局統計（日本）および各国報道資料より、デロイト トーマツ グループ作成

令が提案された（ただし、EU加盟国のうち先進国と中心国の間で考え方の溝が埋まらず、立法化には至らなかった）。その後も2014年に米国でS&P100企業の取締役会の女性役員比率を30%に推奨する企業の自主目標が発足、さらに2015年ドイツでも大企業監査役会の女性役員比率を30%以上に義務化していくクォーター制が導入された。直近では2020年、米国NASDAQが上場企業に対して女性、少数民族、LGBTを含む多様な取締役を置くことの義務付けを求めた。また2021年に英国FRCが上場企業約1100社に対して、CEO・CFO、取締役会議長のうち、少なくとも1名を女性にすることを求める等、ジェンダー・ダイバーシティが2010年代から2020年代初頭のテーマとなっている。

2015年、日本政府は2020年までに上場企業の女性役員比率を10%にしていく目標を決定したが達成には程遠い状況にある。

日本では、取締役会における女性取締役の割合は、大企業であっても、

【図表 5-21】管理職[*1]に占める女性比率の 2010 年 -2019 年推移

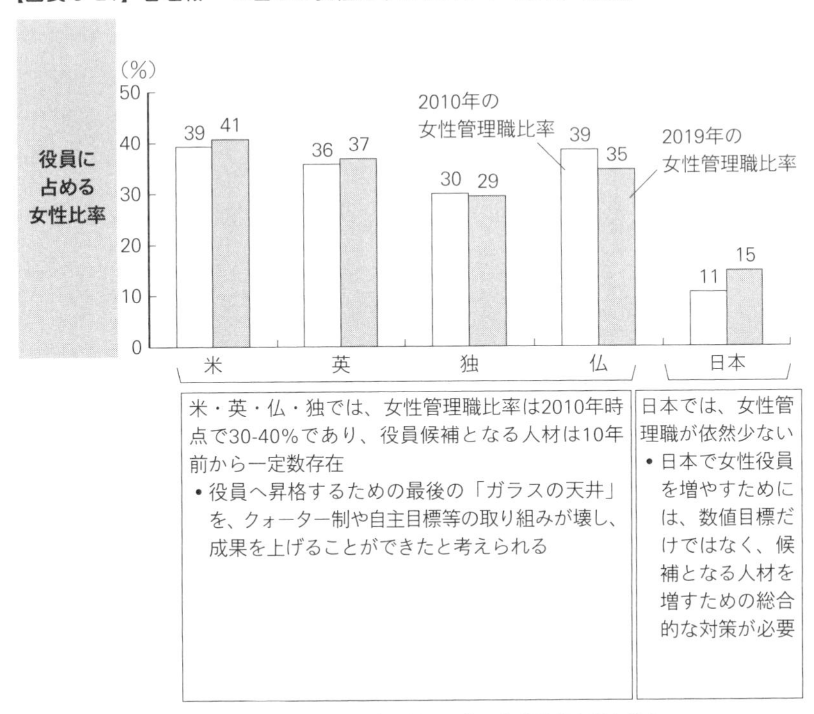

注＊1：本図表の「管理職」は、国際標準職業分類上の管理的職業従事者を指す
出所：経済協力開発機構（OECD）統計（米・英・独・仏）、内閣府男女共同参画局統計（日本）より、デロイト トーマツ グループ作成

10〜11％程度であり、20％台後半〜40％台の米英独仏と比較すると大きく見劣りする状況にある。また外国人取締役の割合についても、日本では 4〜6％程度であり、英独仏の 20〜30％台と比較して低い水準にある。米国については、米国籍の取締役が非常に多く、外国人取締役は、8％台と少ないのが実態だ**【図表 5-17】**。

歴史的に見れば米英独仏の女性役員比率は、2010 年時点では 10％台であった。クォーター制導入や企業の自主目標等の取り組みにより、10 年後には大幅な増加を達成している**【図表 5-20】**。しかしながら、その前提として米英独仏の女性管理職比率は、2010 年時点でも 30〜40％台となっていた**【図表 5-21】**。このため役員の候補者となりうる人材の数が一定程度確保されていた、とも言える。役員へ昇格するための最後の「ガラスの天井」をク

【図表 5-22】日本の上場企業における女性役員比率の推移

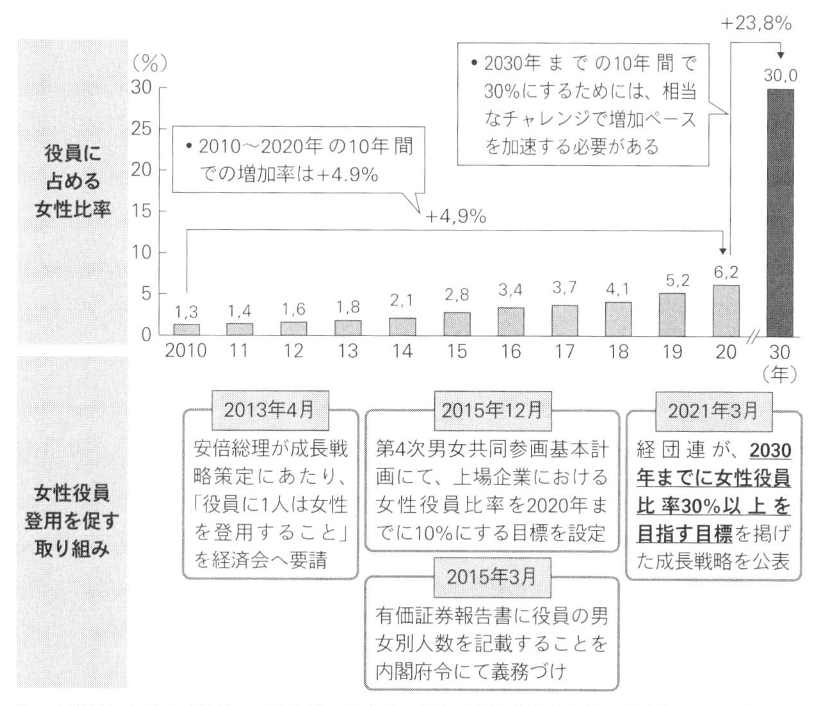

注：本資料における「役員」は取締役、監査役、指名委員会等設置会社の代表執行役及び執行役を指す
出所：内閣府男女共同参画局統計情報よりデロイト トーマツ グループ作成

ォーター制や自主目標等の取り組みが壊し、成果を上げることができたと考えられる。他方で、日本の場合、2010 年の 11％に対して、2019 年時点でも 15％となっており海外先進国と比較すると女性管理職比率は依然として低いのが実情だ。この背景として日本では、教育・就業・勤続・昇進の各段階において女性のキャリアアップを妨げる 4 つの『壁』が存在しており、日本で女性の役員・管理職人材が不足する要因となっている**【図表 5-23】**。まず 1 つめは、教育の壁である。学校や家庭における女性の役割・能力についての固定観念（ジェンダー・バイアス）について、長年指摘されている。典型的には、女性は「おしとやかであれ」「料理ぐらいできないと」「女性らしい繊細さ・気配りが素晴らしい」「男なんだから泣くな」「お父さんは一家の大黒柱」といった表現等である。都市部では随分薄れているが、それでも地方

【図表5-23】各キャリアステージの女性比率と、日本における女性登用の『壁』

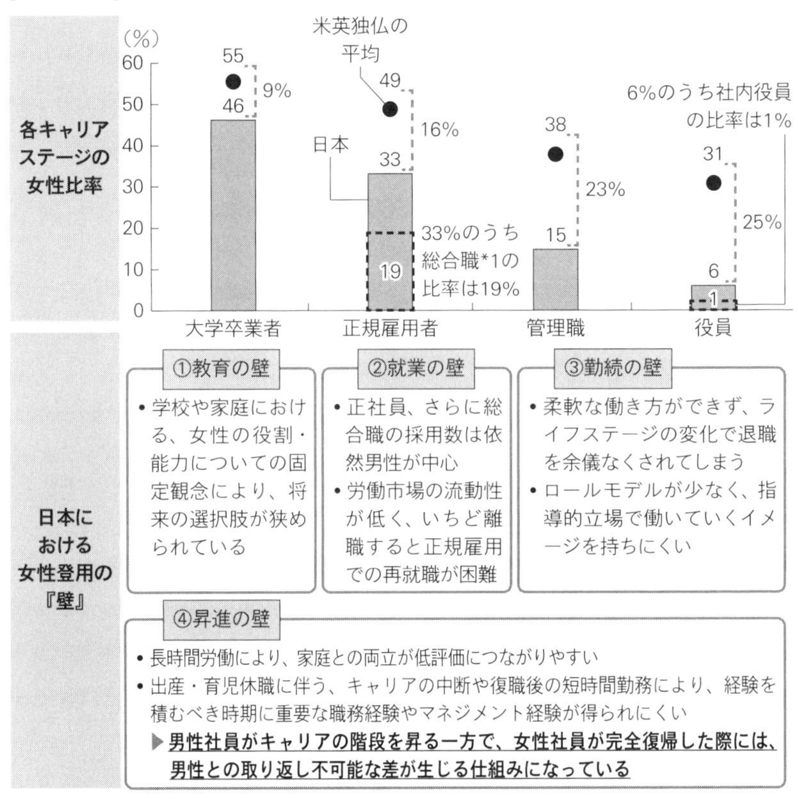

注：本図表の「総合職」の比率は、厚生労働省「2019年度雇用均等基本調査」の一般職以外の職種（総合職・地域限定総合職・その他）合計により算出している
出所：経済協力開発機構（OECD）2018-2019年統計、総務省統計局「2019年労働力調査」、厚生労働省「2019年度雇用均等基本調査」より、デロイト トーマツ グループ作成

にいけばこのようなことは枚挙に暇がない。学校教育では随分と変わってきているものの、男性は経済的な役割を担い、女性は家事・育児等の家庭的役割を担うという意識は依然として存在しており、将来の選択肢が狭められている、といえよう。

また２つめは、就業の壁である。正社員、さらに総合職の採用数は依然として男性が中心で労働市場の流動性が低い。また、一度家庭の事情等で離職すると正規雇用での再就職が困難であるケースもまだ存在する。大手企業の中では、女性総合職の新卒採用比率を30％や40％と設定する企業もあるが、その後の離職を考慮に入れると新卒時点から男女同数（パリテ）である

50%を掲げるのが本来あるべき水準ともいえる。

さらに3つめが勤続の壁である。柔軟な働き方ができず、ライフステージの変化で退職を余儀なくされてしまったり、女性管理職等で活躍するロールモデルが少なく、指導的立場で働いていくイメージを持ちにくいということがある。

最後4つめに昇進の壁である。長時間労働により、家庭との両立が低評価につながりやすい。また結婚、出産・育児休職に伴うキャリアの中断や復職後の短時間勤務により、経験を積むべき30～40代に重要な職務経験やマネジメント経験が得られにくいことも重要なポイントだ。同時期に男性社員がキャリアの階段を昇る一方で、女性社員が完全復帰した際には、男性との取り返し不可能な差が生じる仕組みになっている。経団連が2030年までに女性役員比率30%以上を掲げているが、その達成には相当なチャレンジが必要であろう。

さらに米英を中心とする諸外国で目下のトピックは、人種におけるダイバーシティ化をどのように進めていくかという点である。

この背景には、英国30%Clubの発足以降、女性のダイバーシティ化が進む中で、男性／女性という性別だけではなく、人種という観点でも、偏在があるということが問題になったことが挙げられる。そのきっかけは、取締役会における「白人／非白人比率」に端を発している。英国市民の14%が非白人であったにもかかわらず、FTSE企業の取締役の非白人比率がわずか5%しか存在しておらず、企業経営の場においても、何らかの差別や偏見が存在しているのではないか、という批判が寄せられた。これを受け、2016年のパーカー卿による「The Parker Review」が出された。このインパクトは大きく、FTSE100企業は2021年までに、FTSE250企業は2024年までに、非白人の取締役（＝有色人種、Director of colour）の1名以上の選任を求められている**【図表5-24】**。その結果、各企業では、直近1～2年における開示でも、「白人かどうか」という観点での開示や取締役会における人種のダイバーシティ（Asian／Hispanic／Latino／African等）等の情報が開示されるようになってきている。

さらに2020年の黒人差別問題[21]をきっかけに、民族性に関する多様性の議論が進んでいる。先に述べたとおり、2020年、NASDAQが上場企業に対して女性、少数民族、LGBTを含む多様な取締役を置くことを義務付けを求

21　2020年5月25日に黒人のジョージ・フロイド氏が白人警官に首を圧迫されて死亡した事件。黒人差別に反対する人々により、米国や英国でデモや暴動が起こった。

【図表 5-24】英国における取締役会のダイバーシティに関する動き

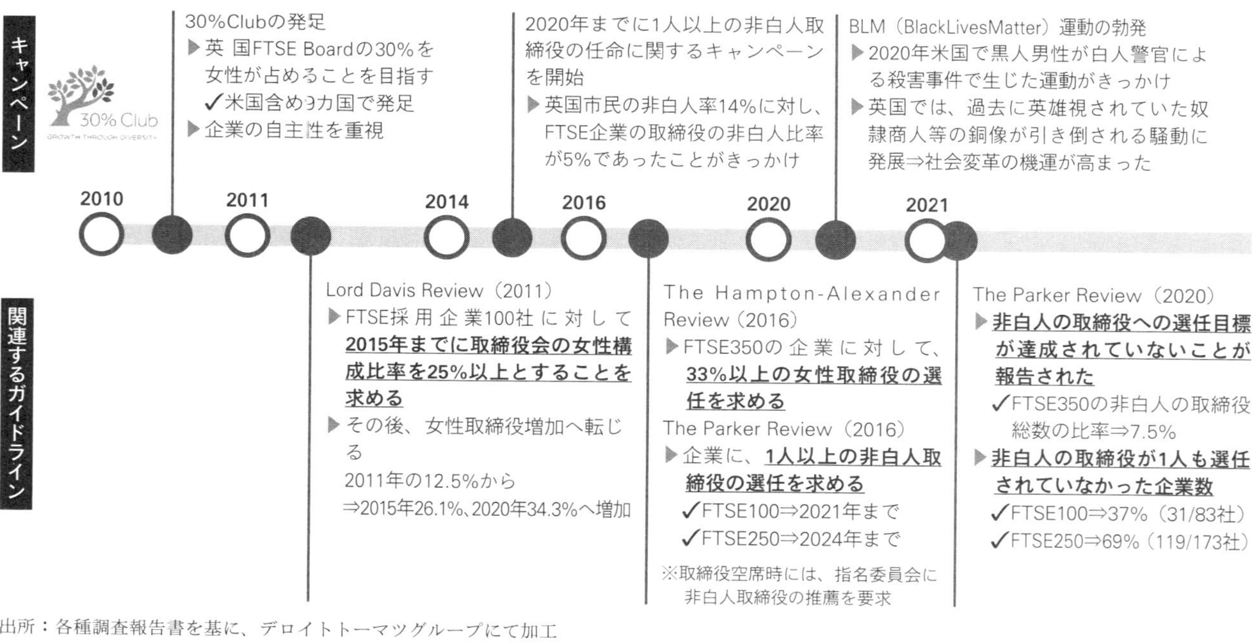

出所：各種調査報告書を基に、デロイトトーマツグループにて加工

めた。また2021年に英国FRCが上場企業約1100社に対して、取締役メンバーに対して、少なくとも1名以上の非白人取締役を選任することを求めるコンサルテーションペーパーを発表。2022年以降も、この議論は更に進展する。

筆者（の淺井）自身、黒人差別問題が起きた際に、英国ロンドンのオフィスで勤務していた。2020年6月には、デロイトUK内において人種差別の有無に関するヒアリング調査やワークショップが行われるなど、実態の把握と改善に向けたアクションが取られていた。またその際には、黒人・白人問題ではなく、英国内における多様な国籍・人種（インド・南アフリカ・ケニア・中国・香港・韓国・シンガポール）からさまざまな差別（Discrimination）を感じたことがある、といった声を聞き、表には見えづらい多国籍の国の実態を感じたものである。

これらは単にビジネス上の成果を生むためのダイバーシティという話だけではなく、人権問題にも関わるセンシティブな問題でもある。現時点で日本では、人種に関する差別や偏見が、欧米各国と比較するとまだ大きな話題となっておらず、性別という観点がどちらかというと強い。例えば、我が国の年金基金を運用しているGPIF（年金積立金管理運用独立行政法人）では、ESG要素を考慮した投資はリスク低減効果があり、女性活躍などのダイバーシティ推進はESG投資の一要因ととらえる考え方を示している。これを受け、GPIFは、海外における企業及び機関投資家の女性活躍推進（ダイバーシティ推進）の取り組みについて情報を収集するために、英国の30% Club及び米国の30% Coalitionに2016年に加盟を表明したことは記憶に新しい。

加えて、米大手資産運用会社であるステート・ストリート・グローバル・アドバイザーズは「取締役会に女性役員または女性役員候補がいない場合、株主総会において指名委員長提案に反対票を投じる」ことを定めた取締役会ダイバーシティ指針を2018年から日本・カナダにも適用拡大するとしており、女性取締役がいない場合には反対票が投じられるようになる。

このように、英国等をはじめとする諸外国と比較すると、日本の取締役会におけるダイバーシティに求められる文脈や位置づけは、数年遅れとなっているともいえよう。しかしながら、グローバル化が進む中で、例えば「海外売上比率／社員比率に応じた」外国籍人材の選任やその地域を熟知した外国籍人材の選任といった議論は、将来的には出てくるかもしれない。

取締役会の構成を変えることで、どの程度経営上の成果が出るのかや人権意識の高まり等もふまえ、今後もこれらの議論の動向には継続的な注意を向けておく必要があるだろう。

第3項　社外取締役の選任

自社にとって必要な社外取締役を明確にすることができたとしよう。では、そのような社外取締役をどのように選任するか、またどこから見つけてくるかが次のポイントとなる。

(1) 指名委員会の関与

社外取締役の選解任は、社長・CEOら経営陣の業務執行の監督を行う立場にあることはすでに繰り返し述べており、その監督機能の実効性を高めるためには、経営陣からの独立性を重視する必要がある点はいうまでもないだろう。しかしながら、現在多くの日本企業においては、社外取締役の候補者は、当該企業の経営者からの推薦が多い。これでは、社外取締役は「私を社外取締役に推薦してくれた」と考え、現役の経営陣に対する遠慮や、忖度が発生する可能性があるのではないだろうか。

このため、社外取締役の選任にあたっては、まず社長らのメンバーのみが決定できるようにすべきではなく、指名委員会等の関与を通じた選任が行われるべきである。

ただし、従来多くの企業が、経営者からの推薦を行っていたのだとすると、どのように社外取締役を選んでいくべきなのだろうか。そのヒントは次の人材プールの持ち方と関係がある。

(2) 社外取締役の人材プールをどう持つか

社外取締役の人材プールは、大きく分けて三つある。①経営陣等による紹介、②社外取締役自身からの紹介、そして③サーチファームによる紹介である。

自社を熟知しているという観点では、①経営陣による紹介は非常に有効であろう。経営陣は日頃から他社の経営陣幹部や有識者と多く接点を持っており、その豊富な人脈の中で、自社にとって優秀な社外取締役人材を推薦させることは一定の合理性があると考えられる。

また②社外取締役自身による紹介は、一般的に社外取締役に就く人材は多様な人脈を有していることが多く有効な手段といえる。本人のレピュテーション（名声・評判）にも影響するため、下手な人物を推薦することはそう多くはない。

最後に、③サーチファームからの推薦である。①②と異なり、日本でも人材紹介事業者を中心に社外取締役に関する紹介事業のサービス展開を行っている企業が増えてきており、積極的な活用を行う企業も少しずつではあるが増えてきている。①②では、想定されなかったような、人材を確保することができるメリットを考慮すると、サーチファーム等の活用も検討する必要がある。

参考までに、英国ではコーポレートガバナンス・コード（The UK Corporate Governance Code Provision 20）において、取締役会議長や非業務執行取締役（Chair and non-executive directors）の選任には、外部のサーチファームを活用すべきである、とされている。この背景には、内部から社外取締役の候補者を確保するだけでは、候補者の多様性を確保することが十分ではない、という考え方がある。一方で、サーチファームを活用した場合には、年次報告書（Annual report）において、活用した外部のサーチファームを明記することが求められており、その透明性の確保も合わせて実施している。具体的には、英国の大手製薬メーカーであるグラクソ・スミスクラインは、人材紹介会社のエゴンゼンダーが候補者リストを作成しているなど、候補者の抽出を外部に委託し、自社にとって適した社外取締役の任用を行っていることを開示している。

このように、社内からの推薦だけでは、社外取締役の多様性を確保することは困難であるケースもあるため、社内に加え、社外からの獲得の両面で人材プールを形成し、社外取締役の選考を行っていくことが望ましい。

また、経営陣幹部や社外取締役が、社外取締役の候補者を推薦したからといって、「指名委員会の中でそのまま承認されるわけではない」という認識を、各関係者が持つことも重要である。ある企業では、複数名の社外取締役候補者を社内・社外から推薦させた上で、指名委員会や取締役会で講演という名目のもと、当該社外取締役候補者が、社外取締役として適任かどうかをチェックする、というプロセスを採用している。

このプロセスを通じて、自社の社外取締役を担うにあたって適任かどうかを複数の目で判断しながら、最終的にどの候補者を社外取締役とするか、ということを決定している。

社外取締役人材が不足する中で、自社にとって有益なアドバイスや経営監督を担うことができる人材を、どのようなプロセスを通じて選任できるか、をよくよく検討することが重要だろう。

第４項　社外取締役の処遇

社外取締役を任用する際に避けて通れないのが、処遇条件の検討と決定である。すでに社外取締役の争奪戦が進行し、今後もさらに激しさを増していく中で、自社にとって適切かつ優秀な社外取締役を登用するためには、競争力のある報酬水準を提供することをやはり意識すべきであろう。

では、社外取締役に対するあるべき処遇とはどのようなものだろうか。以下では米英の現状をふまえながら、日本企業における社外取締役の今後の処遇について提示したい**【図表 5-25】**。

【図表 5-25】日米英の社外取締役の報酬水準比較

（単位：千円）

平均報酬水準		日経225	S&P500	FTSE150
		日本	米国	英国
総報酬額		¥13,172	¥33,931	¥13,395
追加報酬（委員）	指名	¥1,271	¥1,039	¥1,851
	報酬	¥1,223	¥1,274	¥1,821
	監査	N/A	¥1,513	¥2,145
追加報酬（議長）	指名	¥1,812	¥2,020	*¥2,250
	報酬	¥1,845	¥2,421	*¥3,000
	監査	N/A	¥3,061	*¥3,150

注：報酬総額は現金や株式をすべて含んだ報酬額である。また、各国通貨レートは110円／ドルで換算。

出所：日本：デロイト トーマツ グループ「役員報酬サーベイ（2020）」

米国・英国：Spencer Stuart「Board Governance: International Comparison Chart（2020）」、「US Board Index（2020）」

英国のうち、*箇所はデロイトUK調査データ（FTSE100）

(1) 報酬水準

日米英で異なる報酬水準決定の考え方

社外取締役の報酬水準に関しては、自社の企業規模や業界・業務の複雑性をふまえた上で、報酬のベンチマーク調査を参照しながら、設定する必要がある。当社の「役員報酬サーベイ（2020年度版）」の調査結果でも、日本の社外取締役の報酬水準（年収）は、企業規模が大きくなればなるほど、報酬額が高くなる傾向が出ており、日経225クラスの大手企業では、約1,300万円が中央値となっている。また米国では平均約3,400万円、英国でも約1,400万円程度である**【図表5-26】**。

しかしながら、報酬の決め方には、日米英で違いがある。まず日本では、指名／報酬／監査委員の兼任や、各委員会の議長ポストの兼務をし

【図表5-26】社外取締役の報酬

対象国	報酬水準	報酬構成	社外取締役の報酬付与の一般的な考え方	福利厚生
米国・英国	米国：3,400万円 英国：1,400万円	• 固定報酬 • 業績非連動型株式報酬	• 社外取締役内で基本報酬は一律 ✓兼務する職務・委員会数・議長ポスト等により追加支給	• 各社によって異なる ✓配偶者分を含めた旅費・医療保険・生命保険費用等
日本	1,300万円	• 固定報酬のみ	• 社外取締役内では一律 ✓兼務する職務があっても一律であることが多いが、米英にならう企業も増加	• 役員社宅、人間ドック、ハイヤーなど

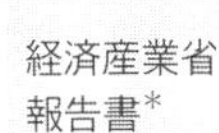

経済産業省報告書*	•「社外取締役の報酬について、インセンティブ付与の観点から、固定報酬に加えて、業績によって付与数が変動しない自社株報酬など、インセンティブ報酬を付与することも考えられる」と明言

今後の動き	• 株主との利害の共有（セイム・ボート）の観点から、**社外取締役への業績非連動型株式報酬の付与を行う企業が増加することが見込まれる** ※武田薬品工業等

出所：CGS研究会報告書「実効的なガバナンス体制の構築・運用手引」、CGSレポート　別紙2「社外取締役活用の実務指針の提案」

ても、報酬額は変わらず一律である企業が多い。一方、米英では、ベースとなる固定報酬の金額は全員一律であるが、各委員会の委員に就任すると追加で100万〜200万円を支給、各委員会の議長職に就任すると約200万〜300万円支給というように、その職務と報酬の関係性が具体的に明示されている**【図表5-27】**。

このように、社外取締役の報酬の決め方が異なる背景には、報酬決定の考え方の違いがある。通常、日本では役位をベースにした報酬体系となっており、役位が異なれば報酬額も異なっている。一方、米英の社内取締役の場合、報酬額はジョブサイズ（職責・役割の大きさ）および職種によって決められている。

すなわち、日本では、多くの企業において、社外取締役という「役位」に対して報酬を支払っており、追加の職務があっても、追加報酬は支払わないことが多い。一方、米英では社外取締役という「同じジョブサイズの仕事」に対して一律の報酬を支払うが、取締役会の議長や、指名・報酬委員会等の委員に就任すれば、当然ジョブサイズが大きくなるため、その分の追加報酬を支払うのである。

経済産業省のCGSガイドラインの「別紙2：社外取締役活用の視点」では、これらを反映した形で以下のように指摘している。「特に指名委員会・報酬委員会・監査（等）委員会等の委員長や委員を兼務する場合や、取締役会議長を務める場合、筆頭独立社外取締役を務める場合などにおいては、社外取締役として費やすこととなる時間や労力・果たすべき役割や責任も相当程度増大し得ると考えられることから、こうした**負担や責務に応じて適切な水準の報酬とするという観点も重要と考えられる**」。

本来社外取締役によって、異なる役割を担っているのであれば、当然それを反映した形で報酬が反映されるべきである。

【図表5-27】は、米英の小売業における追加報酬額を示したものである。各社により考え方は異なるが、基本報酬に加えて、各委員会の議長職、あるいは筆頭独立社外取締役[22]と呼ばれる、株主や経営陣・監査役

22　コーポレートガバナンス・コードでは、補充原則4-8②において「独立社外取締役は、例えば、互選により『筆頭独立社外取締役』を決定することなどにより、経営陣との連絡・調整や監査役または監査役会との連携に係る体制整備を図るべきである」として、その選任を推奨している。

【図表 5-27】社外取締役への追加報酬（米・英の小売業界の例）

項目		企業名							
		Walmart（米）		Tesco（英）		Costco（米）		Kroger（米）	
基本報酬	現金報酬（①）	$90,000	—	$70,000	—	$30,000	—	$40,000	—
	株式報酬（②）	$175,000	—	$110,000	—	$325,000	—	$40,000	—
	合計（①+②）	$265,000	—	$180,000	—	$355,000	—	$80,000	—
追加報酬 議長職	取締役会	$200,000	75%	$105,000	58%	—	—	—	—
	報酬委員会	$25,000	9%	$14,000	8%	—	—	—	—
	監査委員会	$25,000	9%	$17,000	9%	—	—	—	—
	コーポレートガバナンス委員会	$20,000	8%	$9,500	5%	—	—	—	—
	戦略企画／技術委員会	$20,000	8%	—	—	—	—	—	—
追加報酬	会議出席費（各回ごと）	—	—	—	—	取締役会・委員会：$1,000	—	取締役会：$4,500×2	—
				—	—		—	委員会：$1,500×2	—
	筆頭独立取締役（社外）	$30,000	11%	—	—	—	—	$25,000	31%

※割合（%）は、基本報酬の合計額（①+②）に対するもの

出所：各社Proxy Statementを基にデロイト トーマツ コンサルティング加工

等との連絡や調整を担い、対話の中心となる職務を担う場合、5～10%を追加報酬として支給している。また同じ小売業界内でも、CostcoやKrogerのように、会議出席費を支給する代わりに、議長職には報酬を支給しない、といった考え方もある。

ちなみに、社外取締役の報酬決定について多く寄せられる質問として、「社外取締役候補者自身の過去の報酬水準、キャリア・社会的影響力、スキル・専門性等を考慮して、同じ役割を担う社外取締役でも、報酬額に差をつける必要があるのか？」というものがある。これに対する答えも、上記の考え方から、日米英のいずれにおいても、担う役割に応じて差をつけるべきということになる。他方、同等の役割・責任を担う社外取締役であれば、報酬額は同じとするべきである。これらの考え方が生じる背景には、報酬は人につくのか、ポスト（役割・責任）につくのかという考え方の違いによるものであろう。

もちろん、当該候補者の方に、どうしても自社の社外取締役に就任し

てほしい、ということであれば、他の社外取締役よりも少し積み増すこともあるが、そこはあくまでも個別調整となる。

報酬水準を検討する際のポイント

さて、上記のような状況をふまえた上で、あるべき社外取締役の報酬水準をどのように考えるべきだろうか。ポイントは2点ある。

1点目は、自社にとって適切かつ優秀な社外取締役を採用するためには、報酬水準を平均的な水準と比べてどの程度の水準（上位25%や上位10%を目指すのか）にするのかを決定することである。特に自社が欲しい社外取締役は、他社から見ても欲しいと思う人材であることが多い。このため、単純ではあるが、ベンチマークよりも高い報酬額を適用することで、欲しい人材を自社に引き付ける可能性を高めることができる。

2点目は、職務価値に見合った報酬を検討することである。すなわち、米英の例でわかるように、各職務と報酬の関係性を明確にすることである。社外取締役の業務が多岐にわたる中で、どの仕事に対して、いくらの報酬を支払うかを明示する方が、社外取締役にとってもフェアであり、欲しい人材の引き付けにつなげることができる。

日本の社外取締役の報酬水準に関しては、人材の争奪戦が激化する中で、今後数年の間で、上昇することが予測される。具体的には、米英の例を見ると、優秀な社外取締役人材であれば、現在の1,000万円程度から、今後は1,500万～2,000万円程度まで上昇していくことが想定される。

(2) 報酬構成

報酬構成に関しても、日本と米英では、考え方が異なる。日本の場合、固定報酬のみの報酬体系が多く採られているが、米英においては、固定報酬に加えて、業績に連動しない形で株式報酬を支払うことが一般的である。こうした違いの背景として、米英では「社外取締役が株主の代わりに取締役メンバーおよび企業の監督を行う」、したがって「社外取締役は、株主と利益を共有すべきである」という考え方が定着していることが大きい。

そのため会社として、株式報酬の付与や、株式保有ガイドラインにより、年間固定報酬の1〜3倍相当の株式保有を義務付けているケースが多い。

日本における先進的な事例として、武田薬品工業が2016年より社外取締役に対して業績非連動型株式報酬を付与しているケースが挙げられる。またソニーや吉野家ホールディングスでも、社外取締役に対して譲渡制限付株式の付与を行うなど、株式報酬を社外取締役に対して付与する企業が少しずつ出始めている[23]。今後日本でも社外取締役に対して株式報酬を付与する考え方が浸透し、数年後には違和感のないものとして受け止められるようになっていくだろう。

(3) 金銭以外の報酬

日本では、金銭以外の報酬・福利厚生について旅費以外には、ほとんど支給を行っておらず、必要に応じて役員社宅や人間ドックハイヤー（運転手付きの貸切乗用車）を付ける程度である。一方、米英では医療保険や生命保険費用の負担、他国で会議がある際の配偶者分の旅費支給なども行われているが、企業によって考え方がさまざまであり、一律に特定の傾向があるとはいい難い。必要なことは、自社にとって最も優秀な社外取締役を引き付けるために、どのような福利厚生を付与すべきかを検討するという観点であろう。

第5項　社外取締役の評価

日本において、取締役会評価の実施は定着してきたが、日本企業の大半では、社外取締役自身の評価はまだまだ進んでいないのが実態である。2015年に適用開始されたコーポレートガバナンス・コードでは、「第4章 取締役会等の責務」で、以下のように記載されており、社外取締役の評価は、この取締役会評価の中で行われるべきものと考えられる。

> 【原則4-11　取締役会・監査役会の実効性確保のための前提条件】
> （前略）取締役会は、取締役会全体としての実効性に関する分析・評価を行うことなどにより、その機能の向上を図るべきである。

23　日本経済新聞「株式報酬、対象広がる 社外取締役や従業員にも」（2018年3月23日付）

【補充原則 4-11 ③】
取締役会は、毎年、各取締役の自己評価なども参考にしつつ、取締役会全体の実効性について分析・評価を行い、その結果の概要を開示すべきである。

米英では主として、ガバナンス委員会等で社外取締役の評価を行っており、そのプロセスはおおむね次の（1）～（3）のようになっている。取締役会の実効性評価に関する事項についてすべてを記載することは難しいため、ここでは、社外取締役に関連する部分に絞って紹介したい。

なお、取締役会評価における社外取締役の評価は、通常取締役会議長、もしくは社外取締役の筆頭者が中心となって行う。実務的には、取締役会事務局が、取締役会議長や当該社外取締役の指示を受けて、各種評価に関連する事務を担当することが一般的である。

（1）評価項目の準備

まず、取締役の評価に関する準備を行う。評価項目は、定量項目と定性項目を含んでおり、主に取締役会に対する貢献の量と質の観点から、評価が可能なものであることが望ましい。定量評価の軸としては、取締役会および各委員会への出席率を中心に評価する。また定性評価は主として、専門性や多様性等を活かした議論への貢献がどの程度あったか（経営やガバナンス上の観点からの示唆等）について評価する。ツールとして、評価帳票の作成も行う。

（2）評価の実施

次に、社外取締役を含む取締役会メンバー全員を対象として評価を行う。

定量評価部分は、取締役会や各委員会への出席率を取締役会事務局等が記入することで対応する。

一方、定性評価部分は、取締役会メンバー自身が自己評価を行う。自己評価を行う理由は、社外取締役は、指名・報酬委員会等で、社長をはじめとする役員の選任・解任や報酬の決定に影響力を及ぼしているため、社内役員である社長等が評価を直接行うことは、ガバナンス上、望ましくないからである。社内役員・社外役員間での評価のなれ合いを排除する、という意味においても評価者・被評価者の関係になることは避けておく必要がある。

(3) 評価結果のまとめ

取締役会メンバーの評価結果を取締役会事務局にて集約、まとめを作成する。特に社外取締役に関しては、先述した「あるべき社外取締役像」に照らして、要件に対して適切な能力発揮や貢献がなされているかについて、チェックを行うべきである。

その上で、次年度以降の課題抽出を実施する。実務的には取締役会事務局が課題抽出の素案を作成し、取締役会議長や社外取締役と議論をしながら整理していくケースが多い。またこの途中、社内・社外取締役に対して、取締役会議長等からインタビューを実施することが望ましい。評価帳票上では、記載されていない事項や取締役会ではなかなか言えない本音の部分、悩み等が聞けることも多いためである。

企業に見られる評価の工夫例として、自分以外で最も貢献した社外取締役を数名選ばせるケースもある。例えば、海外のある企業では、個々の社外取締役の貢献度評価を積極的に行っている。具体的には1年に1回、取締役会に残したいと考える「自分以外」の社外取締役を5人推薦し、もし誰からも推薦がなかった場合、その者には退任を求める、というものである。

社外取締役の評価については、手探りの企業も多いため、まだ対応が十分ではない企業も多い。しかし、次に触れる社外取締役の再任を検討する上では、社外取締役の評価は欠かせない。今後各社において取り組みがさらに進展することを期待したい。

第6項　社外取締役の再任・解任

前項で述べた社外取締役の評価をふまえ、本項では社外取締役を再任させるべきか、退任させ、新たな社外取締役を任用するべきかを検討するプロセスに進む。

まず社外取締役の再任にあたっては、前段で述べたように、取締役会以外の場（指名委員会等）で議論を行い、公平性・透明性を高めることについては、多くの方が同意されるであろう。その上で、再任にあたって特に重視すべきポイントは、社外取締役のリフレッシュメントである。社外取締役は、「社外」「独立」であるからこそ外部の目線で忌憚（きたん）のない意見がいえることに価値がある。

もちろん、社外取締役に自社のことをしっかりと理解してもらうためにある程度の時間が必要であることは否定しない。しかし、長期間にわたって、同じ会社の社外取締役であることは、ある種のなれ合いを生み出してしまう。日本の多くの企業では、社外取締役の任期は1年または2年であるものの、一度選任されればよほどのことがない限り、企業側から退任を要請されることは少ない。このため、社外取締役のポストに、同じ人物が長期にわたって在任するケースもあり、取締役会の活発な議論を停滞させることにつながる恐れもある。

社外取締役の平均在任期間は、米国では、約8年、英国ではおおむね4年と多少異なっているが、こうした問題を適切に回避するための方法を検討すると、具体策としては、①定年の設定、②在任年数の設定、③一定期間ごとの入れ替えなどが有効といえる。

(1) 社外取締役の定年・在任年数

日本企業における社外取締役の定年制度等の実態を見ると、当社の「役員報酬サーベイ（2020年度版）」では、①の定年や②の在任年数を設定していない企業が38%となっているが、この数年で大幅に定年の設定が進んだ**【図表5-28】**。

また、同調査結果によれば、定年・在任期限を設定している企業でも、社外取締役の定年年齢（平均値）は約68.3歳であり、他の社内取締役（63.6〜70歳）よりも高くなっている。定年の最高年齢に関しても、社内取締役では75歳が多いのに対して、80歳としている企業も散見された。また社外取締役への在任年数の上限は、平均7.5年であり、最高は12年であった。

(2) 社外取締役のリフレッシュメント

社外取締役のリフレッシュメントを意識して、具体的に開示しているものとして、例えば、コニカミノルタの事例が挙げられる。同社では、社外取締役に関して「就任後も在任期間が長期化することで独立性が懸念されることがないよう、原則4年間の在任として再任制限を設ける」といった規定を設けている。

【図表5-28】日本企業における社外取締役の定年制度

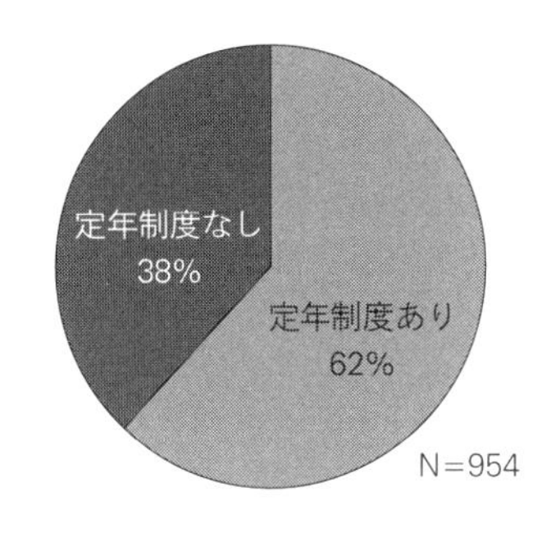

役員定年年齢*1 （単位：歳）

役位	回答社数	平均年齢	最高年齢	最低年齢
社外取締役	117社	68.3	85	60

役員上限在任年数*2 （単位：年）

役位	回答社数	平均年数	最高年数	最低年数
社外取締役	68社	7.5	12	4

*1 「役員定年形態」で「定年の設定あり（年齢）」を選択した企業の回答
*2 「役員定年形態」で「定年の設定あり（在任年数）」を選択した企業の回答

出所：デロイト トーマツ グループ「役員報酬サーベイ（2020年度版）」

社外取締役のリフレッシュメントを考える際の一つの指針として、日本取締役協会の「コーポレートガバナンスに関する基本方針　ベスト・プラクティス・モデルの策定」が参考となる。これによると、「指名諮問委員会は、再任時において独立社外取締役の在任期間が6年を超えるような場合には、再任の当否を特に慎重に検討する」としており、6年を超えるかどうかが、期限を検討する上での一つの目安となるだろう。

また、対策例の一つに挙げた「③一定期間ごとに社外取締役を入れ替える」ことの趣旨は、同時期に複数名の社外取締役が一気に入れ替わると、取締役会の連続性を担保することが難しくなるためである。

具体的なイメージを見てみよう。日本企業の取締役会は平均11人のメンバーで構成されているが、このうち3分の1を社外取締役とすると、3〜4人となる。このメンバーを2年ごとに1〜2人ずつ交代させていくと、常時2人程度が継続して取締役会に残り、1〜2人が新たな社外取締役として入ることとなる。これにより、経営を理解した社外メンバーによる経営の連続性の確保と社外取締役のリフレッシュメントを両立させることができる。

以上のように、役員の再任の際には、社外取締役の評価結果、役員のリフレッシュメントを考慮しながら、「あるべき社外取締役像」をふまえて検討していく必要があり、この点が、単なる選任とは異なるのである。

これまで、社外取締役の選任から処遇、評価、再任までの実務ポイントをここまで整理してきた。これらの取り扱いや実務対応に関して、先行する米英の事例をふまえながら、さまざまな取り組みが各社で進んでいくと想定される。

■ 主な参考資料一覧

第1章：役員の指名・報酬制度を取り巻く環境

村中靖・佐藤しおり『M&A・組織再編の人事―トランスフォーメーションを達成するために』、日経BP日本経済新聞出版（2021）

ポール・ミルグロム／ジョン・ロバーツ 『組織の経済学』、NTT出版（1997）

小佐野広『コーポレートガバナンスの経済学―金融契約論からみた企業論』、日本経済新聞社（2001）

小佐野広『コーポレートガバナンスと人的資本―雇用関係からみた企業戦略』、日本経済新聞社（2005）

宮島英昭編著（RIETI）『日本のM&A―企業統治・組織効率・企業価値へのインパクト』、東洋経済新報社（2007）

宮島英昭編著（RIETI）『企業統治分析のフロンティア』、日本評論社（2008）

加護野忠男・砂川伸幸・吉村典久『コーポレート・ガバナンスの経営学―会社統治の新しいパラダイム』、有斐閣（2010）

久保克行『コーポレート・ガバナンス―経営者の交代と報酬はどうあるべきか』、日本経済新聞出版社（2010）

宮島英昭編著（RIETI）『日本の企業統治―その再設計と競争力の回復に向けて』、東洋経済新報社（2011）

青木昌彦『コーポレーションの進化多様性―集合認知・ガバナンス・制度』、NTT出版（2011）

伊藤レポート（経済産業省）『持続的成長への競争力とインセンティブ～企業と投資家の望ましい関係構築～』（2014）

冨山和彦、澤陽男（経営共創基盤）『決定版 これがガバナンス経営だ！ ストーリーで学ぶ企業統治のリアル』、東洋経済新報社（2015）

藤川信夫『英国Senior Management Regime（SMR）、上級管理者機能（SMFs）とコーポレート・ガバナンス』、文眞堂（2016）

北地達明・北爪雅彦・松下欣親編（有限責任監査法人トーマツ）『コーポレートガバナンスのすべて』、日本実業出版社（2016）

宮島英昭編著（RIETI）『企業統治と成長戦略』、東洋経済新報社（2017）

原丈人『「公益」資本主義―英米型資本主義の終焉』、文藝春秋（2017）

柳良平編著・兵庫真一郎・本多克行『ROE経営と見えない価値―高付加価値経営をめざして』、中央経済社（2017）

北川哲雄『ガバナンス革命の新たなロードマップ―2つのコードの高度化による企業価値向上の実現』、東洋経済新報社（2017）

平成29年度 生命保険協会調査『株式価値向上に向けた取り組みについて」（2018）（http://www.seiho.or.jp/info/news/2018/pdf/20180420_3.pdf）

経済産業省『アクティブ・ファンドマネージャー分科会報告書』（2018年6月25日）（http://www.meti.go.jp/press/2018/06/20180625001/20180625001-1.pdf）

有限責任監査法人トーマツ編（本書執筆者の村中靖共著）『別冊商事法務No.433 取締

役・監査役のトレーニング』、商事法務（2018）
澁谷展由『別冊商事法務 No.432 東証一部上場会社の役員報酬設計─2017 年開示情報版─』、(2018)
『企業会計 Vol.70』、中央経済社（2018）
樋口達・山内宏光『実例に学ぶ　企業の実情を踏まえたガバナンスの開示』、商事法務（2018）
柳良平、広木隆、井出真吾『ROE を超える企業価値創造』、日本経済新聞出版社（2019）
柳良平『CFO ポリシー─財務・非財務戦略による価値創造』、中央経済社（2021）
佐久間信夫『コーポレート・ガバナンス改革の国際比較─多様化するステークホルダーへの対応』、ミネルヴァ書房（2017）
公益社団法人　日本証券アナリスト協会『企業価値向上のための資本コスト経営─投資家との建設的対話のケーススタディ』、日経 BP 日本経済新聞出版（2020）
スチュワードシップ・コードに関する有識者検討会『「責任ある機関投資家」の諸原則〈日本版スチュワードシップ・コード〉再改訂版』、金融庁（2020）
人材版伊藤レポート『持続的な企業価値の向上と人的資本に関する研究会報告書』、経済産業省（2020）
伊藤邦雄『企業価値経営』、日経 BP 日本経済新聞出版（2021）
武井一浩編著『コーポレートガバナンス・コードの実践 第 3 版』、日経 BP（2021）

第 2 章：役員報酬

村中靖・淺井優『労政時報第 3995 号　新型コロナウイルス危機下での役員報酬減額の是非を考える─非常時における役員報酬取り扱いの考え方と検討プロセス』、労務行政研究所（2020）
村中靖・河野通尚・前田欣治『労政時報第 3944 号　インセンティブ報酬を活用した役員報酬改革の方向性』、労務行政研究所（2018）
村中靖『戦略的な役員報酬改革』、税務経理協会（2013）
タワーズワトソン編『攻めのガバナンス─経営者報酬・指名の戦略的改革』、東洋経済新報社（2015）
神田秀樹・武井一浩・内ヶ崎茂『日本経済復活の処方箋─役員報酬改革論（増補改訂版）』、商事法務（2016）
松尾拓也・西村美智子・中島礼子・土屋光邦『インセンティブ報酬の法務・税務・会計』、中央経済社（2017）
髙田剛『実務家のための役員報酬の手引き（第 2 版）』、商事法務（2017）
中村慎二『新しい株式報酬制度の設計と活用─有償ストック・オプション＆リストリクテッド・ストックの考え方』、中央経済社（2017）
澁谷展由『別冊商事法務№. 421 東証一部上場会社の役員報酬設計─報酬水準・報酬制度の分析』、商事法務（2017）
ウイリス・タワーズワトソン 櫛笥隆亮編著『経営者報酬の実務』、中央経済社（2018）
境睦『日本の戦略的経営者報酬制度』、中央経済社（2019）

田辺総合法律事務所他 編著『役員報酬をめぐる法務・会計・税務（第5版）』、清文社（2020）

第3章：役員指名

村中靖・淺井優『労政時報第3956号　CEOのサクセッションプラン設計』、労務行政研究所（2018）
Dennis C Carey、Dayton Ogden『CEO Succession』、OXFORD University Press（2000）
Tom Saporito、Paul Winum『Inside CEO Succession』、WILEY（2012）
クリスティー・アトウッド著、石山恒貴訳『サクセッションプランの基本―人材プールが力あるリーダーを生かす』、ヒューマンバリュー（2012）
野村マネジメント・スクール／野村総合研究所編著『トップが語る　次世代経営者育成法』、日本経済新聞出版社（2011）
Natalie Michel, Brian Conlin『Your CEO Succession Playbook』、TRIFOLD（2017）
久保道晴『オーナー社長の後継者育成読本』、幻冬舎（2017）
中原淳『経営学習論　人材育成を科学する』、東京大学出版会（2012）
『DIAMOND Quarterly 2018 Special』、ダイヤモンド社（2018）
澤口実、若林功晃、辻信之、薮野紀一『商事法務 No.2164号 サクセッションプランの実像―米国S&P100構成企業の開示と具体的実例から』、商事法務（2018）
野中郁次郎編著『野中郁次郎　ナレッジフォーラム講義録』、東洋経済新報社（2018）
田中聡・中原淳『「事業を創る人」の大研究』、クロスメディア・パブリッシング（2018）
経済同友会『経営者及び社外取締役によるCEO選抜・育成の改革―多様なガバナンスに応じた最良のサクセッションの追求』（2019）
中西宏明・冨山和彦『社長の条件』、文藝春秋（2019）

第4章：任意の諮問委員会

村中靖・淺井優・前田欣治『労政時報第3991号　役員報酬ガバナンスの強化に向けた報酬委員会の設計と運用』、労務行政研究所（2020）
澤口実・渡辺邦広編著他『指名諮問委員会・報酬諮問委員会の実務（第2版）』、商事法務（2019）
『東証上場会社における独立社外取締役の選任状況及び指名委員会・報酬委員会の設置状況』、東京証券取引所（2020）
山田英司『ボード・サクセッション―持続性のある取締役会の提言』中央経済社（2021）

第5章：社外取締役の選任と処遇

村中靖・淺井優『労政時報第3922号　これからの社外取締役の選任・処遇の在り方』、労政行政研究所（2016）
荒金雅子『多様性を活かすダイバーシティ経営 基礎編』、日本規格協会（2013年）

日本取締役協会『コーポレートガバナンスに関する基本方針ベスト・プラクティス・モデル』(2015)
有限責任監査法人トーマツ『コーポレートガバナンスに関するアンケート調査結果2017年版（経済産業省調査委託事業）』(2017)
Hauser.R 『Busy Directors and Firm Performance: Evidence from Mergers』Journal of Financial Economics 128（2018）
中島茂・寺田寛・鹿毛俊輔『資料版／商事法務 415（2018.10）号 社外取締役の「再任基準」—その事例分析と提言モデル』、商事法務（2018）
日本弁護士連合会司法制度調査会、社外取締役ガイドライン検討チーム編『「社外取締役ガイドライン」の解説（第3版）』、商事法務（2020）
高山与志子『取締役会評価のすべて—取締役会の実効性を高めるための実務と課題』、中央経済社（2020）

■ 索引

【50音順】

〈あ行〉

〈か行〉

〈さ行〉

〈た行〉

〈な行〉

〈は行〉

〈ま行〉

〈や行〉

〈ら行〉

【数字・アルファベット順】

■ 著者紹介

村中　靖（むらなか　やすし）
デロイト トーマツ コンサルティング合同会社　執行役員／パートナー

デロイトの組織人事コンサルティング全体の統括（共同）責任者。デロイトの組織変革（Organization Transformation）領域における Asia Pacific/ 日本事業責任者も兼ねる。外資会計系コンサルティング会社、外資系M&A関連アドバイザリー会社等を経て現職に至る。クロスボーダーのM&A案件、グローバル人事、役員報酬制度改革に強みを有する。著書として『MBA講義生中継　人材マネジメント戦略』、『最新コーポレートガバナンスのすべて』（共著）、『取締役・監査役のトレーニング』（共著）、『役員報酬・指名戦略』（共著、本書の初版）、『M&A・組織再編の人事』（共著）等がある。

淺井　優（あさい　ゆう）
デロイト トーマツ コンサルティング合同会社　ディレクター

日系大手化学メーカーの人事部を経て現職。英国 Deloitte UK（ロンドン事務所）へ出向。コーポレート・ガバナンス、役員指名・報酬分野で特に強みを持つ。代表的なプロジェクトとして、国内外の経営幹部報酬制度改革、CEO サクセッションを含む経営人材の選抜・育成、指名・報酬委員会の設計・運営支援、国内外のM&A人事デューデリジェンス、PMI・リストラクチャリングの実行支援や、グローバル人事マネジメント戦略策定、人事制度設計等があり、幅広い分野の人事コンサルティング経験を有する。著書に『役員報酬・指名戦略』（共著、本書の初版）の他、寄稿、新聞等へのコメント多数。

■デロイト トーマツ グループとは

デロイト トーマツ グループは、日本で最大級のビジネスプロフェッショナルグループのひとつであり、各法人がそれぞれの適用法令に従い、監査・保証業務、リスクアドバイザリー、コンサルティング、ファイナンシャルアドバイザリー、税務、法務等を提供しています。また、国内約30都市に1万4,500名以上の専門家を擁し、多国籍企業や主要な日本企業をクライアントとしています。

■デロイト トーマツ コンサルティング合同会社とは

デロイト トーマツ コンサルティングは全世界約33万人を擁するデロイトの一員として日本のコンサルティングサービスを担い、デロイトおよびデロイト トーマツ グループで有する監査・税務・法務・コンサルティング・ファイナンシャルアドバイザリーの総合力と国際力を活かし、あらゆる組織・機能に対応したサービスとあらゆるセクターに対応したサービスで、提言と戦略立案から実行まで一貫して支援するファームです。4,000名規模のコンサルタントが、デロイトの各国現地事務所と連携して、世界中のリージョン、エリアに最適なサービスを提供できる体制を有しています。

役員報酬・指名戦略

2019年9月24日　1版1刷
2021年11月25日　改訂第2版1刷
2024年11月1日　3刷

著　者　村中　靖
　　　　淺井　優

発行者　中川　ヒロミ
発　行　株式会社日経BP
　　　　日本経済新聞出版
発　売　株式会社日経BPマーケティング
〒105-8308　東京都港区虎ノ門4-3-12

装幀　野網雄太
組版　マーリンクレイン
印刷・製本　シナノ印刷
ISBN978-4-532-13521-8

Printed in Japan